L'Île
noire
de
Marco
Polo

Révision et correction : Élyse-Andrée Héroux et Céline Hostiou
Graphisme : Ann-Sophie Couette
Image de couverture : Gustave Doré, *Andromède,* collection particulière.
Infographie : Chantal Landry

ISBN : 978-2-924402-04-7
Dépôt légal – Bibliothèque et Archives nationales du Québec, 2015
Dépôt légal – Bibliothèque et Archives Canada, 2015

Imprimé au Québec

Aline Apostolska

avec la collaboration de Raphaël Weyland,
conseiller historique

L'Île noire de Marco Polo

**Une aventure de
Joséphine Watson-Finn**

Première partie

Île de Korčula

1

« Les diamants de Poséidon ! » s'exclame Joséphine, indifférente aux regards qui, depuis les serviettes de bain, se braquent sur elle, sous le soleil encore torride de cette fin d'août. Un soleil souverain dans un ciel parfaitement étale, dont les rayons miroitent çà et là sur l'écume des vagues comme des poignées de pierres précieuses jetées en offrande au dieu grec des profondeurs marines. Dieu des navigateurs comme des plongeurs hypnotisés de bleu et de silence. Dieu, aussi, des tempêtes et des tremblements de terre porteurs de dévastation. D'après la légende païenne, le farouche et fantasque Poséidon exigeait bien des rituels pour retenir sa fureur et concéder sa protection aux simples mortels. Sacrifices d'animaux, fiers étalons ou puissants taureaux plutôt que vulgaires volailles, mais aussi ces « diamants », offrande du ciel lui-même à la mer. Ciel et mer qui depuis la nuit des temps ajustent leurs bleus l'un en fonction de l'autre, au gré de leurs humeurs respectives.

Joséphine aime ces légendes par fidélité à son enfance et à son lord de père, sir Lawrence Watson-Finn, ethnologue, explorateur et écrivain, désormais reconverti en spécialiste des crus de scotch dans son manoir de la campagne anglaise. Ses parents étant divorcés, et Joséphine vivant avec sa mère Anne-Marie à Paris, sa ville natale, elle voyait peu ce père atypique, mais lorsqu'ils se retrouvaient, elle l'écoutait religieusement, engloutissant ses récits

mythologiques comme d'autres, au même âge, avalaient des cuillé-
rées d'huile de foie de morue.

Depuis l'enfance, Joséphine nourrit ainsi ce qu'elle appelle sa
« démangeaison des ailes », ce besoin d'aller voir ailleurs et de se
confronter à l'altérité. En cinquante-quatre ans, de ceux décou-
verts avec son père à ceux qu'elle a parcourus depuis, combien de
pays a-t-elle connus ? Des terres dont elle a déjà essayé de faire le
décompte, sans y parvenir. Pas plus qu'elle n'a réussi à dénombrer
les mers, fleuves, océans, lacs et rivières, dont les tons de bleu ont
ponctué son cheminement, comme autant de cailloux liquides jetés sur sa route. Combien de tons de bleu pourrait-elle nommer ?
Et comment désigner le bleu si particulier de la mer qui scintille
aujourd'hui devant elle, auréolée de ces grappes de diamants qui
frémissent à la surface des flots sous l'effet d'un vent de force
quatre ? Sans ce vent, la chaleur serait presque insupportable. « Le
vent, pense-t-elle, c'est pour ça qu'on est venus ici, mais je vais
avoir l'air d'un hérisson ! » Et, du plat de la main, elle tente de lisser
les boucles de sa courte chevelure rousse.

Enduite d'huile de kantarion, que la pharmacienne de l'île lui
a recommandée pour le bronzage cuivré qu'elle favorise tout en
protégeant l'épiderme, elle tente de baptiser la couleur de cette
mer singulière qu'elle voit pour la première fois. Bleu outremer,
profond et intimidant, strié d'étendues turquoise qui gagnent en
transparence aux abords de la côte escarpée, bordée de grands rochers plats d'un blanc irradiant. Une pierre dure et lisse dont sont
construites les maisons de cette côte adriatique, et qui, depuis des
centaines d'années, constitue le cœur d'un commerce lucratif.
L'environnement stupéfie par sa majesté. À plusieurs reprises
Joséphine a entendu vanter la beauté de la Dalmatie, la côte de la
Croatie baignée par la mer Adriatique, ce bras de Méditerranée qui
s'étend de Venise jusqu'à la Grèce, au gré des mille deux cents îles
qui la parsèment. Elle a beau connaître tant de terres, tant d'eaux,
elle ne s'attendait pas à découvrir un coin si privilégié par la nature, avec une si singulière palette de bleus, de blancs, de verts aussi, car les îles dalmates, en particulier celle sur laquelle elle se
trouve, sont recouvertes d'une abondante végétation – feuillus,
conifères maritimes et agaves confondus. Le tout sous un soleil in-

sistant, propice à l'agriculture – fruits, fleurs, olives, vigne et lavande en tête –, tout comme à certaines espèces animales, sangliers sauvages et serpents venimeux, dont la prolifération, lui a-t-on appris, inquiète les insulaires.

«On a beau avoir rencontré la beauté mille fois, on la redécouvre sans cesse», se dit Joséphine en se battant avec le vent pour parvenir à allumer sa cigarette, son regard clair perdu dans les vagues qui s'étirent à ses pieds. Terrence se trouve quelque part là-bas, près de la côte de l'île d'en face, à six cents mètres de la plage où elle s'est étendue pour suivre ses allers et retours d'un bord à l'autre. Terrence, son Terry adoré qu'elle a malicieusement surnommé «Terry-ble bête de sexe», son jeune fiancé qu'elle refuse d'épouser pour, argumente-t-elle, «éviter de risquer de se ranger des voitures». Joséphine occupe la chaire d'archéologie de l'Université McGill tandis que Terry enseigne la littérature française à l'Université Columbia. Mais c'est en champion de planche à voile qu'il a insisté pour venir ici. Demain, dimanche 31 août, aura lieu une compétition internationale. Les vents qui balaient l'étroit chenal situé entre les deux îles y sont particulièrement propices. Terry s'entraîne donc, et Joséphine espère qu'elle le verra revenir vers la plage avant qu'elle ne la quitte. Dans une demi-heure, elle a rendez-vous avec un plongeur professionnel, en compagnie duquel elle ira admirer les fonds sous-marins de ce coin d'Adriatique, les bancs de coraux surtout, la faune protégée aussi, qui en font la réputation.

Les premières notes tonitruantes de *I'm So Excited*, célèbre tube des Pointer Sisters que Joséphine a choisi, non sans provocation, comme sonnerie pour son cellulaire, rompent soudain le silence alangui de la plage. Tandis que les regards courroucés convergent de nouveau vers elle, un large sourire l'illumine à la vue du nom qui s'affiche sur l'écran.

Joséphine rabat le caquet aux Pointer Sisters pour répondre d'une voix forte :

— Hello, Charlie !

— Bonjour, mon ange ! répond son interlocuteur, et ils éclatent de rire, ravis de leur *running gag*.

— Charlie's Angel, c'est moi, poursuit Joséphine. Je t'apporte la lumière !

Charlie, ou plutôt Charles Trubert, son boss de l'Unesco. Depuis plus de quinze ans qu'ils travaillent ensemble, il est devenu un ami intime, compagnon de nuits de discussions arrosées d'humour et de (beaucoup de) cognac. Après une brillante carrière de diplomate qui l'a conduit dans plusieurs pays d'Europe, Charles, à cinquante-sept ans, partage désormais sa vie entre son Périgord natal et la capitale française où il œuvre comme responsable des missions d'évaluation de l'Unesco. Une douzaine d'années auparavant, lors d'un cocktail à l'Université du Caire, il a été conquis par l'esprit encyclopédique et éclectique de Joséphine autant que par son énergie communicative. Il s'est depuis lors adjoint ses services, lui confiant, une ou deux fois par an, des missions d'expertise aux quatre coins du monde.

— Tu ne devineras jamais où je suis, lui dit-elle d'une voix mutine.

Charles est circonspect. Cette fois, il lui a demandé de visiter la plaine grecque de Stari Grad sur l'île de Hvar, à quelque deux heures au large de la ville dalmate de Split.

— Vous n'êtes pas sur l'île de Hvar?

— Eh non... pas encore. En fait, on est à trois heures de bateau de là, sur l'île de Korčula.

En disant ça, elle imagine très bien Charles, le sourcil froncé, le regard tourné vers l'École militaire et le ministère de l'Écologie, que l'on aperçoit par la grande fenêtre de son bureau de la place de Fontenoy.

— C'est Terry, explique-t-elle, tu sais comment il est... Quand il a su que nous allions en Croatie, il a fait ses recherches et découvert que l'île de Korčula est un haut lieu de la planche à voile. Il participe à une régate demain, mais dès lundi on embarque pour Hvar.

Charles sourit. Lui qui cultive une aversion pour le sport s'émerveille toujours de savoir Terry et Jo à la fois des intellectuels de haut vol et des athlètes aguerris. Pourtant, comme helléniste, spécialiste de l'Athènes de Périclès, ce ne devrait pas l'étonner. «*Mens sana in corpore sano*, ça date pas d'hier quand même!» lui rappelle souvent Joséphine en le taquinant.

— Nous avons atterri à Dubrovnik, poursuit celle-ci. On y a passé deux jours, histoire de se remettre un peu du décalage horaire, puis on a pris le bateau pour venir ici. Trois heures de bateau de Dubrovnik à Korčula, puis encore autant jusqu'à Hvar.

— La vieille ville de Dubrovnik est classée depuis 1979, et on a beaucoup participé à la restauration de certains sites après les dégâts causés par la guerre de l'ex-Yougoslavie.

— Tout est classé sur cette côte dalmate de toute façon. C'est incroyable, sur un territoire aussi exigu.

— Mais tout le monde est passé par là, mon ange...

Jo lève les yeux au ciel en soupirant.

— Je sais, Charlie, j'ai lu ton dossier. Enfin, assez pour avoir compris que toutes les civilisations qui ont constitué l'Occident d'aujourd'hui sont non seulement passées par la Dalmatie, comme tu dis, mais l'ont, à un moment ou un autre, régie, et en particulier les îles de l'Adriatique.

— Les Grecs et les Romains en particulier...

— Ben voyons ! s'esclaffe Joséphine.

Pour Charles, il y a deux catégories d'individus : ceux qui « ont des humanités », et ceux, infiniment plus nombreux, qui n'en ont pas. Dans sa vision, la civilisation gréco-romaine surpasse toutes les autres. Pour ne pas dire qu'il n'en existe aucune autre. C'est en référence à ce parti-pris quelque peu réducteur que Joséphine se moque régulièrement de son ami et affirme lui « apporter la lumière ». Cependant, s'il affiche ses préférences, Charles n'est pas obtus pour autant. Il admet ses limites, qui expliquent aussi l'admiration qu'il porte à l'éclectisme et à la largeur de vue de Joséphine.

— Les Grecs, les Romains, les Byzantins, les Croisés de la quatrième – et sinistre – croisade, puis les Vénitiens, puis Napoléon, puis les Austro-Hongrois... tous ces peuples sont passés par ici et y ont imprimé leurs traces, tout est dans le dossier.

— Et les Slaves, renchérit Charles, tu oublies les Slaves...

— C'est ça ! Tu vois que tu sais, mon Charlie ! Les Slaves évidemment, qui habitent ici depuis le VIIᵉ siècle. Ça fait des couches et des couches de civilisations qui toutes ont laissé la marque de leur culture, mélangé leurs religions et leurs langues...

— Et leurs populations.

Joséphine éclate d'un rire espiègle.

— Et comment ! En deux mille cinq cents ans, qui n'a pas couché avec qui, hein ? Comment va Arthur, à propos ?

Elle aime ainsi secouer la pudeur de son ami qui n'a jamais osé de *coming-out* officiel, laissant son entourage familial et professionnel tirer ses propres conclusions.

— Mon Terry va super bien, merci, ajoute-t-elle sans attendre la réponse, et il est en forme, je peux te le dire !

Elle imagine Charles qui pique un fard derrière son bureau, puis continue son topo :

— Alors Dubrovnik, c'est magnifique, évidemment, mais il y a trop de touristes. Charles, c'est insensé, on ne peut pas marcher sur la *piazza* centrale ! Tu sais que je déteste les touristes.

— Je pensais que fin août ils seraient partis, et puis c'est toi qui dois reprendre tes cours début octobre. On n'avait pas le choix.

— Je ne dis pas ça pour toi, mon Charlie. Ça me tape sur le système, c'est tout. Comme le soleil, parce qu'il fait très chaud en plus.

— Encore ?

— Encore très chaud. Trente degrés ce matin. Mais la mer est bonne, et d'un bleu indescriptible... Je n'ai pas encore trouvé le terme exact pour ce bleu-là, mais j'y arriverai...

— Qu'est-ce que c'est que cette île de Korčula ?

Joséphine roule des yeux et inspire profondément pour expliquer :

— C'est l'île de naissance de Marco Polo.

— Impossible..., rétorque aussitôt Charles. Il était vénitien.

— Oui, mais né ici, à Korčula, sa famille y était installée depuis 1224. Leur maison se trouve dans notre rue, juste au-dessus de la pension où nous sommes descendus...

— Dans une pension ? fait Charles, un rien condescendant.

— Plutôt qu'au Grand Hôtel, oui, mon Charlie. De toute façon, notre séjour à Korčula est privé, c'est donc nous qui payons. Et crois-moi, notre chambre est charmante, en bordure du quai où se trouvent tous les restaurants, avec la mer à nos pieds. Mais pas à perte de vue.

— Je ne comprends pas...

— Cette île est improbablement encaissée. Là, en ce moment, j'ai un mur en face de moi, figure-toi, ou tout comme, à cause de la presqu'île sur l'autre rive, Pelješac, qui se dresse comme une falaise à moins d'un kilomètre de la plage où je me trouve. Ça forme une sorte de couloir entre les îles de Korčula et celle de Pelješac, tu vois. Le vent s'y engouffre avec une fureur à décorner les cocus!

Charles éclate de rire.

— Les bœufs, corrige-t-il.

— Les cocus sont des veaux, de toute façon, mais passons. C'est bizarre, crois-moi, de se trouver en pleine mer sans jamais voir l'horizon. On se sent enfermé.

— Marco Polo ne peut pas être né là...

— Et pourquoi pas? D'ailleurs je ne comprends pas que vous n'ayez pas encore classé la maison de la famille Diepolo... parce qu'il s'appelait Diepolo en fait. Il ne reste que le pigeonnier.

— Tu l'as visité?

— Pas encore, mais je passe devant pour aller et venir à notre chambre.

Charles se racle la gorge et conclut:

— Ce n'est pas le genre de la maison, Jo, nous n'avons pas l'habitude de classer de faux sites. Ce bâtiment semble être un attrape-touristes...

Joséphine réagirait si elle ne venait d'apercevoir la voile blanche et verte qui, gonflée à bloc, ramène son homme vers la plage à vive allure. Oubliant un instant Charles, elle bondit sur ses jambes et agite les bras dans sa direction. Il ne lâchera évidemment pas sa barre directrice pour répondre à son salut, mais elle veut qu'il sache qu'elle est venue le voir. Arcbouté sur sa planche, les talons dans les vagues, dans un savant déséquilibre de professionnel chevronné, Terrence effectue un virage spectaculaire juste avant le fond rocheux à moins de cent mètres de la plage, pour repartir aussitôt vers l'autre rive. Joséphine crie «Go go go!» en sautant à pieds joints sur sa serviette, sous l'œil médusé des personnes qui se trouvent à ses côtés et qui en profitent pour reluquer son corps, petit, mais dont les proportions et la musculature sont tout à fait enviables.

— Allô? fait Charlie, interloqué par les cris et la friture qui envahissent le combiné.

— Je suis là, mon Charlie. J'ai enfin vu Terry à la proue de son char ailé tel Apollon tiré par ses chevaux fous!

— Tu le salueras de ma part, dit Charles avec un sourire dans la voix.

— Ah, mais je n'y manquerai pas, très cher, sois-en certain, minaude Joséphine. Je le saluerai personnellement!

Elle se rassoit, rassurée de voir que son champion trouve ses marques sur cette mer qu'il ne connaissait pas deux jours plus tôt.

— Qu'est-ce qu'on disait? Ah oui... En ce qui concerne l'authenticité de la demeure Diepolo, je vais vérifier. Mais de toute façon, nous partons pour l'île de Hvar dans deux ou trois jours...

Charles reprend un ton sérieux.

— La plaine de Stari Grad que je t'ai demandé d'inspecter est tout à fait authentique, quant à elle. Le système agraire y est resté intact depuis vingt-quatre siècles, raison pour laquelle nous l'avons classée...

— ... en 2008, j'ai lu ça, coupe Joséphine qui, regardant l'heure, commence à ramasser ses affaires pour se rendre à son cours de plongée. Il y aura une expédition en 2016 et tu veux que je vérifie les lieux et évalue les éventuels travaux à effectuer avant cette date.

— Ce ne sera pas une expédition, précise Charles. En 2016, la Croatie et la Grèce organiseront conjointement des manifestations pour fêter le deux mille quatre centième anniversaire de la première colonisation de l'île de Hvar par des Grecs venus de l'île égéenne de Paros, au IVe siècle avant notre ère.

— Et ils referont le voyage de Paros à Stari Grad, nom slave de l'ancienne Pharos comme l'avaient nommée les Grecs de l'époque... Il s'agit donc bien d'une expédition maritime, c'est bien ce que je dis...

Charles soupire au bout du fil.

— Lis l'ensemble du dossier, veux-tu?

— Sans blague, Charlie? Tu penses vraiment que je vais lire *tout* le dossier avant de remplir ma mission?

Cette fois, il n'insiste pas. Jo est une experte minutieuse et consciencieuse, sinon pointilleuse. Il sait qu'il peut se reposer entièrement sur elle.

— Je pourrais te parler encore des heures, dit-elle, mais je dois filer maintenant, je vais faire de la plongée.

— OK, alors bonne plonge, Cléopâtre !

À son tour de lui envoyer une petite pique. S'entendre appeler ainsi agace Jo à cause du souvenir que ce surnom, un brin ironique, évoque. Il date du soir de leur rencontre au Caire. Joséphine, en lui serrant la main pour la première fois, lui avait débité son habituelle litanie : « Je m'appelle Joséphine Watson-Finn, Joséphine comme la Beauharnais, Watson comme « mon cher », et Finn comme Huckleberry, mais appelez-moi Jo, ça va le faire. » Ce à quoi le directeur du département d'histoire de l'Université du Caire, où elle enseignait alors, avait ajouté, goguenard : « Mais nous, nous l'appelons Cléopâtre. » Jo, sa superbe amoindrie, en était restée déconfite. C'est à ce moment-là que Charles l'avait trouvée sympathique. Cette élégante rousse, qui dressait sa silhouette menue sur des talons vertigineux et qu'il savait diplômée de la Sorbonne et de Harvard, lui apparut soudain moins altière et inoxydable qu'elle ne s'imposait de le paraître, seule femme, et jolie, parmi l'assemblée exclusivement masculine. La réaction de Jo acheva de l'en convaincre : « Mais moi, mon nez est authentique, avait-elle finalement rétorqué. Il pourrait même faire l'objet d'un classement. » Charles comprit qu'elle était douée d'une vertu à ses yeux indispensable : l'autodérision. Après le cocktail, ils déambulèrent de longues heures le long du Nil. Malgré la poussière et la saleté, Jo marchait pieds nus, ses sandales griffées à la main. Ils devinrent amis.

Cinq minutes après avoir raccroché, Joséphine remonte la rue principale de l'île de Korčula. La seule rue en fait, qui traverse en son milieu cette ancienne ville fortifiée, depuis la majestueuse porte d'entrée flanquée d'une horloge monumentale, située à l'est, à la tour, côté ouest, sous laquelle se trouve la plage où elle se tenait plus tôt. Les autres rues, des ruelles en vérité, sont autant d'escaliers pentus, qui tous convergent vers cette artère centrale. Une architecture d'une géométrie parfaite, aux proportions harmonieuses, qui force l'admiration de ceux qui, comme Joséphine, découvrent le lieu, ne sachant plus où donner du regard tant sont nombreuses les sculptures, frises et gargouilles qui ornent portes et encorbellements, les petits ponts fenestrés qui courent d'un mur à l'autre au-dessus des ruelles et que les habitants ont souvent transformés en chambres. Des strates d'histoire néanmoins vivante au quotidien. Quand on vit au centre de tels vestiges, on s'habitue à fouler un sol millénaire, à s'asseoir sur un banc centenaire, à jouer entre des canons napoléoniens, à dîner sur un balcon byzantin ou à suspendre son linge à une corde tendue entre des statues vénitiennes de la Vierge. On se s'étonne plus de vivre dans la rue même où naquit l'illustre Marco Polo. Tous les Européens savent cela, mais certains un peu mieux que d'autres.

Joséphine s'engage dans la ruelle qui mène vers sa chambre en longeant les ruines de la maison Diepolo. Elle s'est promis d'inspecter le pigeonnier avec Terrence, mais la conversation avec Charles, sa suspicion surtout, lui restent en tête. Peut-être cette maison n'est-elle pas ce qu'elle prétend être ? Il lui reste vingt minutes avant la plongée. Elle décide donc d'en avoir le cœur net sans plus tarder et, au lieu de poursuivre sa descente, pousse la grille de fer forgé rouillée qui donne accès à ce qui, sans doute, fut jadis un jardin, mais n'est plus qu'une dalle de béton sur laquelle reposent quelques plantes en pot. En passant devant l'une d'elles, Joséphine lit l'inscription qui la surmonte : « Prunier offert par la République populaire de Chine à l'île de Korčula, Croatie, pour saluer les liens qui unissent nos peuples depuis 740 ans. » En fait de prunier, il s'agit plutôt d'une jeune pousse.

— La délégation chinoise est venue au printemps dernier, indique la jeune guide blonde en lui tendant son billet. C'est un cadeau qui commémore l'arrivée en Chine, en 1274, de Marco Polo, avec son père et son oncle.

« Les Chinois ne s'amuseraient pas à venir jusqu'ici pour confirmer les Croates dans une supercherie », se dit Joséphine en s'engageant dans l'escalier de bois qui monte vers le pigeonnier, deux étages plus haut. Un escalier instable, certainement restauré depuis le XIIIe siècle. Un plan de l'ancestrale demeure attire son attention. D'après lui, la demeure Diepolo occupait tout le pâté de maisons alentour, attestant de la richesse des commerçants que furent ses propriétaires. Seul un ancien mur de façade se dresse encore de l'autre côté de la ruelle, envahi par une végétation sauvage. La tour qui mène au pigeonnier demeure la seule partie encore valide et praticable, bien que l'étroitesse de l'escalier oblige à se tourner de côté pour parvenir à gravir les marches. Jo poursuit son ascension. « Au XIIIᵉ siècle, qui régissait cette côte dalmate ? » se questionne-t-elle. Les Croates, Slaves arrivés dès le VIIᵉ siècle de la mer Noire par le Danube, y étaient sans doute majoritaires. Mais la Dalmatie faisait partie de l'empire byzantin. « Ah non ! se souvient-elle, peut-être pas, puisque les Vénitiens ont détruit puis envahi Constantinople durant la quatrième croisade de 1204, et chassé l'empereur byzantin vers la rive orientale de l'empire. Oh là là, que l'histoire des Balkans est compliquée. Charlie a raison, c'est un territoire de passages, de migrations et de croisements, un creuset millénaire d'où est sortie l'Europe actuelle... » Les Diepolo, dès lors, étaient-ils Croates ou Vénitiens ? Et la famille était-elle bien celle du célèbre Marco Polo, ou bien était-ce un homonyme ? « Andréanne vérifiera pour moi », décide Joséphine.

Du pigeonnier, la vue s'avère saisissante. Elle allume une cigarette et la fume lentement, accoudée à l'un des murets qui encadrent le lieu. Pour la première fois depuis son arrivée, elle aperçoit enfin le large, l'horizon que de ces hauteurs on voit comme au travers d'une porte entrouverte. Peu à peu monte en elle une intuition. Une sorte de conviction intime qui à défaut d'être véridique ne lui semble pas moins vraisemblable.

Elle voit le jeune Marco. Elle ne l'imagine pas, elle le voit. Assis dans ce pigeonnier plusieurs heures par jour, peignant, écrivant, tendant le cou pour apercevoir la mer, scrutant la carte de Ptolémée qui, à son époque, représentait le monde connu, une Terre plate, sans pôles ni Amériques. Une Terre encore pleine de promesses et d'inconnu, auxquels le plus jeune des Diepolo devait aspirer comme on aspire à une deuxième naissance, choisie et véritable. En hiver, elle en est sûre, Korčula doit devenir, et l'était sans doute encore plus au XIIIᵉ siècle, un lieu sinistre, déserté par la majorité de ses habitants, livré aux assauts du *bura*, ce vent du nord qui propulse les vagues par-dessus les remparts. Elle le voit qui adresse une prière à la mer, la suppliant de lui ouvrir les bras et de l'emmener loin, vers un avenir sans visages dont il ne pouvait imaginer, évidemment, pas plus qu'Alexandre n'imaginait les satrapes de Bactriane, ni Christophe Colomb, les indigènes des Caraïbes, qu'ils prendraient les traits des sujets de Kubilaï Khan.

Du haut de son pigeonnier, regardant les volatiles, le jeune Marco voulait fuir lui aussi, prendre son envol. Joséphine en est persuadée. D'aussi loin qu'elle se souvienne, Joséphine a toujours été transportée par les grandes figures de l'histoire, ces aventuriers, explorateurs, conquérants, hommes et femmes, dans les traces desquelles, à la suite de son père, elle a délibérément inscrit ses pas, inspirée par la force obscure autant qu'irréductible qui les a propulsés vers l'inconnu. Elle veut croire qu'elle possède ne serait-ce qu'une once de ce feu en elle. À son arrivée en Dalmatie, elle en a découvert la devise : *Navigare necesse est*[1], et l'a tout de suite comprise. Pas besoin d'expliquer cette phrase à une fille qui souffre de démangeaison des ailes, une sorte de pigeonne. Ces îles dalmates, magnifiques, bleues, blanches, vertes, brillantes sous le soleil, aujourd'hui prisées des touristes comme hier de multiples envahisseurs qui y ont laissé leur empreinte, se referment certainement sur elles-mêmes dès après les lourdes pluies froides d'octobre. Novembre doit y être lugubre. En particulier, lui semble-t-il, à Korčula, avec son encaissement étroit qui la protège des tempêtes mais restreint aussi le goût de l'aventure.

« C'est bien sa maison », se dit Joséphine en descendant du pigeonnier. C'est bien la maison de naissance et d'enfance de celui qui a prié la mer de l'emmener loin d'ici et a suivi les colombidés par-delà l'horizon, d'abord jusqu'en Mongolie puis jusqu'en Chine. Puis, l'ayant fait, a écrit son livre de témoignage. Quel en est le titre déjà ? Elle ne s'en souvient plus. Mais Andréanne le lui rappellera. Comme elle trouvera l'origine de l'ancien nom grec par lequel les habitants de Korčula continuent de désigner leur île : Korkyra, diminutif de Korkyra Melaina, l'île noire. « L'île noire de Marco Polo, ça colle », se dit Joséphine. Ce lieu entouré de murailles, enclavé, tourmenté, malgré le soleil et la beauté environnante, recèle quelque chose de sombre, elle le ressent sans trop savoir l'expliquer. La réponse, comme souvent, se trouve entre la vérité historique et la légende séculaire, quelque part dans une fissure entre le rationnel et la croyance. Quand on est archéologue, on ne cesse de creuser ces fissures-là.

---

1. « Naviguer est nécessaire. »

Du haut de l'escalier, elle observe la dalle de béton qui se trouve devant la grille d'entrée deux étages plus bas. Son regard déviant vers la gauche, de l'autre côté du mur qui borde la dalle, elle remarque une église. À l'une des extrémités de la dalle, il lui semble également distinguer un trou, une crevasse partiellement recouverte de vigne vierge. La petite église, la dalle et la maison des Diepolo sont si étroitement accolées qu'on dirait qu'elles communiquent. Comme si la dalle, qui aujourd'hui recouvre ce qui fut sans doute jadis un jardin, dissimulait un ancien passage qui permettait de se rendre directement de la maison au lieu de culte.

Décidée à en avoir le cœur net, Jo descend à toute allure du pigeonnier et se dirige d'un pas ferme vers la dalle. Comme elle va franchir la rambarde qui en interdit l'accès, une voix d'homme stoppe son mouvement. Joséphine se retourne et se fige. Derrière elle se tient le propriétaire de la pension où son fiancé et elle sont descendus. Un très bel homme, ce Maro, magnifique spécimen dalmate, grand et bien bâti, avec longues boucles grisonnantes aux épaules, dents étincelantes et regard profond d'un bleu très pâle. Capitaine dans la marine marchande, il a sillonné les eaux du monde et a souvent séjourné en Amérique du Nord, ce qui explique son anglais impeccable. Puis il est venu s'installer à Korčula et a fondé une famille. Lorsqu'il a abordé Jo et Terry à la descente du bateau en leur proposant de les loger, il n'a pas manqué d'arguments pour qu'elle accepte sa proposition, d'emblée séduite par son physique et sa tranquille assurance.

— N'allez pas là, lui dit-il, la dalle est branlante.

— Mais vous me suivez, ma parole ! s'esclaffe Joséphine. Vous êtes vraiment mon ange gardien.

— Je suis le gardien de la maison de Marco Polo, explique-t-il dans un sourire.

— Ah oui ? Désolée, vraiment, j'ai obéi à une déformation professionnelle. De là-haut, il m'a semblé que la maison et l'église de l'autre côté du mur pouvaient communiquer. C'est plus fort que moi, voyez-vous, je voulais vérifier.

— En effet, dit-il, amusé. Il y avait jadis un jardin à la place de la dalle et du mur. Cette église a été celle de la famille Diepolo. Notre guide vous expliquerait ça bien mieux que moi.

— Est-ce la jeune fille blonde qui m'a vendu le billet d'entrée ?

— Elle se prénomme Ksenia. Sous le jardin existe un souterrain qui conduirait jusqu'à l'église, mais il a été condamné il y a plus de vingt ans. Le sol est instable. Ksenia vous expliquera tout ça en détail.

— Pas aujourd'hui, répond Joséphine, le doigt sur sa montre-bracelet. Je suis déjà en retard pour ma leçon de plongée. Mais je reviendrai avec Terry.

— Il va bien ?

— Comme un poisson volant ! s'esclaffe Jo. Il file sur l'eau, c'est beau à voir.

Dans une virevolte, elle tourne les talons et franchit la grille. Mais au lieu de descendre chercher ses affaires de plongée, elle remonte plutôt vers la rue centrale et contourne le bâtiment pour se rendre à la petite église aperçue depuis les hauteurs.

Le lourd portail de bois sculpté est entrouvert. Jo se glisse à l'intérieur, aussitôt saisie par le silence et l'obscurité. C'est une église pas plus grande qu'une chapelle, qui date du XIe siècle. « Une église préromane, une rareté », pense-t-elle en admirant l'état de conservation du lieu vide de bancs, de prie-Dieu, de cierges, de représentations saintes ou de quelque signe qui prouverait que s'y tiennent encore des offices religieux. Seul se dresse, près du mur du fond, un autel de pierre blanche lissé par les siècles. C'est alors qu'elle remarque les statues. Treize statues de bronze, grandeur nature, à l'effigie des apôtres, Judas compris, alignées de chaque côté, contre les murs. Joséphine prend le temps de les contempler une à une avec une stupéfaction admirative. Jamais elle n'en avait vu de pareilles. En reculant, sous ses pieds elle aperçoit un blason gravé dans le marbre blanc. Une croix à gueules reconnaissable entre toutes : celle des Templiers. « Mais qu'est-ce que ça vient faire là ? », s'étonne-t-elle.

Une odeur désagréable vient titiller ses narines. Tournant le dos aux statues, elle suit l'effluve jusque derrière l'autel et découvre une dalle de marbre, entrouverte. Un filet de fumée blanche s'en échappe. Joséphine se penche pour voir ce que la pénombre et la fumée l'empêchent de distinguer d'emblée : les marches d'un es-

22

calier. S'agirait-il de l'issue du souterrain dont vient de lui parler Maro? Ou bien d'une crypte? Elle s'y engage résolument. Parvenue à la cinquième marche, elle ne voit toujours rien. Le sous-sol est plongé dans une obscurité opaque. Mais l'odeur bizarre se fait plus prégnante et commence à l'incommoder. Rapidement, elle suffoque. Pinçant ses narines, elle tente de remonter mais s'écroule. Évanouie.

2

À travers le brouillard qui danse devant ses paupières mi-closes, Joséphine entrevoit les yeux mordorés de Terrence qui guettent un signe de sa part. Penché sur elle, il replace le sac de glace sur son front et les compresses froides sur ses tempes. Voyant qu'elle ouvre enfin les yeux, il serre sa main et parle doucement à son oreille.

— Tout va bien, mon amour, je suis là.

Joséphine ne répond pas. L'horrible odeur soufrée qui l'a faite tourner de l'œil tapisse encore ses narines et son palais. Elle se sent nauséeuse, avec la sensation qu'une enclume écrase son ventre et que des coups de marteau cinglent son crâne. D'un coup, un reflux gastrique envahit sa gorge, lui laissant à peine le temps de se tourner instinctivement sur le côté pour l'éjecter au sol.

Terrence recule puis la regarde, l'air inquiet.

— Argh..., gémit-elle en retombant sur les coussins.

— Parfait, dit Terrence, c'est bien que tu aies vidé ton estomac. Tu as peut-être mangé un mauvais truc.

Jo s'essuie les lèvres en secouant la tête. Elle n'a mangé que de la pastèque depuis le petit déjeuner, mais, la mâchoire engourdie, elle renonce à parler.

Terrence sort de la chambre et revient un instant plus tard avec une belle femme dans la quarantaine. C'est Yerina, la femme de Maro, longue liane aux cheveux de jais et à la peau tannée, vêtue d'un minishort rouge et d'un tee-shirt jaune. Elle observe attentivement Joséphine, le sourcil froncé.

— Je vais vous préparer une décoction de romarin, lui dit-elle. Il se peut que ça vous empêche de dormir, mais ça va vous purger.

Sa voix est grave et son regard, noir, ourlé de cils étonnamment fournis.

— J'ai assez dormi, articule avec difficulté Joséphine.

L'amertume qui a envahi sa bouche la fait grimacer.

— Tu as attrapé un coup de soleil, Jo, murmure Terrence revenu à ses côtés. Quand il y a beaucoup de vent, on ne se rend pas compte qu'il tape très fort.

Yerina semble attendre la réponse de Joséphine, mais celle-ci ne vient pas. Jo est sûre d'avoir été droguée. Elle se souvient de l'église, des statues des apôtres, de la croix templière et de la cavité sombre où elle a tenté de descendre. Puis plus rien. Un trou noir.

— C'est mon mari qui vous a trouvée, explique Yerina. En allant fermer l'église Saint-Pierre, il vous a vue inconsciente dans les marches qui conduisent à la crypte.

«C'était bien une crypte, alors», se dit Joséphine, qui commence à se sentir un peu mieux. Vider son estomac l'a réveillée, et l'air frais de la mer qui s'étend à dix mètres au-delà de la fenêtre la revigore peu à peu. Ouvrant complètement les yeux, elle voit que la nuit est tombée. Sous les volets, les dîneurs sont déjà attablés dans les restaurants situés sur le quai qui longe la mer.

— Maro est le gardien de la maison de Marco Polo et de l'église Saint-Pierre à côté. Il t'a sortie de là et t'a transportée jusqu'à la chambre. Heureusement que tu t'es affaissée sur le haut des marches, tu aurais pu tomber plus bas et te briser la nuque.

— Je ne comprends pas que le portail ait été ouvert, intervient Yerina, l'air fâché. L'église Saint-Pierre n'est pas ouverte au public, sauf pour des cérémonies spéciales.

— Oh, ça..., fait Terrence, mi-figue mi-raisin. Jo visite bien des endroits interdits au public, vous savez. C'est même sa spécialité.

— C'est un jeu dangereux, conclut Yerina avant de s'éclipser pour aller chercher de quoi nettoyer le sol et préparer la décoction de romarin.

« Tout ça ne m'explique pas d'où venait cette fumée », pense Joséphine qui retrouve peu à peu ses esprits mais renonce à partager ses pensées avec Terrence. Inutile de l'inquiéter davantage. Après tout, c'était peut-être simplement de l'encens, que son organisme fatigué par le décalage horaire, le vent et le soleil n'a pas supporté. Elle se redresse péniblement avec l'intention de se rendre dans la salle de bains.

— Tu vas où comme ça ?

— Je me sens mieux et prendre une douche me fera du bien. Manger aussi. Allons dans un resto en bas, sur le quai, c'est tellement agréable.

Disant cela, elle pose les pieds au sol, fait un pas et s'écroule lourdement, la tête la première. Sous l'effet du choc, son estomac se cabre et elle régurgite une deuxième fois.

Terry se précipite. Après avoir relevé Joséphine, il la dépose sur le lit.

— Ma tête..., gémit-elle.

La peur l'envahit malgré elle. Qui a bien pu vouloir l'empoisonner ainsi, et pourquoi ? Par quel moyen ?

— Tu vas trop vite, Jo. Arrête de bouger.

Il a raison. Un brouillard épais danse de nouveau devant ses paupières qu'elle tient fermées. Il lui semble qu'un gong résonne à ses tempes.

— Mais j'ai vraiment besoin de me laver, murmure-t-elle. Regarde-moi ça, j'ai vomi sur moi... C'est encore plus insupportable.

— Je vais t'aider ! décrète Terry, sur un ton gentiment impérieux.

Il laisse la fenêtre ouverte mais rabat les persiennes. Il fait couler un bain dont s'échappe bientôt une délicate odeur de lavande puis revient vers Jo, enlève la petite robe à bretelles et le maillot une pièce qu'elle porte depuis la plage. Avec d'infinies précautions, il la porte jusqu'à la baignoire et la dépose dans l'eau chaude et parfumée.

Une rangée d'éponges brunes de différentes tailles décore le rebord de la fenêtre qui surplombe la baignoire. « C'est moi qui les ai pêchées », leur a appris Maro en leur montrant la chambre à leur arrivée. Cet homme fait bien des choses, décidément. L'été il gère la location des chambres et, durant l'hiver, effectue les réparations et les aménagements nécessaires pour l'été suivant; il surveille la maison des Diepolo et l'église Saint-Pierre; il plonge; il pêche; il cuisine. « Et il doit certainement bien baiser, ajoute Joséphine à part elle. Ça, il ne nous l'a pas dit, mais j'en suis certaine. » Elle se laisse aller entre les mains attentives de Terrence qui agrippe une des éponges, l'enduit de savon à l'huile d'olive locale avant de frotter lentement toutes les parties de son corps. Puis il lui lave les cheveux avec le shampooing pour bébés qu'elle emploie habituellement et s'attarde à masser son cuir chevelu en insistant sur le haut du crâne et les points d'acupuncture des tempes, du front et des pommettes. La tête renversée sur le rebord de la baignoire, Jo sent son énergie revenir. La nausée et l'engourdissement laissent place progressivement à une délicieuse vague de sensualité.

— Dis-moi, mon Terry terrible, susurre-t-elle. Tu ne serais pas en train de chercher à profiter de ma faiblesse?

— Bien sûr que non, pour qui tu me prends?... répond-il à mi-voix. Je ne voudrais pas choquer Yerina qui est en train de nettoyer le plancher de la chambre. Mais quand elle sera partie, là... je ne sais pas.

— C'est bien ce que je dis... Tu me vois, là, toute fragile, et tu veux en abuser. Tu ne trouves pas que j'ai déjà été suffisamment traumatisée pour aujourd'hui?

— Mais Yerina t'a préparé une bonne décoction de romarin. Ça pourrait avoir des effets spectaculaires.

Joséphine se blottit contre lui.

— À condition que tu te brosses les dents d'abord, ajoute-t-il, je suis prêt à tout...

Elle le titille et le flatte, il la protège et la rassure. C'est entre eux un accord tacite, conclu dès le début de leur relation, dix ans auparavant.

Joséphine participait à un colloque à l'Université Columbia. Lors d'une pause entre deux allocutions, elle avait commandé non pas un mais deux cafés pour tenter de combattre l'ensommeillement dû au décalage horaire et plus encore au fait qu'elle avait imprudemment pris un vol qui, après une escale, avait atterri à New York le matin même du début du congrès. Elle s'était fait conduire directement à l'université sans même passer par l'hôtel. Elle se sentait mal, fripée et fourbue, inquiète aussi à l'idée de devoir, dans cet état, donner sa conférence dans l'après-midi. Juchée au bar devant ses deux gobelets, elle ouvrait un tube d'aspirine lorsque Terrence, à ses côtés, l'aborda.

— Voilà bien longtemps que j'ai renoncé au café, dit-il, et depuis, je suis bien moins fatigué.

Nuque baissée, elle vit d'abord ses mains, longues et blanches, piquetées d'infimes taches de rousseur, tout comme ses pommettes et, elle le découvrirait plus tard, ses épaules. En levant les yeux, elle rencontra les siens, bienveillants et lumineux, d'un brun doré moucheté de vert qui contrastait harmonieusement avec son abondante chevelure brune. Elle apprécia la coupe de sa veste de tweed gris-bleu et la chemise d'un parme délicat, sa montre plate et élégante, et son parfum, de marque française, que son nez expert reconnut aussitôt. Depuis quand ne regardait-elle plus les hommes ? Dans son quotidien, elle avait appris à les ignorer, voire même à les éviter, toujours sur ses gardes à cause du machisme environnant, accentué par la montée du radicalisme religieux. Ses amis et sa famille s'inquiétaient de la voir vivre dans un contexte si malaisé, mais elle assumait parfaitement les raisons qui avaient prévalu à cet exil. À cause d'un homme. Un homme qu'elle voulait fuir, choisissant de vivre loin, là où, pensait-elle, rien ne risquerait de raviver son souvenir. Mais au moment de sa rencontre avec Terrence, cela faisait longtemps, presque douze ans. Cette solitude quasi monacale, distraite par les amis et les voyages, de chantiers de fouilles en recherches, et ponctuée par des aventures sporadiques lors de vacances au loin, cette vie de retrait, bien qu'elle correspondît certainement à un aspect de son caractère, commençait à lui peser. Elle vivait au Caire depuis ses trente-deux ans et, parvenue à quarante-quatre, se mettait à espérer une seconde bouffée d'air. La première s'était présentée deux ans auparavant en la personne de Charles Trubert, sous la forme de missions confiées comme autant de paliers vers un retour progressif à la paix du cœur et de l'âme.

Mais, elle le savait, ce n'était pas son environnement qui la limitait. C'était elle qui avait choisi la complexe et mystérieuse beauté de l'Égypte, sa douceur de vivre et sa prégnance historique aussi, pour s'y perdre, s'y retrouver et guérir. En même temps qu'avancer professionnellement. Et, guérie, elle l'était. La démangeaison recommençait à tarauder ses ailes. De plus en plus souvent, en marge des missions pour l'Unesco, elle acceptait de donner des conférences à l'étranger, comme celle qui ce jour-là l'avait conduite à Columbia, aux côtés de ce beau jeune homme élégant, attirant dans sa retenue toute anglo-saxonne.

— Au Caire, je ne bois que du thé, finit-elle par répondre, mais aujourd'hui, je pense vraiment avoir besoin de café. Sinon je vais bafouiller.

Et, reprenant le contrôle de ses émotions, elle lui tendit une main ferme en prononçant sa formule habituelle :

— Joséphine Watson-Finn, Joséphine comme la Beauharnais, Watson comme « mon cher » et Finn comme...

— ... comme Huckleberry évidemment, mais vous n'êtes ni ronde ni acide[2], à ce que je peux en juger.

Il accompagna sa sortie d'un sourire étincelant qui la laissa bouche bée. Puis la fit éclater d'un rire aussi sonore que surprenant.

— Vous riez comme un tir de mitraillette, lui dit-il, déstabilisé mais charmé.

— Moi, c'est Terrence Mead, comme...

— Margaret ? bondit Joséphine, subjuguée à l'idée de se trouver en présence d'un descendant de la plus célèbre et audacieuse anthropologue du XXe siècle, que son père et elle-même, comme tant d'autres, vénéraient au point de l'avoir élevée au rang de divinité, non seulement des études classiques mais de la cause humaniste tout entière.

Terrence secoua la tête en fronçant le nez d'une manière irrésistible.

— Hélas, je ne crois pas. Ou si, sans doute, par un lien indirect avec une cousine par alliance de mon grand-oncle.

— Par le frère de Margaret ?

— Peut-être, dit-il, dubitatif, je n'ai pas vérifié.

---

2. En anglais, *huckleberry* signifie « airelle ».

Comment pouvait-on ne pas avoir fait de recherches sur sa propre généalogie? Cela dépassait Joséphine. Elle se rendait compte qu'en réalité il ne voulait pas trop en dire ni usurper une improbable ascendance pour impressionner un auditoire. Il lui apprit néanmoins qu'il était, lui aussi, d'ascendance anglaise, «et même anglican bien que de famille non pratiquante». Il parlait français, presque aussi bien qu'elle, et elle, anglais, presque aussi bien que lui. Comme elle, il était diplômé de la Sorbonne, en littérature française du XIXᵉ siècle qu'il enseignait depuis peu à Columbia. Ça ne l'avait pas empêché de lire Margaret Mead, appréciant son ouverture d'esprit, son entreprise de réhabilitation des peuples premiers, ses thèses culturelles, «sans parler de sa fervente défense de la sexualité», ajouta-t-il avec un demi-sourire.

— Vous êtes bisexuel, vous aussi? se risqua Joséphine.

— Ça ne m'a pas encore été révélé, répliqua-t-il avec un drôle de mouvement de côté du menton. Je suis marié.

— Margaret Mead le fut aussi, rétorqua-t-elle, hilare. Trois fois. Ça ne l'a pas empêchée de revendiquer sa bisexualité...

— ... comme un état naturel de l'être humain, je sais, mais moi, non. Pas que je sache.

Il ne se laissait pas démonter. Pourtant elle voyait bien qu'il était beaucoup plus jeune qu'elle.

— Vous vous êtes marié au berceau, fit-elle, tentant d'en savoir plus.

La réponse tomba, nette:

— J'ai trente-quatre ans tout de même. Et une petite fille de trois ans.

Pourquoi cet homme, qu'elle ne connaissait pas un quart d'heure plus tôt, lui confiait-il tout ça? Plus tard, il lui dirait qu'il était instantanément tombé amoureux d'elle. «Comme dans les livres, oui, plaiderait-il. Le coup de foudre, je n'y croyais pas, mais ça existe.» L'après-midi, galvanisée par cette rencontre, Joséphine avait brillamment livré sa conférence, redoublant d'humour et d'érudition. Le lendemain matin, alors qu'elle allait sortir de sa chambre d'hôtel, Terrence s'était annoncé à la réception. Elle ne l'avait pas laissé monter, retardant leurs premiers ébats au soir suivant, veille de son retour au Caire. Une nuit mémorable qui, une fois qu'elle fut rentrée chez elle, ne l'en devint que plus. Joséphine, décontenancée, commença à admettre que ce *one-night stand* n'en était pas un. Peut-être. Lui, malgré son flegme et son éducation «très Nouvelle-Angleterre, ce qui est pire, arguait-il, que l'éducation anglaise», l'appelait, lui écrivait tous les jours. Elle, au contraire, adopta son habituelle marche du crabe. Un pas de côté puis deux en arrière puis un autre pas de l'autre côté. Une sorte de tango désordonné destiné à lasser le partenaire. «Que vas-tu faire avec un type aussi jeune? lui serinait sa mère. Il est subjugué parce que tu es parisienne, bien évidemment, mais ça ne durera pas. Il va te laisser tomber.» «Quand bien même, analysait à son tour Pauline, son amie d'enfance, également parisienne. S'il te quitte, votre différence d'âge sera un prétexte, dès lors qu'as-tu donc à perdre?» Seul son père, depuis son manoir anglais, amusé par le trouble croissant de sa fille adorée, ne disait rien. Ou juste l'essentiel: «Est-ce que tu l'aimes? *There's no other question.*» Il disait vrai, bien sûr, c'est bien ce qui ennuyait Joséphine.

Terrence, quant à lui, ne semblait nourrir aucun dilemme. Il prenait l'avion dès qu'il le pouvait pour la rejoindre et raviver en elle son souvenir. Une fois, deux fois, dix fois, plus encore. Au Caire, à Paris, à Londres et ailleurs, sans lâcher prise il la suivait à la trace, qu'elle fût crottée par des heures de fouilles ou occupée à évaluer des sites classés au patrimoine de l'humanité. Sans le dire à Joséphine, il avait engagé son divorce deux semaines à peine après leur première nuit. Quant à elle, elle avait fait des pieds et des mains pour se trouver un poste à Columbia ou au moins en Amérique du Nord, sans jamais avouer que cette démarche pouvait fort bien être en lien avec leur histoire. Au bout de six ans de démarches infructueuses, alors qu'elle commençait à désespérer, un poste s'était libéré à Montréal, à l'Université McGill, et elle l'avait obtenu. «À une heure de chez toi, en avion, c'est déjà trop près», avait-elle répliqué quand il l'avait demandée en mariage, dans les règles, un an après qu'ils eurent fêté leurs fiançailles. Son diamant au doigt, elle était déterminée à cultiver l'enviable statut d'éternelle fiancée. «Justes noces? En quoi sont-elles justes?», répliquait-elle d'ailleurs à sa mère qui, une fois de plus, ne la comprenait pas. Et Joséphine, railleuse, affirmait qu'Anne-Marie avait dû servir de modèle aux Parisiennes de Kiraz, ceci, selon elle, expliquant cela...

Ainsi, la Franco-Britannique et l'Américain, la Montréalaise et le New-Yorkais, la plongeuse et le véliplanchiste, la férue d'histoire et l'amateur de littérature, la fumeuse gourmande et l'ascétique gourmet, la nullipare et le père d'une adolescente née d'un premier lit, elle – pas mal plus âgée que lui mais souvent beaucoup plus curieuse, drôle et intrépide – et lui, ces deux-là font la paire. Depuis dix ans, leur histoire d'amour convexe, torride et tendre à la fois, jamais rassasiée ni frustrante pour autant, dure, se déploie, parfois gronde, au gré d'avis de tempêtes et de raccrochements aux branches mais inexorablement s'intensifie et s'approfondit.

Après leur bain câlin, Joséphine a bu sa décoction de romarin et grignoté quelques biscuits secs tandis que son amoureux dînait d'une grosse salade à ses côtés, refusant de la laisser seule pour aller manger dehors. Au creux de la nuit, ils s'endorment enfin, enlacés dans leur lit. Par la fenêtre, un pâle premier quartier de lune tente d'imposer son scintillement entre les majestueuses branches des pins centenaires qui bordent le quai du village de Korčula.

3

Le lendemain matin à 10 heures, Joséphine, toute de blanc vêtue, se tient parmi la foule compacte massée sur le quai. Une longue nuit de sommeil a effacé presque toutes les traces de l'intoxication de la veille. Avant de quitter la chambre, elle a avalé deux comprimés et enfoncé un chapeau bas sur son front pour contrer une éventuelle recrudescence migraineuse. Juchée sur des sandales de corde à talons compensés, elle étire le cou pour tenter d'apercevoir la voile de Terry parmi celles de ses nombreux concurrents.

Depuis une heure déjà, cent cinquante véliplanchistes, représentant vingt-cinq pays, mesurent leur puissance et leur agilité au fil des épreuves. Vingt-huit Américains participent à la course, dont son fiancé. « Terry-ble bête de sexe » est aussi une « Terry-ble bête de sport ». Jo est fière de lui « et amoureuse jusqu'au coccyx ».

À l'issue de la deuxième épreuve, il prend la quatrième place. Joséphine ne se contient plus. Au grand étonnement des autres spectateurs, elle acclame son champion en agitant une écharpe blanche et verte à son effigie. Pour le moment, elle ne pense plus aux événements de la veille, et encore moins à la mission historique qui l'a amenée sur cette côte croate de l'Adriatique.

Tout à coup, une main la saisit par le coude et la tire en arrière. Joséphine se retourne, fâchée du dérangement, et, après une seconde d'hésitation, reconnaît Ksenia, la jeune guide à la longue chevelure blond platine qui officie à la maison de Marco Polo. À cause de l'affluence, la jeune femme ne parvient pas à se faufiler jusqu'à elle. Elle a tout juste réussi à tendre la main et lui fait signe de venir la rejoindre. Joséphine refuse avec de grands signes. Pas question de céder sa place ni de quitter Terry des yeux. Ksenia insiste puis se résigne et finit par lui glisser un papier dans la paume. Jo le regarde sans comprendre. Que veut cette fille qu'elle ne connaît même pas ? Qu'est-ce qui peut être assez important pour qu'elle vienne l'importuner à cet instant ? Ksenia pointe le papier, lui indiquant qu'elle doit le lire et, après un dernier regard entendu, se retire. Elle est grande et fine, Jo l'a bien remarqué, à l'image de la plupart des jeunes Croates qu'elle ne cesse d'admirer depuis son arrivée, vaguement jalouse du regard insistant que Terry fait semblant de ne pas poser sur elles. La longue chevelure de Ksenia ondoie dans le vent tel un étendard de ralliement puis disparaît derrière le public enthousiaste. Sans le lire, Joséphine fourre rageusement le mot dans la poche arrière de son pantalon. Les clameurs redoublent. Les candidats sont en train de revenir vers le quai à vive allure. Cette fois, Terry est en tête.

Aux côtés de Joséphine, un gaillard de deux mètres, à l'envergure impressionnante, l'œil très bleu et la barbe blanche encore par endroits parsemée de fils blonds, grogne, visiblement mécontent de la performance de cet Américain.

— *Pizdoun*[3] ! s'écrie-t-il d'un air méchant à l'adresse de Terrence.

Nul doute qu'il a proféré une insulte, contrarié que son fiancé ait dépassé le concurrent originaire de Korčula.

— Vas-y, Terry ! hurle-t-elle alors par provocation, en décochant un regard noir à son voisin.

Celui-ci la toise un moment de toute sa superbe, sans laisser de doute sur le mépris que cette étrangère lui inspire. De toute façon, on ne voit plus les véliplanchistes, repartis vers la presqu'île de Pelješac, poussés par un vent encore plus furieux que la veille.

« *Pizdoun*..., se répète Joséphine. J'adore ce mot. À l'entendre, on sait tout de suite qu'on n'est pas en train de vous traiter de canari en sucre... » Depuis son arrivée dans ce pays, elle est énervée,

---

3. « Connard. »

sinon vexée, par son incapacité à comprendre la langue, faute de posséder les références pour le faire. Ne parle-t-elle pas l'arabe, le latin et l'italien, le grec ancien et moderne, l'allemand, l'araméen et l'espagnol ? Et Terrence le chinois et le japonais, en plus, comme elle, du français et de l'anglais ? «À nous deux on devrait pouvoir communiquer avec la terre entière, aime-t-elle à répéter, avec les vivants et même avec les morts ! » Mais pas ici. Elle n'a appris aucune des langues d'origine slave ou thraco-balkanique, aussi les bases lui manquent-elles pour comprendre le croate, bien qu'elle soit capable d'entendre que le dialecte dalmate est mâtiné de vocabulaire et d'accent italiens, héritage d'un long passé vénitien. «Bon, conclut-elle, amusée, je connais au moins un mot. »

Les concurrents reviennent vers la rive à un rythme encore plus effréné. Terrence rivalise avec le jeune homme que semble soutenir le voisin de Joséphine. Celui-ci se met à hurler de sa voix de basse accordée à son physique herculéen. Jo saisit bien qu'il l'invective comme, sans doute, le faisaient les spectateurs de la Rome ancienne pendant les courses de chars. Lorsqu'il brandit ses grands bras au-dessus de sa tête, elle se tasse sur le côté par crainte qu'ils ne lui retombent dessus. Plus de deux heures se sont écoulées depuis le début de la régate. Il reste encore quatre allers-retours. Les organisateurs ayant veillé à ce que la course ait lieu avant les grosses chaleurs de l'après-midi, tout sera conclu au plus tard à midi.

À l'issue d'une manœuvre délicate qui manque de le faire chavirer, Terrence dépasse son concurrent immédiat, et aussitôt son voisin adresse un regard mauvais à Joséphine, en signe de représailles.

À midi moins le quart, alors qu'elle est fatiguée par l'excitation ambiante et la promiscuité qui l'a clouée sur place sans qu'elle puisse se dégourdir les jambes, elle aperçoit de nouveau Terrence à la surface des flots. Il arrive nettement derrière le concurrent croate. Le cœur battant, elle comprend qu'il ne parviendra pas à le rattraper. Il finira deuxième. Un exploit compte tenu du nombre de candidats qui ont pris le départ, même si beaucoup d'entre eux ont été renversés par le vent ou ont chuté lors de virages périlleux. Voyant son favori en tête, son voisin ne se sent plus de joie. Il se met littéralement à sauter sur place, bousculant les spectateurs autour de lui.

— *Hrabro*, Stjepan[4] ! s'époumone-t-il, si fort que la femme devant lui se bouche les oreilles.

Le colosse ne s'en soucie guère. Ses hurlements redoublent d'ardeur.

— *Ubi ga ! Ubi ga*[5] !

Son poing est brandi vers le ciel, son regard jette des flammes. C'est alors que se produit ce que Joséphine redoutait. Emporté par l'enthousiasme, le géant rabat son poing serré directement sur son épaule. Avec un hurlement strident, la douleur décuplant sa force, elle parvient à le repousser. L'homme pivote et lui fait face, dressé devant elle comme la montagne du Jugement dernier. Exactement comme la haute presqu'île de Pelješac obstrue la vue et interdit l'accès au large. Même le soleil a disparu, éclipsé par la grosse tête de l'agresseur. Joséphine lève courageusement les yeux et défie l'homme. La fureur de son regard est masquée par ses lunettes de soleil, mais quand bien même la percevrait-il, il n'en aurait cure. D'ailleurs, il éclate d'un rire mauvais et du torse la comprime un peu plus contre les corps amassés alentour. Jo se sent suffoquer, devenir aussi insignifiante et impuissante qu'un insecte pris dans une toile d'araignée. La sensation d'étouffement et la nausée de la veille au soir lui reviennent aussitôt. Son assaillant, une moue satisfaite aux lèvres, avance encore et Jo sent qu'elle va tomber, faute de place pour reculer ni même bouger ses pieds. Le torse ployé vers l'arrière, elle est sur le point de s'écrouler, et peut-être de vomir, sur la femme derrière elle. C'est celle-ci qui vient à son secours. La rattrapant aux épaules, elle stoppe sa chute et la redresse vigoureusement. Un flot de colère jaillit alors de sa bouche, résonnant aux oreilles de Joséphine comme une crécelle. La femme crie, injurie copieusement l'offenseur. Nul besoin de comprendre le croate pour saisir la teneur de ses propos. Le géant finit par reculer. Il se tourne vers le large et Joséphine, pantelante, reprend elle aussi sa place. Sa voisine lui tapote gentiment le dos.

---

4. « Courage, Stjepan ! »
5. « Tue-le ! Tue-le ! »

Elle reprend lentement son souffle, et le soleil de nouveau lui baigne le visage. « Ce ne sont pas des mièvres, ici, pense Joséphine, atterrée par la violence dont cet homme s'est permis de faire preuve. Je comprends que l'on craigne tant les débordements des supporters des équipes de soccer. » Comme tout le monde, elle a vu des images de partisans sauvages cassant tout sur leur passage, quand ils ne passent pas leurs opposants à tabac, juste parce que leur équipe a perdu. Les commentateurs attribuent généralement ces scènes à un excès de consommation d'alcool ou de stupéfiants, ou au funeste mélange des deux, mais Joséphine, elle, y a toujours lu la résurgence des pulsions primaires de l'humain, libérées, comme l'éruption d'un volcan déverse le magma bouillonnant, par l'effet d'entraînement du groupe. Que ne ferait-on, fondu dans la masse, que l'on n'imaginerait pas faire seul ? Jo a depuis trop longtemps étudié les effets, positifs comme négatifs, de l'influence des masses sur la marche des civilisations pour ne pas en reconnaître, et en mesurer, l'incontrôlable portée. Les bras croisés, elle se tient à carreau, déterminée à ne plus piper mot et à retenir toute expression jusqu'au retour de son champion sur la terre ferme.

Terry a eu très peur lui aussi. D'abord les éléments sont déchaînés. Plus encore que lorsqu'il s'entraînait la veille. Le vent insoumis, comprimé par l'étroitesse du chenal, redouble aujourd'hui de fureur intempestive. La mer barattée dresse des vagues cinglantes qui à chaque instant menacent d'engloutir ces minuscules humains qui osent les défier. Les jets d'écume scintillent sous le soleil dru, aveuglants comme les éclats d'un filet de mailles. Terrence n'y voit pas les diamants de Poséidon mais le risque de perdre le contrôle de sa planche. En Dalmatie, la Méditerranée ne ressemble pas à la Méditerranée, ou du moins montre-t-elle la part brute, archaïque et indomptée d'elle-même. Incessamment, derrière la langueur et la majesté prodigieuse, filtre l'écho de dangers insondables et invisibles, tapis comme des Méduses mortifères à l'abri des rochers acérés. Ils pourraient surgir *de profundis*, à la crête des flots, et vous sidérer.

La nature ne constitue pas le seul danger. Les concurrents eux-mêmes, l'humeur titillée par les provocations de la nature, en oublient les codes sportifs, dont le premier d'entre eux : le respect de l'adversaire. Un nombre incalculable, et inhabituel, de concurrents ont chuté ou déclaré forfait dès le début de la course. Il restait moins de la moitié des compétiteurs lors de la deuxième traversée de la rive de Pelješac à celle de Korčula, soit dix minutes après le coup d'envoi. Depuis plus de dix ans qu'il concourt de par le monde, Terrence ne se souvient pas d'avoir déjà assisté à pareille hécatombe. Lui a tenu bon, son goût du challenge et son excellente forme physique compensant son âge, car avec ses quarante-quatre ans, il est très certainement l'un des plus âgés. De la quatrième place, d'une vague et d'un virage à l'autre, il est remonté à la première, mais, sur sa droite, son jeune concurrent croate est parvenu à le dépasser. Terrence a remarqué, bien qu'un peu tard, qu'il est gaucher et que donc, lorsqu'il vire de bord, il manque de lui envoyer la voile dans la figure. Terry s'est méfié, effectuant ensuite ses virages à bonne distance de son concurrent. Mais cette précaution lui a fait perdre de précieux centièmes de seconde. À l'issue de l'avant-dernier aller-retour, il est néanmoins parvenu à revenir en tête, farouchement déterminé à tout faire pour conserver son avantage. Le jeune Croate ne l'a pas entendu ainsi, pas plus qu'il n'a entendu compter sur ses seules capacités physiques. Lorsqu'ils sont repartis pour la dernière traversée vers la pointe est de Korčula, où la foule compacte attendait de toute évidence que son héros vainquît coûte que coûte, Terry l'a vu foncer délibérément sur lui de biais, prêt à heurter sa planche pour le faire chavirer. En un éclair, Terrence a choisi d'éviter le choc en déviant de sa trajectoire, préférant finir deuxième plutôt que d'être éliminé. Cette médaille d'argent lui apparaît d'autant plus inespérée, et méritée. Pour la performance strictement physique mais aussi, sinon surtout, en définitive, pour le sang-froid dont il a fait preuve ne serait-ce que pour achever cette épreuve. «*Bloody fighting*», maugrée-t-il en grinçant des dents, le visage fermé et le regard voilé, au moment où il met enfin le pied sur le quai. Pas vraiment la tête d'un champion, plutôt celle d'un homme qui a évité le pire.

Au milieu de la foule, le géant voit son poulain débarquer et se précipite, poussant sans ménagement ses voisins qui s'écartent sans demander leur reste. Joséphine profite de l'ouverture pour se dégager elle aussi de la foule et avancer vers son amoureux. Elle n'arbore pas non plus la figure attendue de la fiancée d'un champion mais juste un petit sourire soulagé. Elle se blottit contre son large torse trempé, la bouche collée à la sienne. Non loin d'eux, le *pizdoun* serre dans ses bras le vainqueur, lui aussi très grand bien que moins baraqué, puis, toutes dents dehors, il pose avec lui pour la presse locale.

— Ils sont fous, les gens ici..., murmure Terry.

— Pourquoi tu dis ça ? s'alarme Jo, étonnée que son amoureux semble au courant de sa mésaventure.

— Ce type-là a failli me faire boire le bouillon ! Je ne sais pas s'il l'a fait exprès ou s'il a perdu le contrôle...

Il ne veut pas l'inquiéter. Elle non plus. Aucun n'en dira donc plus pour le moment, d'autant qu'à l'autre bout du quai se prépare la cérémonie de remise des trophées. Terrence reçoit une médaille d'argent et une couronne de feuilles d'olivier, en référence aux Grecs qui peuplèrent – et «civilisèrent», dirait sans doute Charles –, le littoral dalmate dès le IVe siècle avant Jésus-Christ.

Terrence plonge dans la mer, nage un moment pour détendre ses muscles endoloris, puis se rince sous la douche froide installée sur la plage. Tandis qu'il enfile un bermuda de lin grège et un polo rouille assorti à ses yeux, Joséphine l'observe, un petit pincement au cœur.

Avec la quarantaine, les hommes parviennent au faîte de leur magnificence. Chaque année qui passe impose un peu plus cette constatation, avec une acuité inéluctable. Au cours de la décennie écoulée, elle a vu son jeune amant devenir un homme. Avec elle, et sans doute en partie grâce à elle, mais par lui-même, bien sûr, avant tout. Ils ne doivent rien l'un à l'autre. Elle se répète souvent cette phrase comme un sésame, un mantra magique érigé contre l'usure du temps. Et contre la peur. La peur qui érode les relations plus sûrement que la funeste répétition des habitudes. Des habitudes, ils n'en ont guère, ou peu, c'est elle qui s'y refuse. En prônant l'éloignement comme on souffle sur des braises, elle a choisi d'exalter le désir plutôt que de conforter les seuls besoins. Mais rien ne semble pouvoir arrêter la progression de l'écharde de plus en plus profondément dans ses chairs tendres. L'écharde de la perte, du sentiment d'abandon répété. À la suite de son père, les hommes ont déserté sa vie, même, ou surtout, quand c'est elle qui les a quittés. Elle est bien trop superstitieuse pour ne pas savoir que nourrir de telles pensées finira par les faire advenir. Et lutte, fissa, pour suivre le précepte de sa professeure de yoga tibétain, issu du bouddhisme : chaque jour choisir ses pensées comme on le fait de sa garde-robe, et changer de vêtement au besoin. « Il va me falloir du temps pour intégrer concrètement ce principe, pense-t-elle, je ne suis pas exactement configurée ainsi. » Ne dit-on pas que nos premières amours rabâchent la relation parentale dont nous sommes issus ? Peut-elle vraiment affirmer, dès lors, que ses amours avec cet homme qui a si profondément marqué sa vingtaine ne l'influencent plus du tout ? Qu'elle est tout à fait parvenue à s'en désaliéner ? « Je n'en mettrais pas ma main au feu », se désespère-t-elle certains matins solitaires à Montréal, lorsque le manque de Terrence subrepticement se fait sentir.

— Ça va, mon amour ? lui demande son fiancé qui, accroupi devant elle, scrute la lueur inquiète qui voile le bleu de son iris.

Un bleu singulier qui fascine son amoureux. Bleu persan, entre le bleu Majorelle et le bleu de France. Lorsqu'elle réfléchit, s'effraie ou se fâche, il vire au bleu guède, strié d'anthracite, et la trahit.

— Je te lis à bleu ouvert, ma mie, ajoute-t-il, et elle est émue par la sollicitude amoureuse que traduit cette jolie expression.

— Et toi, tu parles français comme dans les romans de Balzac, ou comme l'écrivain que tu pourrais être...

— ... si j'en avais le talent, ou simplement l'envie. Quand nous serons vieux et ratatinés, alors peut-être raconterai-je les aventures de Joséphine Watson-Finn, Joséphine comme la Beauharnais, Watson comme « mon cher »... Tatata tatalère...

« Ratatinés, oui, moi bien avant toi », pense Joséphine, mais elle ne lui en dira rien. À la place, elle saisit la tête de Terrence dans ses paumes et, portant sa bouche à la sienne, l'embrasse langoureusement.

Peu après, ils sont attablés autour d'une immense crédence, constituée de plusieurs grandes tables oblongues dressées bout à bout le long du quai, sous les pins majestueux. Tout le village – car Korčula, pour être insulaire, n'en est pas moins un village – s'y retrouve. Lentement s'élèvent les huit voix masculines de la *klapa*, groupe traditionnel de chanteurs a capella typique de la côte méridionale dalmate, tandis que les innombrables convives s'émerveillent devant le *mezze* proposé en apéritif.

— On dirait qu'ils pleurent, remarque Terrence à voix basse. Ça fait presque « chant des vaincus »...

Joséphine pouffe dans sa main.

— Tu ne comprends rien à la sérénade, répond-elle. Car il s'agit d'une sorte de sérénade languide que l'on chantait pour accompagner le départ des marins.

— C'est bien ce que je dis : un chant d'adieu. Élégiaque. Bouh, mon amour s'en va...

— C'est magnifique, allons. J'adore les voix d'hommes. C'est un chant millénaire de cette côte, classé au patrimoine immatériel... Je l'ai lu dans le dossier que m'a envoyé Charles.

— Pardon ! se moque Terrence en se redressant, l'index pointé, comme sous le coup d'une remontrance. Si c'est classé au patrimoine de l'humanité, alors... écoutons avec déférence.

Joséphine rigole. C'est vrai que ce chant, pour être hypnotique, n'en est pas moins mélancolique. Il accompagne bien son humeur, étrangement chagrine malgré la fête et le soleil qui luit sans partage sur la mer dont elle n'est toujours pas parvenue à qualifier la teinte.

— Terry, toi le spécialiste des bleus, comment nommerais-tu le bleu de l'Adriatique ?

— C'est drôle que tu en parles, parce que c'est justement une des choses qui me fascinent quand je file dessus. L'Adriatique est d'un bleu très intense, et variable. Je dirais... entre bleu cobalt et bleu de minuit avec des tons azur.

— Eh ben ! s'exclame Joséphine. Au moins, puisque tu ne veux pas écrire, tu pourrais peindre.

— Ouais, raille-t-il en se frottant les mains. En attendant, je meurs de faim et toutes ces choses ont l'air succulentes.

En fin gourmet et subtil cuisinier, il se penche sur les produits locaux devant lui. Saucisson de sanglier sauvage de Korčula aux noix, pain aux graines de lavande, tomates juteuses, grosses comme des pamplemousses, huile d'olive verte et surfine extraite à l'ancienne entre des meules de pierre actionnées par des bœufs, fromage de chèvre aux câpres dont les grappes volumineuses poussent partout dans les fissures des murailles entre orangers, figuiers et bougainvilliers. Pour accompagner le tout, un vin local, rouge rubis, odorant et corsé, leur est servi.

La *klapa* achève sa prestation et tous applaudissent. Le maire de l'île se lève alors, prononce une brève allocution et porte son verre à ses lèvres, donnant le coup d'envoi des agapes comme, plus tôt, il avait donné celui de la course. Après les produits locaux, dont Terrence promet de rapporter une cargaison pour lui et sa fiancée, suivent dans l'ordre une soupe de congre, un *brodetto*, plat de plusieurs variétés de poissons longuement cuits à l'étuvée entre des étages d'oignons et de pommes de terre aux herbes, des bouquets de langoustines disposées sur des galettes de polenta à l'ail, des salades de pieuvre et de calamars grillés, des poivrons et des courgettes farcis de riz rond et de viande d'agneau. Enfin, comme les Méditerranéens achèvent traditionnellement leur unique gros repas quotidien, celui du midi, par des fruits, réservant les desserts à la collation du matin ou de la soirée, de grandes bassines emplies de quartiers de pastèque leur sont donc apportées, juste avant le café.

— Je n'en bois pas, dit Terrence à la serveuse qui le regarde avec étonnement.

— Une *sljivovica*, alors?

— Eau-de-vie de prune, n'est-ce pas?

Comme elle acquiesce, il se tourne vers Joséphine avec un clin d'œil.

— Après le trou normand, voici le trou dalmate... Tu veux goûter?

— Quelle question! Et j'en reprendrai, bien sûr.

— C'est fort, je te préviens. On m'en a déjà offert un verre après la course. Quarante-cinq degrés, pas moins. Le genre de truc qu'on avale cul sec ou qu'on sirote, au choix.

Joséphine sirote. La boisson de feu descend bien après un repas si gargantuesque. Tenant son petit verre à deux mains, elle laisse traîner son regard sur les convives, et aperçoit à l'autre bout de la table Yerina assise aux côtés de Stjepan, le vainqueur de la course. Elle agrippe le jeune homme par l'épaule et se penche pour lui parler à l'oreille, avant de l'enlacer à pleins bras. Maro n'est pas là. À cette heure, il est sans doute dans la maison des Diepolo.

— Ouais, lâche-t-elle, pas net tout ça... sans se rendre compte qu'elle vient d'exprimer sa pensée à haute voix.

— De quoi tu parles ?

Sans répondre, Jo fourre précipitamment sa main dans la poche arrière de son pantalon et en retire le papier que lui a donné Ksenia. Elle l'avait oublié.

— C'est Ksenia, explique-t-elle enfin.

— Qui ça ?

— Tu ne la connais pas, mon cœur. C'est la jeune guide de la maison de Marco Polo. Elle nous donne rendez-vous dans le pigeonnier après la fermeture du lieu, à 23 heures...

— Quoi ? Mais pour quoi faire ?

— Je ne sais pas du tout. On verra bien.

Son regard se tourne de nouveau vers le bout de la table où Yerina tient toujours le jeune vainqueur dans ses bras. C'est alors que Jo voit une silhouette qu'elle n'avait pas revue depuis l'altercation sur le quai. Le *pizdoun* qui avait failli l'écraser comme une mouche se tient debout derrière Yerina. Il semble à Jo qu'il pose sa main sur le haut de son crâne. Yerina secoue vivement la tête et lui envoie un regard furieux. L'homme se redresse alors de toute sa stature et tourne la tête de son côté. Leurs regards se croisent. Joséphine comprend que l'homme a compris qu'elle a vu son geste. Le bleu de son regard semble virer aussitôt au gris sombre, couleur couteau d'acier. L'impact la pétrifie. Soudain, au cœur de l'allégresse et de l'enivrement des convives, alors que la canicule de l'après-midi répand sa torpeur alentour, l'hiver gagne inexorablement son dos, ses épaules, son cou, ses avant-bras dont le duvet blond se hérisse.

Mais qu'est-ce se trame entre ces trois-là ? Et pourquoi, diable, cet homme poursuit-il Jo de sa vindicte ?

4

À 20 heures, après une sieste digestive, Joséphine et Terrence se rendent à la cathédrale Saint-Marc pour assister à une représentation de *moreška*[6], elle aussi classée au patrimoine immatériel de l'Unesco. Ils sont impressionnés par la minutie de cette danse guerrière traditionnelle de Korčula, qui oppose deux rois, le Roi blanc (habillé de rouge...) et le Roi noir (accompagné par son père), respectivement maure et croate, qui, sabre au clair, convoitent une jeune vierge captive habillée de voiles transparents. Datant du XVIIe siècle, la *moreška* commémore les batailles que menèrent les catholiques contre les Turcs, battus et refoulés vers l'Orient dont ils n'auraient jamais dû sortir. Vigoureuse opposition entre Bien et Mal, sans qu'il soit nécessaire de préciser qui, dans cette Croatie depuis si longtemps liée non seulement à l'Église apostolique et romaine mais au Vatican, incarne l'un et l'autre, ni lequel est censé vaincre.

— Les valeureux chrétiens contre les féroces musulmans, tiens donc! soupire Jo. Ces préjugés ont la couenne dure... Et c'est donné dans une cathédrale, en plus!

— Détends-toi, tique Terry, c'est un spectacle. Les danseurs sont magnifiques, les lumières, les costumes... Bon!

---

6. Littéralement: « la mauresque ».

— Depuis quand un spectacle n'est-il pas une mise en scène sociologique et culturelle ? Et puis la musique est pourrie, on dirait une musique de kermesse.

Terry hausse les épaules, affichant son désir de profiter de la représentation. Qu'il s'agisse d'un roman, d'un film, d'une pièce de théâtre, de danse ou de marionnettes, comme le guignol auquel ils ont assisté à Paris, Joséphine veut toujours tout dépiauter, analyser, et surtout, en bonne historienne, tout « remettre dans le contexte historique et socioculturel », tandis que lui préfère, dans un premier temps du moins, apprécier la facture artistique et esthétique de la création. « Créer, c'est d'abord répondre à la question du comment, plaide-t-il inexorablement. Comment, quelle forme est la plus appropriée et la plus originale pour livrer une pensée ? » Immanquablement, il s'entend répondre que « l'important, c'est quand et pourquoi on l'a créé ». Une discussion sans fin.

— C'est du baroque, chuchote-t-il, un rien exaspéré. Une musique comparable à celle que l'on jouait à la cour de Louis XIV.

Sur la petite scène dressée devant l'autel, les troupes respectives des rois les rejoignent et le duel se meut en bataille entre deux groupes de six rouges et autant de noirs, autour de la jeune kidnappée.

— La foi, l'amour, la guerre, la vierge... Bonjour, les poncifs ! raille de nouveau Joséphine, trouvant le tout un peu répétitif et longuet.

Terrence ne répond pas. C'est inutile de toute façon. À 22 heures le spectacle s'achève. En sortant, ils admirent la majesté de cette cathédrale qui date de l'an 1300, à mi-chemin entre roman et gothique. Achevée au XVe siècle et restaurée en 2009, elle rutile au centre de la place principale éclairée et animée. Les nombreux touristes sont attablés aux non moins nombreuses terrasses de restaurants ou bien déambulent dans les ruelles, d'une boutique à l'autre. Plusieurs d'entre elles, estampillées Marko Polo, dans l'orthographe croate, vendent des souvenirs du cru à l'effigie du célèbre explorateur et commerçant. Mais aussi des bijouteries aux devantures desquelles sont exposées des pièces, toutes uniques, de la joaillerie dalmate traditionnelle, de savantes et minutieuses dentelles d'argent ornées de coraux taillés, rouges ou blancs. Joséphine s'est juré de s'offrir une de ces merveilles avant de repartir.

— L'église Saint-Pierre se trouve juste là, dit-elle, en entraînant son fiancé.

Tournant au coin à droite, ils débouchent sur la place adjacente. La petite église est plongée dans l'obscurité, tout comme la maison natale de Marco Polo à laquelle elle est accolée. Comme il fallait s'y attendre, la porte de l'église est close. Jo et Terry se dirigent alors vers la grille qui barre l'accès au pigeonnier de Marco Polo. Des clameurs, des rires et de la musique montent jusqu'à eux depuis le quai au bas de la ruelle. Le banquet donné après la course a fait place à une fête nocturne.

— On ne va pas pouvoir dormir, remarque Terry, parce que leur chambre donne sur le quai.

La maison n'est plus éclairée. Le lieu a été fermé au public une heure auparavant. Comme ils approchent de la grille, Ksenia sort d'un coin d'ombre où elle s'était dissimulée et se plante devant eux. Elle mesure bien un mètre quatre-vingts. Ses jambes interminables sont moulées dans un jean noir impossible à porter pour quiconque sans sa taille ni sa sveltesse. Les hanches étroites comme celles d'un garçon, les épaules larges, tout dans son physique magnétique trahit la nageuse. Jo jette un rapide coup d'œil à Terry pour constater le trouble qu'il ne parvient à dissimuler qu'au prix d'un effort manifeste, gardant les yeux au sol. Ksenia a tout de la nymphe marine, de la naïade de Poséidon sortie des eaux – jusqu'à la chevelure qui retombe en vagues indomptées jusqu'au creux de ses reins –, bien que rien dans son attitude ne dise qu'elle s'en préoccupe outre mesure. De simples tongs en plastique aux pieds, elle ne sourit pas, ne tend même pas la main en les saluant dans un anglais impeccable. Ses traits réguliers et ses lèvres pulpeuses restent figés. À vrai dire, cette beauté au front haut et aux pommettes saillantes affiche un air triste. Sans trace de maquillage, son beau visage semble en contradiction avec la mélancolie qui ourle ses yeux en amande. Son buste est bizarrement dissimulé par une large tunique noire à manches longues, et elle se tient presque voûtée. Pourquoi cette fille superbe, sur laquelle doivent forcément se tourner les regards, semble vouloir y échapper en camouflant son jeune corps?

— Je vous remercie d'être venue, dit-elle en s'adressant directement à Joséphine, comme si elle ne voyait pas Terrence à ses côtés. Je voulais vous montrer le pigeonnier la nuit. C'est très beau.

Jo fronce les sourcils. Piètre mensonge.

— J'aurais pu attendre demain, vous savez...

— En vérité, renchérit Ksenia, consciente du peu de crédibilité de son explication, je me demandais si vous pourriez me donner un conseil. Je suis étudiante en histoire, je vais finir mon doctorat cette année et...

— Ah oui? s'exclame Jo. Vous étudiez où?

— À l'Université de Zagreb. J'ai fait ma maîtrise sur les préjugés des Grecs sur les Perses...

— Pauvres Grecs! dit Joséphine dans un franc éclat de rire. Tellement grégaires et certains de leur supériorité que cela les a conduits à perdre toutes leurs guerres contre les Perses!

— Eh oui, acquiesce Ksenia avec un demi-sourire, laissant croire qu'a contrario la morgue indue des Grecs anciens l'indiffère. Sans Alexandre, évidemment...

— Alexandre, qui en a profité pour les conquérir. J'adore Alexandre, je vous préviens, ne dites surtout pas de mal de lui.

— Je n'en ai pas l'intention, se défend Ksenia. Même si, évidemment, dans un pays aussi catholique que la Croatie, c'est plutôt un point de vue iconoclaste. Mais justement, je me demandais si je pouvais postuler pour finir mon doctorat ailleurs, à Paris ou même à Montréal...

— Écoutez, mesdemoiselles, réagit alors Terry, je pense que je vais vous laisser. Je suis fourbu, mon dos et mes reins sont littéralement broyés. Je ne pense pas que vous ayez besoin de moi ni pour apprécier la vue du pigeonnier ni pour évaluer le degré de grégarité des Grecs anciens.

— En fait, précise Ksenia, mon doctorat porte, lui, sur les préjugés des Romains à l'égard des peuples d'Orient, notamment des Parthes...

— Très bien! approuve Jo, sincèrement impressionnée.

«J'aimerais que tous mes élèves soient ainsi», se dit-elle, comparant malgré elle Ksenia à Andréanne, son assistante de l'Université McGill.

— Est-ce Maro qui vous a dit que je suis professeure à l'Université McGill? ajoute-t-elle.

— Oui. Mais je ne veux pas vous importuner...

— *Anyway!* coupe Terry assez sèchement, moi, je ne vous serai d'aucune utilité. Je ne connais pas plus les Romains que les Grecs. Sur ce, ma chérie – il se penche sur la nuque de sa fiancée pour y déposer un baiser avant de saluer Ksenia d'un discret signe du menton –, je vous abandonne. Soyez sages, hein? Pas d'alcool ni de substances hallucinogènes, n'est-ce pas?

Il fait sans doute allusion à l'évanouissement de Jo, mais celle-ci ne relève pas. Elle le regarde descendre les marches vers leur chambre et se décide à suivre Ksenia qui a ouvert la grille pour la laisser passer, avant de fermer à clé derrière elles. Elle n'allume pas non plus, se contentant de guider Jo avec le faisceau d'une lampe de poche dans l'escalier qui mène au pigeonnier. Il craque sous leurs pas tandis qu'elles gravissent prudemment les marches l'une derrière l'autre. Le lieu est complètement silencieux, protégé par l'épaisseur des murs centenaires. Parvenue dans le pigeonnier, Jo, accoutumée à la pénombre, perçoit une myriade de points incandescents sur l'étendue noire de l'eau. Les lumières des bateaux qui croisent à l'extrême nord-est de l'île de Korčula forment une couverture d'étoiles jetée sur la mer, tandis qu'à l'intérieur des remparts la ville bruit de clameurs. L'obscurité et le silence qui englobent le pigeonnier n'en paraissent que plus lourds, plus intimidants. La lumière froide d'un premier quartier de lune découpe la silhouette des deux femmes tout en dissimulant les traits de leurs visages. Cela ressemble à une rencontre fantôme, sinon à une rencontre entre fantômes.

La voix triste et grave de Ksenia fend soudain la nuit. Elle résonne d'accents sépulcraux qui glacent Joséphine.

— C'est beau, n'est-ce pas?

— Oui, j'avoue, dit Jo, intimidée. C'est beau l'après-midi aussi, remarquez...

Ksenia extirpe alors une cigarette du paquet coincé dans la poche arrière de son pantalon.

— Je peux vous en prendre une?

— Mais bien sûr, dit Ksenia, en lui tendant son paquet.

Elles fument un moment en silence. Ksenia travaille là, mais a-t-elle vraiment le droit de s'y trouver à cette heure-ci ? Joséphine, en tout cas, a déjà compris que la jeune fille n'a certainement pas l'intention de lui parler de son doctorat. Mais de quoi alors ? Dans le noir, elle observe la longue silhouette posée sur une fesse à un bout du banc de pierre du pigeonnier, figée comme la statue du Commandeur avant l'énoncé d'une sentence.

Ksenia se décide enfin à parler. Dans un soupir, elle fait craquer les jointures de ses doigts et plonge.

— Je me suis fait jeter.

Telle est sa première phrase, précipitée dans la nuit d'une voix atone, exempte d'exagération dramatique et suivie d'un silence prolongé, destiné à mesurer l'effet produit sur l'auditoire. L'effet escompté est obtenu. Jo ne bouge pas, attendant la suite.

— Ce serait totalement banal, reprend Ksenia, ça n'aurait même aucune importance en fait, mais ce n'est pas ça qui est grave. En vérité, je me suis fait voler un enfant par l'homme avec lequel j'ai fait cet enfant.

— Voler ? Comment ça, voler ?

Ksenia écrase son mégot du talon puis allume aussitôt une deuxième cigarette.

— Écoutez, je voudrais d'abord vous assurer que je suis une fille rationnelle. Je suis plutôt cérébrale, d'habitude, j'ai la tête sur les épaules. Je suis droite, empathique, honnête et bien élevée. En temps normal, je ne suis pas très sentimentale ni romantique, je suis plutôt une fille libre. Je viens d'une famille aisée et cultivée. Mes parents sont ingénieurs et m'ont transmis le goût du savoir, de l'ambition et de la libre-pensée. Je suis championne de water-polo aussi. Je ne suis pas croyante, et jusqu'ici je pensais ne pas être influençable.

Jo sourit intérieurement. Elle connaît assez la nature humaine pour savoir que ce sont généralement les personnes rationnelles, sincères et droites qui, par une certaine absence de malice qui confine à la naïveté, par leur incapacité à soupçonner la duplicité et les zones grises de la psyché humaine, deviennent les meilleures proies de ceux qui ne sont justement pas comme eux. Cette très belle jeune femme, aussi belle de corps que d'esprit, lui semble en effet une bonne victime potentielle. Mais victime de quoi ?

— Ne vous en faites pas, dit-elle à Ksenia pour l'enjoindre à continuer. Je ne sais pas pourquoi vous avez choisi de me raconter ça à moi, mais maintenant, je suis là, et je vous écoute.

— C'est que..., poursuit Ksenia. Quand Maro m'a appris que vous étiez ici – je vous connais bien, j'ai lu plusieurs de vos livres, notamment ceux sur vos fouilles en Égypte et en Iran –, pour moi c'était comme si, dans mon malheur, un ange m'avait été envoyé pour me sauver. Personne ne peut m'aider ici, c'est certain, il n'y a qu'à vous que je puisse expliquer tout ça. Et peut-être que vous pourrez m'aider.

— Mais vous aider en quoi, Ksenia ? Il va falloir m'expliquer.

— L'année dernière, reprend-elle après un temps d'arrêt, l'été dernier pour tout dire, je suis tombée amoureuse d'un homme. Mais pas juste amoureuse, je ne sais pas comment vous dire... éperdument amoureuse. Je ne pensais pas que c'était possible, vous savez, j'ai eu plein de petits amis, mais je crois qu'ils étaient plus amoureux de moi que l'inverse...

— Quel âge avez-vous ?

— Vingt-trois ans.

Joséphine tressaille, heureuse que l'obscurité dissimule son trouble. Éperdue d'amour à vingt-trois ans, oui, elle connaît ça. Elle ne s'en souvient que trop bien.

— Pourquoi ? Ça n'arrive qu'à mon âge, c'est ça ?

— Oh non ! Je ne dirais certainement pas ça. Il n'y a pas d'âge pour l'amour fou, j'imagine...

— En tout cas, moi, ça a été l'amour fou, complètement insensé. Je ne me pardonnerai jamais. Et pour un homme de plus du double de mon âge, en plus.

Elle s'interrompt, attendant la réaction de son interlocutrice, qui ne vient pas. Jo se garde bien de tout commentaire.

— Mes parents possèdent une villa de vacances ici, poursuit Ksenia. Nous habitons à Zagreb, mais mon père travaille surtout à l'étranger, je vis la plupart du temps seule avec ma mère, et je suis fille unique. Depuis mon enfance, nous avons passé nos vacances sur l'île de Korčula, mais l'été dernier, je suis venue seule. Au début, j'ai rencontré son fils, le fils de l'homme dont je suis tombée amoureuse. Juste en copains, vous voyez, on nageait ensemble, on s'entendait bien... Vous le connaissez, d'ailleurs : c'est lui qui a remporté la course, ce matin.

Jo sursaute. Le vainqueur ? Le jeune véliplanchiste qui a battu Terry ?

— Le jeune... Stjepan, c'est ça ?

— Exactement.

— Et donc, votre amoureux c'était... son père ?

— C'est ça. Il est Grec. C'est un bel homme grand et costaud, avec une barbe blanche.

Le *pizdoun* en personne. Jo en a le souffle coupé. Elle ne dira pas que cet homme a failli l'écraser ni qu'elle ne l'imagine pas du tout avec Ksenia, ni avec quiconque d'ailleurs.

— C'était... magique, poursuit Ksenia, croyez-moi. Dès l'instant où j'ai rencontré le père de Stjepan, on est instantanément tombés fous amoureux l'un de l'autre. Je ne voulais plus le quitter. En octobre, je n'ai pas voulu retourner à Zagreb pour reprendre mes études. Ma mère était furieuse. Elle a débarqué ici, elle voulait me traîner de force à Zagreb, mais j'ai tenu bon, alors elle m'a coupé les vivres et m'a interdit l'accès à la villa. Mais je m'en foutais complètement. J'étais prête à travailler, à faire n'importe quoi. C'est là que mon amoureux m'a dit qu'il m'entretiendrait. C'était facile pour lui, il est riche. Il m'a payé une chambre dans les hauteurs de Korčula. La plupart du temps, nous y vivions ensemble. Et en novembre, le 15 novembre exactement, je suis tombée enceinte.

— C'était... voulu ?

— Ben... je ne sais pas. Je prenais la pilule depuis l'âge de seize ans, donc ça a été un accident. Le problème, c'est que je ne m'en suis pas aperçue tout de suite. Je sais, c'est bizarre aussi, mais je m'en suis rendu compte à presque quatre mois de grossesse.

— Vous ne le vouliez pas, sans doute...

— C'est vrai. Pas consciemment, en tout cas. Alors Andros, c'est son nom, m'a proposé de me loger dans une maison qu'il possède sur une autre île, près d'ici, l'île de Mljet. C'est une île proche de Dubrovnik. À une heure de bateau d'ici. C'est dans cette maison au bord de l'eau que j'ai vécu le reste de ma grossesse, avec Andros la plupart du temps. C'est là que j'ai connu l'enfer...

La voix de Ksenia se brise. Pas sur un sanglot. Plutôt sur une pierre d'amertume. Mais elle ne bouge pas. Comme si ces souvenirs la maintenaient toujours prisonnière, pétrifiée. Sa détermination naturelle toutefois ne l'abandonne pas, elle colore toujours sa voix grave autant que son maintien. Elle se redresse, comme pour mieux affronter la suite.

— On ne pouvait accéder à la maison que par la mer. Ante, c'est son petit nom, était extrêmement gentil avec moi, il semblait tellement heureux que je porte son enfant, il me couvrait de cadeaux et se montrait joyeux, émerveillé, plein de désir. Il faisait des plans pour notre avenir commun, un avenir pour notre famille. Je me sentais vraiment au paradis. Ou à Disneyland... Parce qu'un jour, j'ai déchanté.

Elle s'interrompt à ce stade du récit comme au bord d'un précipice. Le regard perdu vers les lumières au large, elle murmure enfin :

— Un jour, c'était au printemps dernier, Ante était parti à Korčula quelques jours pour ses affaires, je suis allée me promener sur la plage de galets, et j'ai aperçu une autre maison dissimulée par des arbres touffus, de l'autre côté de l'anse. Je me suis approchée quand j'ai vu des filles qui prenaient le soleil devant cette bâtisse. Elles étaient enceintes. Toutes au même stade en fait, comme moi, cinq ou six mois.

Jo ne peut s'empêcher de réagir, portant instinctivement la main à sa bouche. Il lui semble que la nausée de la veille reprend possession de son estomac. Je sais que vous êtes tombée évanouie dans l'église, dit Ksenia, j'étais avec Maro quand il vous a ramassée et ramenée. Vous avez été droguée, vous savez ? C'est précisément après cet épisode que j'ai décidé de tout vous raconter.

— Mais... droguée pourquoi ? bafouille Joséphine. Moi, j'ai cru que c'était une crypte, j'ai vu une ouverture et j'ai voulu aller voir, c'est tout. C'est une déformation professionnelle.

— Je sais, mais vous allez comprendre. Il se passe de drôles de choses dans cette église. Maro ne le sait pas, mais moi oui. Forcément.

En fait, depuis la veille, Joséphine soupçonnait avoir été droguée – à cause de la persistance de l'odeur à ses narines – mais accidentellement. Elle a jugé inutile d'en parler à Terry. S'il l'avait appris, il aurait quitté l'île sur-le-champ, joint la police ou appelé le consulat américain, autant de tracas que Jo veut éviter à tout prix. Or, Ksenia semble vouloir lui apprendre que cette enceinte sacrée recèle des secrets. Des zones d'ombre sous l'apparente tranquillité de cette île certes baignée de douceur et de soleil mais soumise aux rafales impétueuses de vents mauvais. Dans ces îles adriatiques, le dieu Éole refuse de céder du terrain à son père Poséidon. Libérant ses fureurs des outres sous-marines où il les garde prisonnières, Éole mesure sans relâche sa puissance à celle de son géniteur. Histoire, peut-être, de se rappeler à son bon souvenir, redoublant de rage pour mériter enfin une once de reconnaissance paternelle.

— Donnez-moi une autre cigarette, intime Jo, d'un ton un peu trop brusque. Je croyais que l'église était fermée au public.

— C'est vrai, confirme Ksenia. L'autre jour, elle était ouverte parce que le matin même un ouvrier était venu réparer la dalle qui recouvre la crypte. La pierre frotte et la dalle ne s'emboîte pas bien. Vous savez, elle date du XIe siècle, cette église, il faudrait la restaurer...

Joséphine a bien compris que cette remarque s'adresse à l'émissaire de l'Unesco, ce qui ne manque pas de l'agacer.

— Vous savez, rétorque-t-elle, on ne peut pas tout restaurer à tout bout de champ. De plus, d'après ce que j'ai vu, je pense au contraire que l'église Saint-Pierre a été restaurée récemment, et même très bien restaurée. Je l'ai trouvée en excellent état. D'ailleurs, de ce que j'ai vu jusqu'à présent, les bâtiments sur cette île sont remarquablement entretenus.

— C'est vrai, admet Ksenia. Néanmoins, le sol de l'église Saint-Pierre reste instable, tout comme celui qui recouvre l'ancien souterrain qui va du jardin de la maison de Marco Polo à l'église. C'est pour ça qu'on interdit les lieux au public. Mais... voyez-vous, j'ai appris que cette vétusté n'est qu'un prétexte. La vérité, c'est qu'ils sont fermés parce qu'ils servent à un odieux trafic.

— Venez-en au fait, Ksenia.

— Une nuit, une des femmes enceintes est venue me voir. Elle tremblait comme une feuille. Elle m'a dit qu'elle et ses compagnes étaient des mères porteuses. Par contrat, elles se sont engagées à se laisser féconder, mener la grossesse puis accoucher sous X, renonçant à tout droit futur sur l'enfant. Elle m'a dit avoir été très bien payée pour ça, comme les autres filles, toutes jeunes et vierges, et originaires des quatre coins du monde, à l'exception de la Croatie et de la Grèce. C'était la condition première. Elle-même venait de Slovaquie et parlait très bien l'anglais. Elle voulait faire des études et subvenir aux besoins de sa famille, c'est ce qui l'a conduite à accepter le marché. Comme les autres mères porteuses, elle avait été recrutée sur Internet et avait signé un contrat américain, établi par une société située à New York. Sur le papier, tout semblait idyllique, mais... la réalité a été beaucoup plus difficile à vivre.

— Elles n'ont pas été payées ?

— Si, si, absolument. La moitié à la signature, le reste après l'accouchement, sur un compte ouvert à leur nom à New York, à partir duquel elles pouvaient ensuite faire un virement vers un compte de leur choix. Sur le plan contractuel, c'était parfait.

— Combien ?

— 50 000 dollars américains.

— Quand même...

— Une belle somme, oui, mais des détails n'avaient pas été précisés. Les douze jeunes filles, après avoir signé leur contrat et encaissé la moitié de la somme, ont été transportées dans une cave où elles ont été gardées pendant deux semaines, pour y subir un étrange traitement. Leurs gardiennes, des geôlières pour tout dire, étaient voilées de blanc. Des sortes de vestales. Certaines nettoyaient le lieu, tandis que d'autres lavaient le corps des captives qui pour la plupart se débattaient, elles devaient donc s'y prendre à plusieurs. La fille m'a raconté que quotidiennement, une femme costaude lui lavait le dos, les fesses, les jambes, puis s'agenouillait pour, de ses doigts épais, pleins de callosités rêches, fouiller son sexe, pétrir ses chairs intimes, centimètre par centimètre, l'enduisant d'une huile grasse et rouge dans les moindres replis. Elle l'a vécu comme un premier viol, ignorant à ce stade que ce ne serait pas le dernier. Elle m'a avoué que les jours passant, elle se sentait comme un lapin à l'approche du dépeçage. Si l'une des filles osait se révolter, les vestales la fouettaient au sang, devant ses semblables pétrifiées de terreur. Deux fois par jour, elles revenaient, vidaient les pots de chambre, lavaient et parfumaient la chevelure des jeunes femmes, les nettoyaient, les massaient, fouillaient leurs parties génitales en y enfonçant leurs doigts aux ongles parfois effilés, tranchants comme des lames, puis leur donnaient à manger. Enfin, si on peut dire, car elles étaient nourries exclusivement de miel, d'ail pilé et d'huile d'olive. Leur épiderme, à la faveur des massages à l'huile de kantarion et de cette diète singulière, est vite devenu souple, doux et satiné. Les filles ont rapidement compris qu'elles étaient préparées comme des volailles à un repas de fête ou des agneaux à Pâques. Quelques-unes restaient prostrées, d'autres vivaient en grappe. À un moment, les vestales ont fait brûler des brins de lavande séchée sur des charbons ardents. Et enfin, un jour ou une nuit, elles ont apporté quantité de produits cosmétiques, notamment des seaux remplis de sucre chaud qu'elles ont roulé entre leurs doigts experts afin d'épiler entièrement les filles, avant de les masser de nouveau avec des huiles parfumées. Purgées, massées, le sexe assoupli, la peau soyeuse, les cheveux lavés, peignés et remontés en chignon, elles ont revêtu une tunique de brocard rouge sang, fin prêtes pour la cérémonie.

— On dirait un rituel païen, murmure Jo que la description a mise très mal à l'aise. Vous ne trouvez pas?

— Je suis d'accord. Et vous n'avez encore rien entendu. Elles ont ensuite été conduites dans l'enceinte d'une église. Quand la fille me l'a décrite, j'ai compris qu'il s'agissait de Saint-Pierre. Là, douze hommes, cagoulés de rouge, se tenaient debout sous chacune des statues des apôtres. Ils portaient un tablier à damier blanc et noir avec une tour au milieu. L'insigne est très reconnaissable : c'est un vieil emblème croate, qui remonte au règne du roi Tomislav au Xe siècle et orne aujourd'hui le drapeau national, mais le damier est rouge et blanc.

— Je me demandais justement d'où venait ce blason sur l'actuel drapeau croate.

— Oh ça, soupire Ksenia, c'est une longue histoire. La christianisation de la tribu slave des Croates date du début de leur installation ici au VIIe siècle.

— Les Slaves ont remonté le Danube depuis la mer Noire...

— Oui. Et il y a eu un pape dalmate au VIIe siècle. Jean IV, aussi appelé Jean le Dalmate. Les relations entre la papauté romaine et les Croates sont donc anciennes et étroites. Je préfère ne pas parler des liens obscurs entre le Vatican et le gouvernement croate fasciste pendant la Seconde Guerre mondiale...

— Vous avez raison, laissons ça. Est-ce qu'à votre avis, l'emblème qu'arboraient ces hommes cagoulés a un lien avec le pouvoir catholique ?

— Justement, après réflexion, j'en ai conclu qu'il n'y avait pas là de lien direct, parce que ce damier noir et blanc m'est inconnu. On dirait un détournement.

— Que voulez-vous dire ?

— Vous savez... Une sorte de mélange entre des rituels catholiques occultes et les rituels païens dont ils sont issus.

— Une confrérie pagano-catholique occulte, ce n'est pas ce qui manque... soupire Jo.

— Ses agissements, en tout cas, se sont révélés fort peu catholiques.

— Enfermer des vierges pour les préparer à une cérémonie sacrificielle – initiatique ou sacrificielle, c'est du pareil au même –, on a vu ça à toutes les époques, dans toutes les civilisations et dans toutes les religions. Il n'empêche que ça donne la chair de poule.

— Toujours est-il, reprend Ksenia, que dans ce cas-ci la cérémonie était minutieusement orchestrée. Tour à tour, chacune des filles a été allongée sur l'autel, énergiquement maintenue par les vestales. Et violée. Méthodiquement. Douze fois. Elles étaient vierges, et consentantes puisqu'elles avaient signé le contrat et encaissé l'argent. Mais jamais elles n'auraient imaginé que les choses se passeraient ainsi. En fait, elles étaient coincées. Sans recours. Avant chaque viol, les hommes prononçaient une formule en grec ancien : *En ce 15 novembre la lumière est semée.*

Joséphine traduit immédiatement la phrase dans sa tête puis tente d'établir un lien avec l'un des rituels grecs de sa connaissance. En vain.

— *En ce 15 novembre la lumière est semée...* répète Ksenia. J'ai cherché mais n'ai pas réussi à trouver ce à quoi correspond cette phrase. Entre eux, les hommes cagoulés s'appelaient «frères». Ils disaient: «À votre tour, frère», etc. La jeune mère porteuse pleurait en me racontant ça. J'étais complètement terrorisée. Elle m'a raconté que ses oreilles résonnaient encore de la rumeur de cette nuit, des gémissements étouffés, des feulements de jouissance des hommes, des ordres des vestales, le tout dans une odeur entêtante d'encens. Puis, m'a-t-elle dit, vers la fin de la nuit, un treizième homme est arrivé.

« Judas entre en scène, pense aussitôt Joséphine. Le treizième apôtre, correspondant à la treizième statue. »

— Ce treizième frère, ou apôtre, ne les a pas touchées, ajoute Ksenia. Il voulait savoir si tout « se passait bien ». Les douze autres le traitaient avec déférence. Ils se sont réunis autour de lui dans un coin de l'église pour psalmodier pendant un long moment, puis il est reparti comme il était venu, sans un regard pour les vierges fraîchement engrossées. Du menu fretin. Juste des utérus.

— C'est ce que sont les mères porteuses... ne peut s'empêcher de dire Jo.

Ksenia se redresse, comme en proie à une douleur aussi violente que soudaine, les mains pressées sur le ventre. À cet instant, Éole se fâche. Une brusque virevolte de vent fait ondoyer ses cheveux. Dans la nuit noire et l'air iodé, les deux femmes au sommet du pigeonnier de Marco Polo ressemblent à des statues d'ébène posées sur l'horizon étoilé. Pendant de longues minutes, le seul signe de vie décelable est la respiration saccadée de Ksenia.

— En tout cas, dit Jo sur un ton sarcastique, de sacrés étalons, ces frères-là... Douze fois en une nuit, et sans Viagra, j'imagine.

Ksenia lui fait soudainement face de sa haute silhouette.

— Ce n'est pas drôle, rétorque-t-elle d'une voix étranglée. Mais ça ne fait rien. Au petit matin, ces douze filles étaient ravagées. Exsangues et meurtries. Et certainement pour toujours.

La phrase est sans réplique. Ksenia allume une cigarette au mégot de celle qu'elle vient de griller et en souffle bruyamment la fumée. Les volutes dansent un moment autour d'elles comme des spectres exfiltrés d'entre les pierres séculaires.

— Ensuite, elles ont été emmenées dans la maison de l'île de Mljet, voilà.

— Mais... ose prudemment Joséphine, comment sont-elles sorties de l'église Saint-Pierre, en plein jour, en plein village ? Ça paraît impossible.

— Bien vu. Je pense que le souterrain sous la maison de Marco Polo n'est pas condamné. À mon avis, c'est là que ces femmes ont été séquestrées pour la préparation au cérémonial de fécondation, puis par là qu'elles ont été évacuées, au petit matin, après les engrossements rituels. Car, d'après le plan du XIIIe siècle que j'ai trouvé dans les archives de la maison des Diepolo, ce souterrain conduit de la crypte de l'église Saint-Pierre au quai nord d'où elles ont pu être embarquées pour Mljet.

De nouveau elle s'interrompt. Son silence cette fois se prolonge. Lorsqu'elle parvient à reprendre son récit, sa voix tremble.

— Sur l'île de Mljet, elles ont été installées dans la maison non loin de celle où je me trouvais, sous la surveillance de vestales et de gardiens.

Jo se garde bien de faire le moindre commentaire.

— Pendant le rituel du 15 novembre, poursuit Ksenia, elles étaient douze, mais l'une d'elles aurait sauté par-dessus bord pendant la traversée et dérivé parmi les flots glaciaux et déchaînés de novembre. Elles n'étaient donc plus que onze en arrivant sur l'île.

— L'une d'elle aurait préféré se suicider plutôt que de vivre la suite ?

— Exactement. À part ça, leur séjour a été une vraie sinécure ! s'exclame Ksenia non sans cynisme. Bon, évidemment, au cours du premier mois, leurs gardiens les violaient quotidiennement pour qu'elles tombent bien enceintes, mais une fois leur grossesse avérée, leur séjour est devenu, comment dire ?, idyllique. Des chambres pour deux, des vêtements, et même un chef cuisinier. Et, au sous-sol, une clinique bien équipée pour le suivi de leur grossesse. Un palace pour primipares, voyez-vous...

Joséphine sent qu'elle devrait dire quelque chose mais, tétanisée, n'y parvient pas.

— Néanmoins... murmure Ksenia, au cours du quatrième mois, l'une des filles aurait tenté de fuir par la colline abrupte derrière la maison. Les chiens l'ont rattrapée et la fille a... disparu.

Joséphine se passe les mains sur le front, soudain brûlant. Une légère sueur lui coule de la nuque dans le dos. « Maudite ménopause », pense-t-elle. D'habitude, hormis les désagréments qui se manifestent sans crier gare plusieurs fois par jour, elle bénit plutôt la fin de sa fertilité qui a résolu son dilemme de la maternité. « C'est cuit maintenant », plaisante-t-elle avec son amie Pauline, sur un ton qui, pour se vouloir léger, ne trompe personne.

— J'ai besoin d'eau, annonce-t-elle.

— Je vais aller vous en chercher, répond Ksenia. Il y a même de la *sljivovica* en bas. Mais laissez-moi poursuivre. Ça me fait à la fois du bien et du mal d'en parler.

— Avez-vous revu cette jeune fille qui vous a tout raconté ?

— Elle a disparu elle aussi. Mais elle avait eu le temps de me dire le pire.

Joséphine sent son cœur s'emballer.

— Le pire... articule Ksenia d'abord abattue puis en larmes, le pire, c'est quand elle m'a dit qu'Andros savait tout. Que la maison où vivaient les mères porteuses lui appartenait. J'ai eu envie de mourir. Je l'ai accueilli hors de moi le lendemain. Je voulais m'en aller, le quitter. C'est à partir de là que je ne comprends plus ce qui m'est arrivé, ni comment j'ai pu enchaîner les actes qui ont suivi. Andros n'a pas nié. Il m'a dit qu'il louait sa maison, qu'il savait que s'y trouvait ce qu'il nommait « une clinique internationale pour mères porteuses », que les responsables venaient de l'étranger et qu'il ne voulait pas s'en mêler. « Je ne veux rien savoir, m'a-t-il dit, j'encaisse l'argent de la location et c'est tout. Ça ne me regarde pas. » Et le comble, c'est qu'il est parvenu à m'endormir, à me laver le cerveau, à coup de belles paroles et de savantes caresses, de déclarations enflammées et de promesses mirifiques. Il m'a dit qu'il désirait notre enfant. La mère de son fils, Stjepan, est morte quand il était bébé, alors c'était inespéré pour lui, « une si belle fille et un nouvel enfant », il a pleuré, genou à terre, en me suppliant de ne pas le quitter et ne pas m'inquiéter, que tout irait bien, que ces femmes étaient consentantes et qu'après le 15 août, elles partiraient... Comme une oie blanche, je l'ai cru. J'avais tellement besoin de le croire ! Je ne me suis même pas rendu compte que moi aussi, j'étais enceinte depuis le 15 novembre et que je devais accoucher le 15 août. Quand je m'en suis aperçue, il est de nouveau parvenu à me persuader que c'était un pur hasard. Je ne saurai jamais si ça l'était vraiment. Mais c'est après que je lui ai révélé ma découverte que la jeune femme m'ayant tout raconté a disparu à son tour. Et puis est arrivé le 15 août, les mères porteuses ont accouché par césarienne dans la clinique sous la maison, et puis elles sont parties. Tout comme moi.

Joséphine tressaille. Elle a très froid tout à coup.

— Vous aussi... vous êtes partie ?

— Moi aussi, j'ai accouché. Moi aussi, j'ai donné mon enfant. Ma petite fille.

Les larmes coulent sur son visage figé ; elle se tait pendant un long moment. Joséphine se demande si elle devrait la consoler ou au moins lui prendre la main, mais elle n'ose pas, pensant que la jeune femme prend déjà beaucoup sur elle pour parvenir à aligner ces mots. Il lui semble que si elle touchait Ksenia, celle-ci se réduirait en cendres, noires comme ses vêtements. Elle regarde le ciel violet sombre au-dessus d'elle, comme si elle cherchait un soulagement à la tension moite qui la tient là, magnétisée par ce récit pourtant répulsif. La psyché humaine recèle d'innombrables strates aux composantes diverses, des plus nobles aux plus mortifères. Les mettre au jour et en sonder la noirceur passionnent l'archéologue qu'elle est, au moins autant que le déterrement et l'évaluation de vieilles pierres.

— Donc, se hasarde-t-elle enfin, vous avez accouché ?

— Au début du mois d'août, articule-t-elle entre deux sanglots, Andros a radicalement changé d'attitude envers moi. Il est rentré un soir et m'a dit qu'il ne m'aimait plus, que ça ne marcherait jamais, qu'il ne voulait pas de cet enfant, qu'il s'était trompé. Il m'a dit de foutre le camp, qu'il ne voulait plus jamais me revoir. Je ne parvenais pas à le croire. Je l'ai supplié et là, il m'a jetée dehors. J'ai passé la nuit sur la plage de galets. Je n'ai rien compris, je vous dis, mais maintenant je pense que ça faisait partie de son plan depuis le début. Comme on peut s'aveugler, hein ? Je croyais qu'il m'aimait, moi ! Même aujourd'hui, je pense parfois que c'est impossible, qu'il m'aimait vraiment. C'était tellement extraordinaire entre nous... jusqu'à ce fameux soir dix jours avant l'accouchement.

Il m'a dit : « Tu veux du pognon, c'est ça que tu veux ? Pourquoi sinon restes-tu avec un homme vieux mais riche comme moi ? » Il m'a proposé d'accoucher là-bas, dans la clinique secrète, et de signer à mon tour un contrat de mère porteuse. Quand je lui ai dit que c'était son enfant, il m'a ri au nez. « Ils vont te donner du pognon, ça sera toujours ça de gagné. Tu auras eu ce que tu voulais. » J'entends encore ses mots. C'était... immonde.

Ksenia pleure un long moment. Joséphine ne bouge pas, ose à peine respirer. Elle a compris. Ksenia porte le deuil. Un double deuil.

— Je... Je ne savais pas vers qui me tourner alors... voilà. J'ai décidé de donner mon enfant. Sans Andros, qu'est-ce que je pouvais faire ? Avoir un enfant toute seule ? Alors que ma famille ne veut plus me voir ? Au matin du 15 août, les fameux frères sont venus. Cagoulés de rouge et habillés de leur tablier à damier, ils attendaient les mères porteuses dans la salle d'accouchement où les vestales nous ont fait pénétrer une à une. Quand mon tour est arrivé, j'ai eu du mal à grimper sur la table de travail tellement je tremblais. L'enfant dans mon ventre donnait de furieux coups de pied. Comme s'il savait.

La lune est à présent haute dans le ciel. À la faveur d'un rayon qui balaie l'espace d'un instant leur visage, Jo aperçoit le regard de Ksenia. Fixe. Dilaté. La stupeur a remplacé les larmes. La voix de la très belle nymphe blonde prend des accents métalliques lorsqu'elle reprend :

— J'ai été endormie. Lorsque je me suis réveillée dans mon lit, j'ai vu qu'on avait pratiqué une césarienne pour m'enlever l'enfant. Dans un état semi-comateux, on m'a présenté un papier que j'ai signé. C'était une déclaration d'accouchement sous X. À la ligne « Sexe de l'enfant » était inscrit « féminin ». C'est comme ça que j'ai su, bien que je ne l'aie jamais vue. Nous avions vécu ensemble neuf mois et puis voilà, elle était partie. Volatilisée. Je n'ai même pas pu lui dire au revoir.

— Vous, enfin... Vous lui aviez donné un nom. Un prénom, je veux dire...

Ksenia ne répond pas. La tête dans les mains, elle se refuse à livrer ce secret, plus intime encore que tous les autres.

— Je pense à elle tous les jours. Je me réveille en pleine nuit et je la cherche dans le lit. Parfois je veux croire que ça n'a pas existé. Mais la preuve en est inscrite dans ma chair. La cicatrice me la rappelle quotidiennement. Au fond, je pense que je ne sortirai jamais de cette salle d'accouchement. Une partie de moi y est restée pour toujours. J'aurais dû mourir à la place.

Cinq cents mètres plus bas, le brouhaha feutré des éclats de rire et les notes de musique continuent d'égayer les terrasses des cafés. Dans le pigeonnier règnent le silence et l'obscurité, tandis que des gens, si proches, s'étourdissent de convivialité. On peut donc vivre ainsi, au cœur de la vie mais ignoré d'elle. Retiré du monde au milieu du monde. Cela arrive d'ailleurs tous les jours. Tous ces humains, adultes et enfants, enlevés, maltraités, utilisés, marchandés, torturés, assassinés. Pas une semaine sans que les journaux en témoignent, partout sur la planète. Chacun le sait, mais nul ne peut vraiment croire que cela pourrait lui arriver, à lui personnellement. La foudre tombe chaque jour à d'innombrables endroits, sur des humains qui jusqu'à l'ultime seconde ont cru qu'elle tomberait sur leur voisin. Si Ksenia dit vrai, l'île de Korčula, décidément, mérite bien son nom. Korkyra Melaina, l'île noire. L'île noire de Marco Polo.

— Venez, souffle Ksenia, allons chercher à boire.

En Joséphine, une crispation glaciale s'est substituée à la bouffée de chaleur. En descendant l'escalier, elle empoigne la rambarde pour ne pas tomber tant elle se sent engourdie. Dans l'entrée, Ksenia plonge le bras sous son guichet. Elle en retire une bouteille d'eau-de-vie de prune qu'elle ouvre prestement pour en boire une longue rasade au goulot, avant de la tendre à Jo.

— Non, merci, dit Jo, qui s'empare plutôt de la bouteille d'eau posée à côté.

Ksenia avale une seconde rasade puis se laisse tomber sur les premières marches de l'escalier.

— Si je comprends bien, reprend Jo, tout ceci est arrivé très récemment. Il y a...

— Quinze jours, oui, soupire Ksenia. Mon ventre n'a pas encore dégonflé.

Elle est bien mince pourtant, mais sans doute est-ce son ventre qu'elle dissimule ainsi sous cette tunique trop large.

— Andros ne veut plus me voir, lâche Ksenia avec une grimace indéchiffrable. Enfin... non. Ce n'est pas vrai, mais...

Elle semble sur le point de confier quelque chose de plus puis se ravise.

— Je ne veux plus rien savoir de lui, de toute façon. Moi, je suis morte. Je n'ai rien dit à ma mère, je lui ai juste écrit que je rependrais mes études cet automne. Mais elle ne m'a pas encore répondu. J'ai vraiment besoin de lui parler. Je m'en veux tellement... Je ne cesse de me demander comment j'ai pu me laisser entraîner dans une histoire pareille. Et je n'ai pas de réponse.

Comment des milliers de personnes tout à fait normales se font-elles piéger par des sectes? Le sait-on vraiment? Joséphine se demande néanmoins ce qu'elle peut faire. Pourquoi Ksenia lui a-t-elle confié tout cela?

— Alors, pourquoi vous en parler à vous? dit justement Ksenia, comme en écho à sa pensée. Parce que je crois qu'ici, dans cette île, d'autres personnes qu'Andros savent. Ce serait impossible autrement. L'organisation est trop importante, et pourquoi cette confrérie aurait-elle justement choisi la maison d'Andros? Ici, chacun possède une ou plusieurs maisons dans les îles environnantes, alors pourquoi avoir choisi la sienne? Les mères porteuses viennent d'ailleurs, elles reçoivent une somme importante et signent des documents légaux de décharge et d'abandon, donc elles n'ont pas de recours. Mais les vestales, les gardiens violeurs... Sans oublier les frères de ladite confrérie? Ça fait beaucoup de monde. Qui sont-ils? D'où viennent-ils? Moi, je suis devenue complice de ces gens-là, même si je n'étais pas vierge et que je n'ai pas encaissé l'argent. Mon Dieu, surtout pas! Cet argent a l'odeur du liquide amniotique de ma fille évanouie, l'odeur des femmes violées et disparues, l'odeur des larmes et du sang. L'odeur de la trahison d'Andros.

— Croyez-vous qu'il s'agisse d'un trafic d'enfants?

— De quoi d'autre, sinon? Andros n'est pas mêlé à ça, non, je ne le crois pas. Lui, son tort est d'avoir fermé les yeux sur ce qui se fait dans sa maison de Mljet.

— Juste ça ?... dit Jo, dubitative. Ce n'est pas si grave, alors...

Ksenia sursaute à ces mots.

— Je suis bête, hein ? Je me mets à parler comme lui. Quand je vous dis qu'il m'a lavé le cerveau !

— Mais non, vous n'êtes pas bête. Je veux dire, s'il s'agit d'un trafic, pourquoi donc n'allez-vous pas à la police ? Ou bien racontez tout à votre mère, elle va certainement faire le nécessaire. Elle vous aidera, plus que moi. Même si elle est fâchée, si elle apprenait ce qui vous est arrivé, elle vous aiderait forcément. Quant à moi, je ne sais pas. Qu'attendez-vous donc de moi au juste ?

Ksenia allume une autre cigarette et souffle lentement la fumée, cherchant à se donner une contenance.

— Eh bien, quand j'ai vu que vous n'aviez pas peur de fouiner partout, j'ai pensé que vous pourriez vérifier si ce que je pense est vrai, c'est-à-dire que le souterrain n'est pas vraiment condamné et que l'église Saint-Pierre accueille bien les cérémonies.

— Mais il n'y a rien dans l'église Saint-Pierre.

— Dans la fameuse crypte, ça reste à voir. Moi, je ne peux pas m'y risquer, et je ne me vois pas porter plainte. Tout le monde me connaît ici et puis Maro ne sait rien. Je ne veux pas le mettre au courant, et encore moins le compromettre.

— C'est un gentil, Maro, n'est-ce pas ?

— Oh, c'est vraiment une crème d'homme... Pas comme sa femme. Quelle sorcière, celle-là !... Et prétentieuse en plus ! Elle se prend pour la reine de Saba.

« En tout cas, pense Joséphine, Andros, lui, semble la trouver à son goût. »

— Écoutez, je suis vraiment désolée pour vous. Bien des gens commettent des atrocités, simulent des cultes prétendûment sacrés, si vous saviez... Vous découvrirez ça au cours de votre carrière d'historienne. L'histoire, hélas, est trop souvent mal utilisée, réinterprétée, au gré des intérêts de certains. Elle prête le flanc à nombre de révisions et de détournements. Mais sincèrement, au vu de tout ce que vous avez vécu, je pense que vous devriez rentrer chez vous à Zagreb et, en effet, finir vos études.

— On ne peut pas laisser ces méfaits se perpétuer. Marco Polo doit se retourner dans sa tombe.

— Oh ça ! s'écrit Joséphine. Marco Polo, c'est comme Alexandre ! On n'a jamais retrouvé leur corps, et encore moins leur tombe.

— Comment ? Mais je croyais que la tombe de Marco Polo se trouvait à Venise. C'est ce que je dis aux touristes. Il est né ici et enterré à Venise. Et c'est faux ?

— Vous êtes déjà allée à Venise ?

— Pas encore.

— Eh bien, allez-y. Trouvez-vous un autre amoureux et allez-y. Vous constaterez que non seulement la maison de la famille de Marco Polo n'existe pas – elle a brûlé –, mais que, dans le cimetière, son caveau n'est pas là, il a été détruit par un tremblement de terre... C'est comme ça que l'on bâtit les légendes, voyez-vous.

— Êtes-vous en train de me dire que Marco Polo n'était pas vénitien ?

— Ce n'est pas ça. Bien sûr qu'il était vénitien, d'une famille de patriciens, Korčula à son époque appartenait à Venise. Mais je n'en sais guère plus, et pour tout dire, je m'en fiche. Mais j'ai été à Venise à de nombreuses reprises, et je sais que le corps de Marco Polo ne s'y trouve pas. Pas plus que celui d'Alexandre ne se trouve à Bagdad ni même dans la région. Ça donne lieu à toutes sortes de légendes. Car, en vérité, des figures telles qu'Alexandre ou Marco Polo sont de nulle part et de partout. Ils incarnent le besoin d'altérité et d'inconnu qui tapisse la psyché humaine depuis la nuit des temps, et sans lequel l'animal humain ne serait jamais sorti de l'Afrique de l'Est d'où il est originaire. Écoutez, Ksenia, voici que je vous donne un cours... Mais bon, laissons là Marco Polo pour le moment. Je ne vois pas ce que je peux faire dans ces circonstances.

— Si. Vous pourriez vérifier que le souterrain n'est pas condamné, pour commencer. Peut-être que vous y découvrirez quelque chose qui vous permettra d'alerter les autorités, celles d'ici, sinon carrément l'Unesco.

Joséphine ne cache pas sa perplexité. Il semble clairement s'agir d'un trafic d'enfants. Mais la traite, en particulier des femmes et des enfants, est un fléau répandu, un commerce d'envergure internationale qui la dépasse. Elle est venue en Dalmatie pour expertiser un site sur l'île voisine de Hvar et n'est venue à Korčula que pour la compétition de surf de Terry. Sa mésaventure dans l'église Saint-Pierre ne lui paraît pas une raison suffisante pour se mettre soudain à jouer les justicières.

— Je pense, insiste Ksenia, que d'autres personnes de l'île sont au courant, je vous le disais à l'instant, et qu'elles s'organisent pour que les autres ne le sachent pas. Il n'y a que vous qui puissiez mettre tout cela au jour.

— En tant qu'archéologue ! C'est ce que vous voulez dire, n'est-ce pas ?

Il est presque 2 heures du matin en ce 1er septembre, lorsque Joséphine finit par rejoindre sa chambre. Couchée auprès de son fiancé, elle ne parvient pas à trouver le sommeil. Par la fenêtre ouverte lui parviennent les voix de convives encore attablés le long du quai.

Profondément choquée, roulée en boule, elle réfléchit. Tout lui semble désormais possible dans cette île. Tout et son contraire. Le meilleur comme le pire. Terrence ne l'entendrait pas de cette oreille s'il savait. Va-t-elle lui dire tout ce que Ksenia lui a confié ? Lui irait sans doute directement à la police ou à bord du premier bateau. Or, ni l'une ni l'autre de ces réactions ne tentent Joséphine. La raison voudrait qu'elle ne fasse rien et que, comme prévu, Terry et elle s'en aillent au plus vite. Mais la raison ne gouverne que la sphère professionnelle de son existence. Elle décide de ne pas partir pour l'île de Hvar le lendemain. Et de ne pas parler à Terry. Du moins pas tout de suite.

Son fiancé assume le rôle de protecteur qui lui est tacitement échu depuis qu'ils se connaissent, et surtout depuis quatre ans que leurs trajectoires ont formé une asymptote, « un compagnonnage à périmètre de sécurité », comme aime à l'appeler Joséphine. Selon les circonstances, et connaissant la propension de sa fiancée à se fourrer dans des situations périlleuses, de défenseur Terry peut devenir attaquant, plaquer au sol les adversaires potentiels de leur bonheur et leur tranquillité. Il ne peut cependant rien, ou presque, contre le fait que Jo veuille comprendre. Comprendre pour comprendre. Elle est configurée ainsi. Elle en a besoin. C'est aussi pour ça qu'il l'aime. Son tempérament le porterait plutôt à se contenter de vivre des aventures au travers de personnages de la littérature, tandis que Joséphine, elle, a viscéralement besoin de les vivre, bille en tête, et parfois au mépris de son confort et de sa sécurité. Oui, c'est aussi pour ça qu'il l'aime et l'admire. Joséphine se tourne vers lui, passe lentement ses lèvres sur son dos puis le laisse à Morphée. Mais elle n'a pas envie de dormir. Les questions se croisent dans son esprit comme des navires dans la brume.

L'église Saint-Pierre et la maison de Marco Polo communiquent donc, comme elle s'en doutait. Mais que vient faire Marco Polo dans cette histoire? De quelle curieuse façon sa figure légendaire se trouve-t-elle liée à ce trafic de bébés? «Peut-être tout cela se passe-t-il simplement dans sa maison natale, voilà tout», se dit Jo. Mais encore, pourquoi la fécondation rituelle des vierges se déroule-t-elle le 15 novembre? Et pourquoi le 15 août? Bien sûr, cette date n'a pas manqué de la faire tressaillir, mais elle n'a pas souhaité l'expliquer à Ksenia.

Par ailleurs, la formule «En ce 15 novembre la lumière est semée», une sorte d'incantation magique (σε αυτά τα δεκαπέντε Νοέμβριος ο φωτισμός σπέρνεται, en grec), doit forcément avoir son pendant, son côté face. Il faut toujours une phrase d'ouverture et une autre de fermeture pour compléter un rituel. Ksenia, endormie pendant la césarienne, ne l'a pas entendue. Pourtant elle doit forcément exister. Quelque chose comme: «En ce 15 août la lumière jaillit, ou naît, ou s'incarne...» En grec, cela donnerait: «σε αυτά τα δεκαπέντε Αύγουστος ο φωτισμός ενσωματώνεται.» La première phrase, prononcée lors du rituel d'engrossement en novembre, et la seconde, au moment de la naissance de chaque enfant, constitueraient donc un ensemble cohérent.

Et ces apôtres, douze apôtres. Douze en référence au «rythme» du soleil vu de la Terre, devenu le nombre de la complétude dans la civilisation judéo-chrétienne pour laquelle Christ est Soleil. Il a donc douze apôtres, tout comme le soleil semble, selon le regard humain, occuper tour à tour douze positions annuelles dans le firmament. Depuis la nuit des temps, l'humain a tout interprété depuis son point de mire, suivant ce qu'il a vu et filtré au travers de son anthropocentrisme. Ce qui a du sens dans la psyché n'obéit pas aux seules avancées scientifiques. Douze vierges, douze apôtres, douze positions annuelles de la lumière, qui va, vient, morte, semée, couvée puis de nouveau triomphante. Ainsi se reproduisent les cycles de la vie ici-bas. Oui. Joséphine comprend tout ça. Elle le sait depuis longtemps. Mais, dans ce trafic de nouveau-nés, qui est donc le treizième apôtre, celui qui vient briser la perfection du douze ? À moins que ce ne soit l'inverse ? Que le treizième apôtre permette, justement, à la complétude d'exister, que le treize vienne briser le douze pour lui permettre de mieux se reconstituer ? Qui donc, dans cette confrérie cagoulée, joue le rôle à la fois destructeur et reconstructeur du treize, le rôle que joua Judas parmi les douze apôtres ? σε αυτά τα δεκαπέντε Νοέμβριος ο φωτισμός σπέρνεται / σε αυτά τα δεκαπέντε Αύγουστος ο φωτισμός ενσωματώνεται. Est-ce Judas, précisément, qui a inventé cette formule de vie, de mort et de renaissance perpétuelle ? « Jolie formule en tout cas », apprécie Joséphine, les méninges en ébullition.

Sa réflexion se poursuit. À propos de formules incantatoires célèbres, répétées au fil des siècles comme des devises destinées à donner un sens à l'existence humaine, lui revient la formule attribuée à saint Jean, le quatrième évangéliste, dont l'emblème est l'aigle ou le scorpion. « Si le grain de blé tombé en terre ne meurt pas, il reste seul ; mais s'il meurt, il donne beaucoup de fruits. »

« Ça correspond bien », se dit Joséphine. Le 15 novembre, la lumière est semée comme un grain dans le ventre des vierges. Les moyens employés pour effectuer ces semailles sont certes criminels, mais pour l'homme, elle ne le sait que trop, la fin justifie presque toujours les moyens. « J'avance un peu, se rassure-t-elle en se retournant dans son lit. Le 15 août, maintenant. Le 15 août renvoie au deuxième évangéliste, saint Marc, associé au lion. » Un petit sourire de satisfaction étire ses lèvres. À ses côtés, Terry est profondément endormi.

Elle a déjà remarqué que le prénom Marc, Marko – ou Maro dans le dialecte local – est très courant sur la côte dalmate et que saint Marc est le patron principal de ses églises, y compris de la cathédrale de Korčula... Ainsi que de Venise depuis que ses restes y ont été apportés d'Alexandrie au VIIIe siècle et dont le symbole est le lion. Les éléments sont là. Elle les a repérés et compris. Soit.

Mais comment les relier ? Faire naître des bébés de femmes jeunes, pures et consentantes, bien nourries et préparées, pour les destiner à un trafic, voici la machination décrite par Ksenia. Mais pourquoi une confrérie se donnerait-elle la peine d'organiser un tel cérémonial ? Trop de données lui manquent encore pour orienter sa réflexion dans une direction vraiment convaincante.

« Évidemment, pense-t-elle, s'il était là, lui, il pourrait m'aider... » Il est des jours, ou des nuits comme celle-ci, où lui manque vraiment cet homme, historien et psychiatre, spécialiste des mythes et symboles de l'Antiquité méditerranéenne, son professeur à Harvard. Ne plus pouvoir lui parler, plus encore que le revoir après qu'elle a fui la passion qui menaçait de les détruire tous les deux, la blesse toujours au cœur, malgré les deux décennies écoulées. Si seulement elle pouvait lui parler de ses découvertes... Il serait de bon conseil, saurait l'aider à y voir plus clair, la rassurer. Non. Elle repousse cette dernière pensée à peine l'a-t-elle formée, comme on biffe une phrase scabreuse. Il ne la rassurerait pas. Au contraire. Au cours des dernières années de leur relation, sa folie autodestructrice, son humeur perpétuellement noire, chargée de violence désenchantée, l'a déstabilisée, secouée et blessée au point qu'elle a perdu toute appétence de vivre. Elle a pris ses jambes à son cou pour se sauver. Et s'est sauvée. Mais la culpabilité, barbouillée d'une tristesse gluante qui sporadiquement vient se rappeler à elle, ne l'a jamais quittée. Les amours impossibles demeurent les plus fortes, celles auxquelles on ne peut que renoncer, avec une saine volonté, sans en guérir jamais. D'autant qu'elle ne peut pas lui en vouloir. Ni lui ni elle ne sont responsables de la fin imposée à leur liaison. C'est la vie qui leur a joué un tour. La vie impitoyable et souveraine, qui toujours abat son couperet sans se soucier des conséquences sur le monde périssable. Depuis qu'elle est arrivée sur cette île, le souvenir de cet homme la poursuit de nouveau. Elle s'attendrait presque à le rencontrer au détour d'une des ruelles de Korčula.

Étourdie par ce reflux de peine inattendu, Joséphine se lève sur la pointe des pieds, prend une cigarette et fume lentement à la fenêtre. Terrence, lui, dort comme un bébé. Terrence, son Terry terrible, son amour possible, lumineux et réparateur. Elle écrase son mégot et va se coller contre lui, ses bras enroulés autour de son torse large. À mesure que sa respiration se calque sur celle de son bel amant, son cœur se calme et la boule dans son ventre relâche son étreinte.

Dehors, les derniers convives sont partis. Le silence envahit la chambre. Un silence peuplé de fantômes, hideux autant que menaçants derrière leur cagoule de fumée toxique.

5

Les lueurs du soleil levant dessinent des arabesques sur les reins cambrés de Yerina qui, le dos en sueur, accentue son mouvement de va-et-vient au-dessus du bassin de son amant, serrant les cuisses pour accroître son emprise. Lui, la tête rejetée, ne réprime plus ses gémissements. N'y tenant plus, il se soulève de sa puissante carrure et, la renversant sur le dos, saisit vigoureusement ses cheveux qu'il tire jusqu'à ce qu'elle arque la nuque en poussant un râle de douleur et de plaisir mêlés. Accélérant le rythme de ses hanches, il la conduit vers leur jouissance commune puis retombe lourdement sur le flanc, attirant Yerina contre son large poitrail.

Ils avaient grand faim l'un de l'autre. Ils parviennent habituellement à se voir au moins trois fois par semaine, notamment dans la maison que durant l'année il occupe seul et, l'été venu, avec son fils, étudiant sur le continent. Mais ils se sont peu vus lors des derniers mois. Leur couple, qui pour être secret n'en remonte pas moins à vingt-cinq ans, vient de traverser une longue période de crise qui a bien failli les séparer. Yerina est mariée avec Maro et vit avec lui et leurs deux fils, mais la secousse sismique ne provient pas de cette situation, établie depuis plus de deux décennies.

Le changement brutal est dû à l'amant qui, succombant soudain au démon de midi, est tombé raide amoureux d'une femme deux fois plus jeune que lui. Une amie de son fils, la splendide et altière Ksenia, à la lippe boudeuse, aux yeux vert d'eau et à l'abondante chevelure blonde, décolorée par le sel et le soleil dalmates auxquels elle s'adonne chaque été. Lorsqu'elle l'a appris, Yerina, meurtrie à l'extrême, s'en est consumée de jalousie. Alors quoi ? Elle a sacrifié son existence et accepté le risque quotidien d'une double vie, elle s'est engagée dans l'organisation dans laquelle son amant est impliqué, elle lui est fidèle depuis sa jeunesse et tout ça pour quoi ? « L'amour, a-t-il dit, j'ai droit à l'amour, moi aussi, une dernière fois... », et ses mots ont frappé Yerina plus mortellement qu'une dague de sacrifice. Chacune de ses paroles s'enfonçait dans sa gorge comme autant de mottes de terre meuble, l'étouffant avant de l'engloutir. Soudain Ksenia est devenue aux yeux d'Andros une déesse avec laquelle Yerina ne pouvait rivaliser. Pour le coup, elle s'est sentie exactement comme Héra, la pauvre et pathétique Héra, épouse sans cesse bafouée du grand Zeus, ridicule, laide, éplorée et vengeresse. Une Héra ravagée et prête à tuer. Jusque-là Yerina conciliait ses couples officiel et adultérin sans faillir, et ce, depuis vingt-cinq ans, sans qu'aucun grain de sable ne grippe la mécanique qu'elle avait mise en place et sur laquelle elle veillait.

Comment, mais comment ne l'a-t-elle pas vu lui échapper ? Il a rencontré cette gamine, belle et intelligente, une naïade sortie des eaux bleues de l'Adriatique qui l'a submergé de désir. Il a été jusqu'à lui faire un enfant, l'imbécile !, flatté de se savoir encore fertile, comme si une seconde jeunesse lui était accordée. Il était aux anges lorsqu'il a appris, le fou !, que sa jeune amante était enceinte. Il l'a même installée dans l'une de ses maisons de Mljet, exclusivement réservées aux mères porteuses recrutées par qui ? Par elle ! Elle qui depuis vingt-cinq ans s'occupe de l'administration de l'approvisionnement en bébés de mères vierges et consentantes, grassement payées en contrepartie de l'abandon de leur enfant et de leur silence. « À cause d'un coup de queue ! lui avait-elle hurlé au visage. Et tu oses me parler d'amour ! T'as quinze ans, toi, maintenant ? Avec toutes les saloperies que t'as faites dans la vie, tous les assassinats ! Tu t'imagines te payer une virginité ? » Hors d'elle, elle a pleuré des jours entiers, désespérée surtout de devoir dissimuler sa peine et sa révolte mortifères à son mari et sa famille. « Alors, voilà les hommes ! s'est-elle répétée en marchant seule le long des plages de galets dans les vents de l'hiver. Prêts à tourner la page à la première toquade ! » Tandis que son amant filait le parfait amour avec sa dulcinée au ventre rebondi, à quelques centaines de mètres du lieu où les mères porteuses de l'année voyaient le leur s'arrondir selon le même rythme, elle se rongeait les sangs et maigrissait à vue d'œil. Elle l'a senti prêt à se débarrasser d'elle malgré tout ce qu'ils avaient minutieusement mis en place ensemble depuis vingt-cinq ans, en tant que lieutenants de la section dalmate de l'organisation internationale occulte dans laquelle lui, lui et nul autre !, l'a faite entrer. Ils avaient bien mené leur barque et connu une remarquable expansion, quand d'un coup, à cause d'une lubie, il n'hésitait pas à courir le risque énorme de tout fiche en l'air.

Et puis, ce qu'elle redoutait a fini par arriver : un jour, ou plutôt une nuit, une des mères porteuses a été trouver Ksenia et lui a tout raconté. Lorsqu'Andros l'a su, il s'est soudain rendu compte de sa bévue et a pris peur. Il a fallu éliminer la femme, mais passe encore. L'essentiel était de stopper net la relation avec Ksenia pour tenter de sauver l'organisation. Car, Yerina le sait, le Grand Maître la déteste, et si Andros n'avait pas insisté pour qu'elle dirige la section croate avec lui, il l'aurait éliminée depuis longtemps. Au cours de nuits sans sommeil, elle s'est persuadée que le Grand Maître pourrait ne pas hésiter à l'éliminer, elle, pour la remplacer par Ksenia aux côtés d'Andros. Elle a donc sorti la grosse artillerie. Lors d'une rencontre mémorable, elle a menacé son amant d'aller tout révéler à la police, et dans son regard noir et coupant, celui-ci a bien compris qu'elle ne plaisantait pas. Elle a exigé qu'il se débarrasse de Ksenia « d'une manière ou d'une autre », d'elle et de leur enfant. Mais cet abruti n'a jamais eu la force d'en finir purement et simplement avec sa belle amoureuse. Il s'est contenté de rompre. Il a même commis l'énorme erreur, dans sa précipitation, de proposer à Ksenia de donner leur enfant, d'accoucher sous X et de percevoir pour cela une rémunération, comme les mères porteuses. Quand il lui a avoué le tout, Yerina a compris à la fois qu'elle avait triomphé et que l'erreur n'était pas pour autant réparée. Ksenia a remis l'enfant, refusé l'argent et quitté la maison de Mljet. Mais, il fallait s'y attendre, pas l'île de Korčula. Pire, elle s'est fait embaucher par Maro! Un comble! Chaque jour que Dieu fait, Yerina la croise près de chez elle. Chaque jour que Dieu fait, elle s'attend à ce que Ksenia révèle tout à Maro, à la police ou même à Stjepan, allez savoir. Elle est devenue une épine blonde plantée dans le cœur et le talon de Yerina. Andros, lui, n'a pas vraiment fait le deuil de l'enfant perdu, une fille, pas plus d'ailleurs, elle le sait, que de son amour pour Ksenia. Mais il n'a pas le choix. Son implication dans la confrérie est bien trop importante, ancienne et criminelle, bien trop lucrative aussi, pour qu'il puisse s'en défaire. Il est donc revenu vers Yerina et ils ont repris leur relation, leurs ébats prenant la vigueur de la rancune et du désespoir. Yerina ne se berce pas d'illusions : il est revenu vers elle par raison, pas vraiment par amour.

Un malheur n'arrivant jamais seul, voici que cette archéologue de l'Unesco a débarqué chez elle, fouinant partout. Il ne lui a pas fallu plus d'une journée pour mettre son nez dans l'église Saint-Pierre. Qui dit alors qu'elle ne va pas découvrir bientôt l'existence du souterrain? Ça ne va pas. Ça ne va pas du tout, même. La colère que Yerina ressent face à l'inconséquence de son amant s'embrase chaque jour un peu plus, pareille aux feux qui dévastent les collines asséchées de l'île en été. Andros a beau démultiplier les marques d'attention et de tendresse, il faudra beaucoup de temps avant qu'elle ne lui pardonne. Si elle y parvient un jour.

Ce matin à l'aube, elle s'est extraite du lit conjugal pour nager longuement dans l'Adriatique calme et lisse comme dans un rêve éveillé. Puis elle s'est glissée dans les draps tout aussi bleus de son amant terrible.

— Je suis vraiment heureux de t'avoir retrouvée, murmure-t-il à son oreille, tout en caressant son épaule frêle. C'est comme une renaissance, une nouvelle phase de notre histoire.

Yerina ne répond pas mais se blottit un peu plus contre lui.

— N'empêche que tu n'as pas encore réglé les choses...

— Comment ça? Comment peux-tu dire une chose pareille?

— Mais parce que tant que ta dulcinée reste dans les parages, je ne serai pas tranquille, nous ne serons jamais en sécurité.

Andros relâche son étreinte et se redresse dans le lit.

— Tu veux que je la fasse disparaître? Carrément?

— Je n'ai pas dit ça.

— C'est ce que ça suppose. Parce que j'ai rompu avec elle, je l'ai persuadée de donner l'enfant, elle a signé des papiers parfaitement légaux...

— Mais sans prendre le pognon.

— Et alors ? Les documents sont-ils parfaitement en règle, oui ou non ?

Yerina, fulminante et déterminée, s'assoit de l'autre côté du lit, face à lui.

— Tu te fous de moi ? Qui est responsable du recrutement des mères porteuses ? Qui veille à cette branche-là de l'organisation ? Qui discute avec les avocats à New York ? Toi ou moi ? Je sais parfaitement que ces contrats de gestation pour autrui sont légaux, tout à fait conformes à la législation fédérale américaine, et que le siège social de l'organisation se trouve aux États-Unis. Je sais que c'est le seul pays au monde où la GPA existe depuis le milieu des années 1970. Je suis très très bien placée pour le savoir, je te rappelle !

Andros baisse la tête. Vingt-cinq ans auparavant, Yerina a fait partie du premier groupe de mères porteuses. À cette époque, c'est Andros qui l'a recrutée, lui a fait signer un contrat américain puis l'a gardée avec les onze autres filles dans la maison de Mljet. Il s'est chargé de la violer tous les jours pour s'assurer qu'elle tombe bien enceinte. En vérité, il ne l'a violée qu'une fois, la première, après la cérémonie d'engrossement rituel, car ensuite ils sont tombés amoureux. Fous l'un de l'autre. Avides du corps de l'autre. Ils ont continué à faire l'amour pendant toute la grossesse, et bien après que l'enfant soit née, une fille. Une fille aussi. Des sanglots remontent malgré lui dans sa gorge. Son histoire avec Ksenia a en effet été une répétition exacte de celle avec Yerina, à un quart de siècle d'écart. Entre temps, l'organisation a grandi pour étendre ses succursales à travers le monde. Yerina et lui se sont vus confier la responsabilité de la dalmate. Yerina mène le tout d'une main de fer. N'a-t-elle pas épousé Maro pour que personne, jamais, ne soupçonne son lien avec Andros, et encore moins le commerce qu'ils entretiennent ? Il doit tellement à cette femme, il le sait. Mais la morsure de la rupture avec Ksenia, celle, plus insoutenable encore, de la perte de leur enfant, ne le lâche pas.

79

Gardant le regard baissé, il trouve à grand peine la force de poursuivre cette conversation.

— Justement, Yerina, tu sais très bien qu'elle n'a aucun recours légal. Toutes les mères porteuses qui ont changé d'avis et fait appel à la justice pour se faire reconnaître comme la mère légale de l'enfant qu'elles ont porté ont été déboutées, donc...

— Je sais ça! coupe Yerina, agacée. Mais les faits se passent ici, en Croatie, et la GPA y est interdite.

— Oui, mais c'est ma maison, je suis grec, et la GPA est légale en Grèce depuis une dizaine d'années. Les filles savent très bien à quoi s'attendre, et elles sont plutôt bien payées, non? 50 000 dollars, c'est dans la moyenne supérieure de ce genre de contrat.

— Oh... Ça peut monter bien plus haut.

— Peu importe, de toute façon... ce n'est pas une question de chiffre mais de législation. Ksenia ne pourrait pas avoir de recours légal. Ça reste une affaire strictement privée, entre elle et moi.

— Je sais, merde! J'ai compris! Mais elle est croate, non? Elle pourrait quand même porter l'affaire en justice, même si au final, elle est déboutée. Ça ferait scandale, tout le monde en parlerait, tout se saurait. En plus, les mères sont choisies selon des critères précis établis d'après les souhaits des acheteurs. Nous avons deux principes à respecter: qu'elles soient vierges et qu'elles ne soient ni croates ni grecques parce que justement, c'est trop dangereux, ça pourrait se répandre. Or, toi, avec ton intelligence réduite à néant par l'afflux de testostérone, tu as bafoué ces deux principes. Bingo!

— Mais qu'aurais-tu voulu que je fasse d'autre? C'est toi qui l'as exigé. Et en effet, j'admets que tu avais raison. On est bien chanceux qu'elle ait accepté.

Yerina se tourne pour prendre son paquet de cigarettes. Andros s'en saisit aussitôt et le jette de l'autre côté de la pièce.

— Je ne veux plus que tu fumes, je te l'ai dit. J'ai besoin de toi. En forme.

Elle le regarde un instant, un sourire sarcastique aux lèvres.

— Tu as besoin de moi, ouais... Tu t'en es finalement souvenu.

Andros se penche vers elle, l'attrape aux épaules et la tire de nouveau contre lui. Yerina se laisse faire, molle comme une poupée de chiffon. Blessée. Et amère. Andros laisse courir ses lèvres contre son cou puis descend vers les mamelons qu'il titille du bout des dents. Yerina l'arrête net.

— Je n'ai plus le temps, dit-elle en le repoussant d'une main ferme.

— Je t'aime, ma déesse, murmure Andros. Je suis désolé de l'avoir oublié un moment. Juste un petit moment d'égarement. Ce n'est pas beaucoup en vingt-cinq ans, alors que toi, tu couches avec ton mari depuis presque aussi longtemps...

Yerina lâche un soupir excédé.

— Tu sais très bien que j'ai renoncé à Ksenia et à cet enfant par amour pour toi. C'est vrai, et tu le sais. Tu exigeais une preuve d'amour absolu ? Tu l'as eue. J'ai sacrifié la femme et l'enfant pour toi.

Il pose la tête sur les genoux repliés de Yerina et embrasse son ventre du bout des lèvres.

— Tu resteras la seule mère de ma vie, la seule déesse, Héra, unique et superbe.

— C'est ça ! s'exclame Yerina. Et toi, tu ne serais pas Zeus si tu n'avais pas été infidèle au moins une fois, hein ?

Elle s'écarte de lui, se lève pour se rhabiller.

— Et puis, murmure-t-elle, tout en agrafant sa jupe, ton « sacrifice » comme tu dis, est peut-être la preuve de ton amour pour moi, mais c'est surtout celle de ton allégeance à la confrérie.

Andros bondit vers le bord du lit, l'attrape aux hanches et l'attire contre lui. Elle est si petite et si fragile comparée à lui.

— Héra, ma belle, non ! Tu dois me croire. Ça va bien aller. La grande cérémonie aura lieu la semaine prochaine. Ensuite la maison de Marco Polo va fermer et Ksenia va retourner à Zagreb. En octobre, j'irai à Paros comme prévu, pour achever les travaux. Le domaine sera bientôt prêt. C'est pour toi que j'ai bâti ça, pour que nous y vivions ensemble. Bientôt, ce pour quoi nous travaillons si fort depuis vingt-cinq ans se réalisera.

— Justement, rétorque Yerina en se dégageant. Je pense qu'elle en sait plus que ce que tu crois. Pourquoi sinon serait-elle aller travailler avec Maro ? Tu te rends compte ? Avec *mon* mari, et juste au-dessus du souterrain ? Franchement, quand j'y pense, j'hallucine! Même si elle n'a aucun recours légal, elle pourrait tout faire voler en éclats... Tu mesures les conséquences?

— Bien sûr, mais ça n'arrivera pas. Elle n'a pas de ressources, c'est pour ça qu'elle travaille pour le domaine de Marco Polo. Elle est historienne. C'est logique.

— Ben voyons! Et comme historienne, elle peut tout aussi bien décider de se confier à une collègue, une prestigieuse collègue, l'archéologue qui vit chez moi. Enfin elle, elle va partir aujourd'hui...

— Je dois te dire que moi, je suis plus inquiet à propos de cette émissaire de l'Unesco qu'à propos de Ksenia. Je la hais, elle me fait peur.

— Pourquoi avais-tu besoin de l'empoisonner aussi?

— Bon sang, mais je n'ai pas voulu l'empoisonner, enfin! J'ai mis le produit pour purifier le lieu, et elle s'est pointée à ce moment-là! Comment aurais-je pu imaginer pareil hasard? C'est absurde! Elle n'aurait jamais dû se trouver là, voilà tout.

— Eh bien, elle y était. Et maintenant, qui te dit que Ksenia et elle ne vont pas entrer en contact?

Elle est rhabillée, prête à partir. Elle ramasse sa serviette de bain mouillée et enfile ses sandales de plage.

— On a assez parlé, de toute façon, dit-elle en allumant une cigarette, une main sur la hanche en signe de défi. Joséphine Watson-Finn et son fiancé vont partir aujourd'hui. Tu sais où ils vont?

— Non.

— À Hvar.

— Rien d'extraordinaire. Tous les touristes vont au moins à Dubrovnik, Korčula et Hvar. Puis à Split. Forcément.

— Ce n'est pas une simple touriste! Elle va visiter la plaine de Stari Grad pour l'Unesco.

Les traits d'Andros se figent.

— Je n'y crois pas...

— Eh si...

— Même si elle y va, elle ne verra rien.

— Sauf si elle y va justement le jour J...

— Quand bien même. Des milliers de touristes visitent la plaine chaque année, sans compter les paysans du cru qui cultivent leurs parcelles à côté des ruines. On s'en fout. On est bien organisés.

— Si tu le dis... marmonne Yerina.

Andros se lève, bougon. Il disparaît un moment dans la salle de bains et en revient, une serviette à la main. Après s'être essuyé, il enfile un large bermuda de toile grège et un débardeur blanc qui fait admirablement ressortir sa carrure cuivrée.

— Je dois y aller maintenant. Il va bientôt être 6 heures. La vieille m'attend, dit-il d'une voix irritée, sans regarder Yerina.

— La vieille, hein ? rebondit-elle en minaudant, cherchant à le dérider. Tu ne la sautes pas, elle, au moins ?

Andros continue de s'habiller sans relever la tête.

— Je ne suis pas encore nécrophile, vois-tu...

Ne voulant pas qu'il la quitte fâché, Yerina le tire vers le lit et s'assoit d'autorité sur ses genoux. Avec une mine gourmande, elle mordille le lobe de son oreille.

— Dis donc, toi, ça fait longtemps qu'on n'a pas joué à notre jeu favori. Et si tu préparais notre matériel là-bas, ça te dirait ? Je t'y retrouverai cette nuit...

Au même moment, caressée par les premiers rayons d'une journée qui s'annonce aussi chaude que les précédentes, Joséphine s'étire entre les draps, engourdie. Elle n'a pas beaucoup dormi, son esprit échauffé ne le lui permettant pas. Devant la fenêtre l'attend la perfection du paysage. Pas âme qui vive sur le quai. La mer luit dans un silence d'un bleu parfait. À pas de loup, elle se glisse hors de la chambre avec son dossier de l'Unesco sous le bras. Peut-être y trouvera-t-elle des éléments pour mieux comprendre la région, en attendant de pouvoir *skyper* Andréanne à Montréal, mais pas avant l'après-midi, décalage horaire oblige.

Il est 6 h 20. Aucun café n'est encore ouvert sur le quai situé sous leur chambre. Joséphine revient donc sur ses pas et s'engage dans la ruelle avec l'intention de se rendre de l'autre côté de l'île. À vingt mètres devant elle apparaît soudain une silhouette connue, de deux mètres de hauteur et presque autant d'envergure, vêtue d'un large bermuda grège et d'un tee-shirt blanc qui moule son imposante musculature. Elle se coule vivement sous un porche centenaire, retenant son souffle sous une gargouille qui semble se payer sa tête. « Tu n'es qu'une trouillarde, ma vieille ! », peste-t-elle contre elle-même, hésitant à sortir de sa cachette.

Avec précaution, elle se décide enfin à jeter un œil dans la ruelle en escalier. Personne. Dans le silence absolu de ce début de matinée parfait, l'écho d'un grincement désagréable se propage jusqu'à elle. Celui du portail rouillé de la maison de Marco Polo. Le *pizdoun* se trouve donc dans l'enceinte. Il n'a pas vu Jo. Elle sort de son abri et, d'un pas qu'elle veut normal et assuré, monte posément les marches. Parvenue devant le portail, elle jette un œil. Personne non plus. Mais elle distingue le haut d'une échelle qui conduit sous la dalle de béton. Ksenia a donc raison : contrairement à ce que Maro lui a dit, et sans doute le croit-il, le souterrain ne semble pas tout à fait condamné. Étrange. Les barreaux de l'échelle bougent et craquent sous le poids de quelqu'un qui descend, le *pizdoun*, bien entendu. Le cœur battant, ses craintes aiguisant sa curiosité, Joséphine pousse doucement la grille rouillée. Sur la pointe des pieds, elle avance au bord de la dalle et se risque à plonger le regard dans la crevasse.

L'échelle se perd dans une obscurité qui limite la perspective. Jo ne distingue que les parois et une grosse pierre qui bouche presque l'entrée. Comment l'homme a-t-il pu se glisser en-dessous ? Jo s'allonge doucement sur la dalle, plissant les yeux avec l'espoir de discerner quelque chose. La voix du géant retentit alors, sépulcrale. Joséphine tressaille, comme si Hadès prononçait une sentence à son oreille. L'homme parle en grec ancien.

— Les sacrifices ont eu lieu, dit-il, les dieux sont satisfaits. Ils parleront dans deux semaines. Tu dois être en forme, alors mange.

Ce *pizdoun* a donc des humanités... Joséphine en reste éberluée. « Qu'est-ce qu'ils ont tous ici avec le grec ancien ? », se demande-t-elle, toujours à plat ventre, pétrifiée. Une évidence, qu'elle n'avait pas relevée la veille, s'impose soudain à elle. Si Ksenia a compris la formule prononcée lors de la cérémonie d'en-grossement de novembre, c'est qu'elle parle grec, elle aussi. Mais cela n'est guère étonnant pour une doctorante en histoire antique. Qui d'autre ici parle grec ancien ? « Il y a une personne au fond de ce trou qui évoque les dieux grecs dans la langue de ceux-ci. Pas banal... »

Elle ne peut cependant pas s'attarder. Le *pizdoun* risque de réapparaître d'un instant à l'autre. Elle se relève lentement, mais son pied glisse et heurte un débris de dalle qui traîne là et s'abat avec le fracas assourdissant qu'a dû produire la porte des enfers en se refermant définitivement sur Eurydice. Jo n'hésite plus. Elle s'élance vers la grille, la franchit, remonte la ruelle en courant à perdre haleine et s'engouffre dans la cathédrale Saint-Marc. À l'instant où elle s'effondre sur un banc, les cloches se mettent à sonner à toute volée pour appeler la fervente population locale à la messe matinale. Il est donc 7 heures. Joséphine tente de reprendre son souffle sans se faire remarquer. Peine perdue. L'assemblée entière, majoritairement des femmes, l'observe d'un air désapprobateur. D'abord interloquée, Jo, en suivant le regard du curé braqué sur sa tenue, comprend le problème : elle porte une minuscule camisole blanche à fines bretelles qui de surcroît moule ses seins. Soit. Elle ne s'était pas habillée pour aller à la messe… Contrainte de quitter la cérémonie qui va débuter, elle se dirige à pas lents vers la sortie, redoutant de retrouver dans la rue le *pizdoun*. Fort heureusement elle aperçoit une deuxième porte située au fond de l'église, qui donne sur un escalier menant au clocher.

Sortant un billet de vingt kuna[7], elle le tend vivement à la caissière puis s'engage dans l'escalier glissant et étroit, à peine assez large pour s'y engager de face. « Les gens étaient minuscules ou quoi ? », s'étonne-t-elle, se faisant la réflexion qu'entre les statues grandeur nature (de l'époque, soit un mètre cinquante environ) de l'église Saint-Pierre, l'escalier exigu qui conduit au pigeonnier de Marco Polo et celui de la cathédrale, la carrure des habitants de jadis différait vraiment de celle des Dalmates d'aujourd'hui, à la taille et à la musculature imposantes. « C'est ça, l'effet de la migration et du métissage des peuples. »

La vue d'en haut est époustouflante. Depuis le pigeonnier, elle avait aperçu le large derrière la pointe est de Korčula. Du clocher, l'enfilade des îles apparaît dans sa géographie majestueuse, loin, presque jusqu'aux trois îles d'Elaphyte, Kolocep, Lopud, Sipan, gardiennes de Dubrovnik, intimidantes par la beauté de leur flore

---

7. Monnaie croate.

et le mystère insondable de leurs innombrables grottes sous-marines, îles qui furent jadis le repos des intrépides capitaines et navigateurs, convoyeurs d'esclaves, de la République ragusaine, et qui sont aujourd'hui plus volontiers dévolues à l'agrément des nudistes et aux plaisirs nocturnes des nostalgiques de Sodome et Gomorrhe. L'île de Mljet se trouve-t-elle aussi dans cette direction? Seule en haut de ce beffroi d'ordinaire assailli de visiteurs, Joséphine se laisse aller à la morsure sensuelle d'un petit *yougo*, vif vent du sud, qui balaie ses cheveux et son visage, et dilate ses poumons. Les yeux grands ouverts sur la perfection qui s'étend à perte de vue, elle oublie tout pour un long moment de communion panthéiste.

Le choc est d'autant plus grand lorsqu'elle baisse les yeux vers le parvis de la cathédrale. Le *pizdoun*, tête levée, regarde dans sa direction en brandissant quelque chose, que Joséphine reconnaît aussitôt avec effroi: son dossier de l'Unesco. Dans sa fuite, elle l'a oublié sur la dalle de la maison de Marco Polo.

6

Comme toujours sous le coup d'un danger imminent, l'intuition vient se mêler à l'intelligence pour dicter une conduite avant d'avoir pu rationnellement évaluer celle-ci.

Du haut du clocher de la cathédrale Saint-Marc, Joséphine agite la main en direction de l'homme en lui adressant son plus charmant sourire. Elle lui fait signe de l'attendre puis s'engage dans l'escalier étroit, manquant plusieurs fois de tomber. « Mais quelle imbécile je fais ! », se morigène-t-elle. Il lui faut évidemment récupérer son dossier, mais c'est la peur qui pour l'instant la domine. Hier, cet homme a failli l'écrabouiller puis n'a cessé de la poursuivre de son regard haineux. Avant même qu'elle en apprenne plus sur lui et sur le commerce de bébés qu'il mène dans l'île, il s'était affiché en ennemi. Comment va-t-elle bien pouvoir l'aborder aujourd'hui ? « Allez, Watson-Finn, vas-y, c'est tout. Il ne peut rien t'arriver sur le parvis, en pleine rue passante... »

L'homme l'attend au bas des marches. Dans son regard d'un bleu presque transparent, bleu de glace dirait Terrence, la haine a cédé la place à l'interrogation. « Est-ce du lard ou du cochon ? », semble-t-il se demander, mais Joséphine ne lui laisse pas le temps d'en juger. Se dirigeant prestement vers lui d'une démarche qu'elle veut aussi vive qu'assurée, elle esquisse un signe de remerciement puis opte spontanément pour l'anglais :

— Vous me sauvez la vie ! Comment vous remercier ?

Joignant le geste à la parole, elle porte la main à son porte-feuille. Le *pizdoun* fronce aussitôt les sourcils en secouant la tête. Jo opine alors du chef avec un sourire mutin et poursuit sa manœuvre de diversion en déversant un flot de paroles :

— J'ai trouvé la grille ouverte et je suis entrée, mais la maison elle-même était fermée. Là j'ai aperçu une échelle et quand je me suis approchée, j'ai heurté un morceau de dalle qui est tombé. Le fracas m'a fait tellement peur que je suis partie en oubliant mon dossier.

Pendant qu'elle agite les mains tout en parlant à la vitesse d'une mitraillette, l'homme ne se gêne pas pour détailler chaque parcelle de son visage puis de son corps menu mais sculpté par l'exercice physique. Elle ne fait certes pas ses cinquante-quatre ans, mais lui, quel âge peut-il avoir ? La mi-quarantaine, bien por-tée. Une carrure impressionnante mais déliée, des lèvres pleines, des dents étincelantes. Son ascendant sur les femmes, et même sur les hommes, semble indéniable. Le *pizdoun* est un très beau spéci-men masculin. Un trophée de la perfection physique des Dalmates, qui s'impose à quiconque met les pieds sur cette côte croate. Joséphine baisse les yeux. Il s'agit de ne pas se laisser aller à la fascination qu'il inspire. La fascination qu'exerce l'anaconda avant de dévorer sa proie.

— C'est vous, l'archéologue qui fait de la plongée ?

Jo relève la tête. La question la prend au dépourvu.

— Mon fils vous a attendue avant-hier, vous n'êtes pas venue.

Elle sait par Ksenia que Stjepan, le jeune véliplanchiste, est le fils de cet homme, mais elle vient d'apprendre que celui-ci et le plongeur professionnel sont une seule et même personne. Un mo-ment bouche bée, elle se ressaisit.

— Je me suis endormie, balbutie-t-elle. Le soleil tape vrai-ment par ici.

Elle se doute que l'homme ne gobe pas son mensonge, mais elle affiche un aplomb sans faille et promet de reprendre rendez-vous.

— Ça peut être aujourd'hui ou demain, comme votre fils préfère.

— Pas aujourd'hui, il est épuisé. C'est lui qui a gagné la course, hier, ajoute-t-il avec un petit sourire condescendant. Donnez-moi votre numéro, ordonne-t-il. Il vous téléphonera dès qu'il sera remis.

— C'est que... esquive Joséphine, mon cellulaire ne fonctionne pas ici. Il me faudrait une carte SIM locale, sinon ça me coûte trop cher... Mais j'ai ses coordonnées de toute façon, je les ai trouvées dans la maison où nous sommes descendus, mon fiancé et moi.

— Il est bon, votre homme. Mais mon fils est meilleur. C'est normal. Il est d'ici, il connaît le chenal comme sa poche, et en plus, il est beaucoup plus jeune.

La lueur dans son iris traduit clairement l'ironie. Que Terrence soit beaucoup plus jeune que sa compagne ne lui a sans doute pas échappé. Que pensent les gens de leur différence d'âge? Celle-ci est-elle si manifeste? Jo voudrait ne jamais se poser ces questions dépréciatrices. Elle les chasse la plupart du temps au moyen de prières, aussi ferventes que vaines, hélas. Ce sujet la blesse. Trop souvent à son goût, elle se demande comment elle parviendra à vieillir, ainsi aux abois, jamais tout à fait sereine, malgré l'amour inconditionnel que lui témoigne son amoureux et le désir qui, depuis dix ans qu'ils sont ensemble, n'a pas encore diminué. Mais peut-être le *pizdoun* n'a-t-il pas du tout fait référence à cette différence d'âge? Si tel est le cas, cela ne fait que souligner un peu plus la vulnérabilité de Joséphine.

— Je vais le rejoindre, se contente-t-elle de répondre. Nous allons passer la journée à la plage aujourd'hui, lui aussi a besoin de repos.

L'homme lui tend le dossier.

— Merci, vraiment, dit-elle. Au fait, je ne me suis pas présentée. Je m'appelle Joséphine Watson-Finn. Joséphine comme la Beauharnais, Watson comme...

Elle déroule sa litanie d'un trait, en essayant de retrouver un ton léger. Elle finit en disant, avec un grand sourire: «Appelez-moi Jo, ça suffira.» Mais l'homme ne bronche pas. Probablement qu'aucune des références citées ne lui est familière. En réponse, il tend la main gauche, ce qui oblige Jo à transférer son dossier de côté pour s'adapter. D'abord hésitante, la poigne du *pizdoun* se fait de plus en plus ferme, broyant presque ses phalanges. Jo serre les lèvres pour ne pas manifester sa douleur.

— Moi, c'est Andros, annonce-t-il. Ici, on m'appelle Ante.

— Ah oui? fait-elle, alors qu'elle connaît déjà son prénom.

Andros est un prénom grec très usuel, l'équivalent d'André. Alors qu'Ante ressemble à Antoine. «Saint Antoine est le protecteur des enfants, se dit Jo. Sinistre ironie...»

— Andros, comme en grec?

— Je suis grec, confirme l'homme d'une voix forte dans laquelle Jo perçoit nettement de la fierté. Les Grecs ont civilisé cette région, vous savez...

— Oui, je sais, admet-elle, estimant que ce n'est pas le moment de pinailler. Tout est dans mon dossier. J'ai une mission sur l'île de Hvar justement.

«Au temps pour moi, pense-t-elle. J'aurais pourtant juré que cet homme était l'incarnation du mâle dalmate.»

— Vous partez quand? demande Andros.

C'est alors que se produit le miracle. Terrence, le nez en l'air, apparaît sur le parvis. Sous le coup de la surprise, Jo ouvre la bouche puis esquisse un large sourire. Comment peut-elle douter d'un homme toujours là quand elle a besoin de lui?

— Terry! l'appelle-t-elle, trop fort, puisqu'il se trouve à moins de dix mètres d'eux.

Le *pizdoun* se retourne. Les deux hommes se jaugent quelques secondes. Terry se poste, droit comme un i, aux côtés de Jo. Il enfonce ses mains dans les poches de son bermuda, affichant clairement sa méfiance à l'égard de son interlocuteur.

— Je te présente Andros ou Ante. Comment préférez-vous qu'on vous appelle?

— Je m'en fous, lâche le *pizdoun*, visiblement irrité par l'attitude de Terrence.

— C'est son fils qui a remporté la course, hier...

Terry ne répond pas qu'il s'en fiche, mais c'est tout comme. Il passe son bras sous le coude de sa compagne et, baissant les yeux, apprécie sa tenue avec un sifflement discret. Il est vrai que Joséphine est plus dénudée qu'habillée. Outre sa camisole légère, elle a enfilé un microshort de dentelle bleue doublé de satin mauve. Des tongs à breloques indiennes parachèvent sa tenue minimaliste.

— Je me suis habillée pour la plage, dit-elle, ravie du compliment tacite de son fiancé.

— Mais tu es partie comme ça sans moi. Sacrilège !

Le *pizdoun* se détend, en apparence du moins.

— C'est terrible, la tenue des femmes en été... dit-il, faussement goguenard.

Lui aussi parle pour ne rien dire. La tension qui monte entre eux crispe Joséphine.

— À cause de ma tenue, je n'ai pas pu assister à la messe...

— Ça ne m'étonne pas, ma chérie, comment aurais-tu voulu que le curé se concentre ?

— Ah ? Vous êtes croyante, vous ? s'étonne Andros.

— Non, mais je voulais voir. J'aime les cérémonies, la liturgie, les rituels. Au fait, vous qui êtes grec, croyez-vous aussi aux dieux ?

Le regard semble aussitôt virer au gris sous ses sourcils soudain froncés. Du lard ou du cochon, cette fois non plus, il ne semble pas pouvoir trancher.

— Pourquoi « aussi » ? Vous y croyez ?

— Oh, moi, je vis avec eux, vous savez. C'est particulier, mais pour moi, les dieux constituent un objet d'étude et une référence symbolique. Pas une croyance. Non, c'est que notre hôtesse, Yerina – vous la connaissez ? –, m'a dit l'autre jour que les dieux sont partout et qu'ils nous entendent.

Cette fois, Andros serre la mâchoire. C'est clairement du lard, mais il ne peut exprimer sa colère.

— Non, moi, je n'y crois pas du tout. Vous savez, les Grecs sont très, très orthodoxes de nos jours, alors...

— Oh, ça fait longtemps ! Je sais ça, mais c'est comme les coptes, les maronites, enfin tous les chrétiens d'Orient, non latins et donc non catholiques. Ils n'ont jamais vraiment distingué paganisme et monothéisme. J'ai longtemps vécu au Caire, voyez-vous, et je comprends très bien cet amalgame. De toute façon, les fêtes chrétiennes perpétuent d'anciennes fêtes païennes, aux mêmes dates d'ailleurs. La continuité s'est faite naturellement, surtout autour de la Méditerranée.

Terrence observe sa fiancée, abasourdi. Quel besoin de se lancer dans un cours, et sur le mode badin, en plus ? Lui non plus ne sait pas quoi en penser. Stratégie pour en apprendre davantage ou manœuvre de diversion ?

— Je ne suis pas croyant, réaffirme Andros, déstabilisé par ce flot de paroles.

Jo sourit en penchant la tête sur le côté, la mine faussement déçue.

— Tant pis, dit-elle, il n'y a qu'avec mes élèves ou avec mon père que je peux parler de ces questions-là...

— Et moi, je meurs de faim, coupe Terry. Si tu permets, j'aimerais beaucoup manger avant d'aller à la plage.

Il lève le menton vers Andros qui le dépasse d'une bonne tête.

— Vous auriez bien un endroit à nous recommander ?

Pour la première fois son regard rencontre celui de leur interlocuteur. Pourquoi, alors qu'il ne sait encore rien de lui, cet homme le met-il si mal à l'aise ?

— Le restaurant Adio Mare, c'est la meilleure table en ville. Mais ça n'ouvre qu'à midi.

Jo et Terry aperçoivent derrière lui l'enseigne du restaurant, à l'angle de la rue Diepolo, où se trouvent la maison de Marco Polo et celle de leurs hôtes. Quoi que l'on fasse, on tourne en rond dans l'enceinte des remparts, en haut, en bas, d'un pâté de maisons au suivant, et de part et d'autre de l'artère principale, pas moyen d'échapper à ses voisins. À leur regard, à leur curiosité, voire, sans doute, à leurs médisances.

— Mais si vous allez de l'autre côté, poursuit Andros en tendant le bras derrière lui, vers le long quai qui s'étire loin derrière les murailles, vous trouverez plusieurs cafés où prendre votre petit déjeuner. Je ne sais pas si vous aurez des menus américains, cependant...

— Ça va être parfait, dit Joséphine en serrant la main de Terrence dans la sienne. Dites à votre fils que je l'appellerai pour la plongée.

Ils tournent les talons et pressent le pas dans la rue principale. Jo sent le regard d'Andros peser dans son dos mais garde le buste droit. Les fidèles de la messe matinale sortent de la cathédrale, s'ajoutant aux passants qui fourmillent maintenant autour d'eux. Parvenus devant la grande porte de pierre ornée de l'horloge centenaire, ils bifurquent vers la droite, accordant leurs pas pour descendre la ruelle qui conduit vers les remparts. Même en pleine matinée, alors qu'un soleil serein ébroue déjà ses rayons, l'endroit demeure sombre, tapi sous d'épaisses touffes de câpriers et de bougainvilliers. Au moment où ils s'engouffrent sous une arche obscure, Jo ne peut retenir un tressaillement. Pourquoi ne se sent-on jamais tout à fait tranquille dans l'île natale de Marco Polo, cette noire Korkyra venteuse ? Terrence prend Jo aux épaules et, accélérant le pas, la pousse en avant. Ils débouchent ainsi sur le quai sud, avec un véritable sentiment de libération.

— Qu'est-ce que c'est que cette histoire de plongée ? demande Terry, irrité.

— C'est son agence, figure-toi. C'est incroyable, non ?

— Mais il est marié, cet homme ?

Joséphine ne répond pas. Mais sa crispation s'accentue encore. Andros, Grec aux humanités, père de famille dont le fils est champion de planche à voile et plongeur professionnel. Ou Ante, *pizdoun* amoureux de Ksenia et violeur de mères porteuses dans une île inhospitalière ? Qui donc est ce colosse à double visage ? « Une sorte de méprisable Zeus moderne », conclut Joséphine qui a toujours nourri une aversion pour le maître de l'Olympe qu'elle appelle « l'enflure ». « *Pizdoun* ou enflure, c'est kif-kif bourricot », songe-t-elle en hâtant le pas. Sa respiration s'apaise à mesure que Terrence et elle s'éloignent des remparts pour rejoindre la partie plus récente, et plus rassurante, du village de Korčula qui, lui aussi, présente un double aspect. Korkyra Melaina, l'île noire, possède aussi son pendant lumineux.

Au même moment, Andros se dirige vers la maison de Marco Polo. Le lieu accueille les touristes à partir de 10 heures, il doit donc se dépêcher. Rattraper le temps perdu à cause de cette archéologue trop curieuse. Il ouvre la grille avec sa clé, pousse la vigne vierge et la dalle recouvrant le souterrain, y glisse l'échelle posée à proximité et s'y engouffre.

À côté de la principale geôle où vit la mystérieuse « vieille » qu'il vient nourrir tous les matins, plusieurs pièces sont destinées à accueillir les vierges, futures mères porteuses, lors des semaines de préparation qui précédent la cérémonie d'engrossement rituel. Il déverrouille l'une des geôles et y pénètre. Au sol est posé un épais matelas aux extrémités duquel pendent des lanières de cuir. Au mur sont accrochés une série de fouets de différentes tailles et textures, des pinces, des tenailles. Du plafond tombent des cordes servant à suspendre des corps. Sur une table de bois contre le mur du fond s'alignent des jouets sexuels de différentes formes et dimensions, colorés comme des bonbons. Andros sent l'excitation l'envahir à la seule vue de ces instruments destinés aux jeux appréciés par lui et son amante. Il nettoie consciencieusement le lieu, balaie le sol, retire la housse tachée de sang et en met une propre, désinfecte un à un les instruments et les godemichets. Puis, se saisissant d'un des objets, il se plaît à imaginer comment, dans quelques heures, sa maîtresse, avide de ces cérémonies, bouche bâillonnée et yeux bandés, lui offrira ses chairs intimes.

La colère ne le quitte cependant pas. Il ne le dit pas à Yerina qu'il voudrait rassurer, mais la crainte de voir Ksenia trahir ce qu'elle sait ne le quitte plus. Les contrats de GPA ont beau être légaux, toutes les pratiques de la confrérie ne le sont pas, loin s'en faut. Il répugne à devoir faire taire Ksenia. Il sait toutefois qu'il va devoir s'y résoudre.

Avant de sortir, il entrouvre la lourde porte derrière laquelle croupit sa dernière prisonnière et recule aussitôt, incommodé par l'insupportable odeur qui le prend à la gorge.

— Arrête de chier, sorcière ! maugrée-t-il en grec. Avec le peu que tu manges, tu ne devrais pas produire autant de déchets. Même les charbons ardents soufrés ne suffisent plus à masquer ta puanteur. Retiens-toi, ou je ne te donne plus rien du tout, c'est compris ?

Il verrouille la porte et se dépêche de retrouver l'air pur. Une fois l'échelle ôtée, il remet la dalle de béton qui bouche l'entrée du souterrain aux regards extérieurs et replace la vigne vierge qui la cache partiellement. Il pose l'échelle contre le mur près de l'escalier qui mène au pigeonnier, là où Maro la conserve en cas de besoin. Puis il ferme la grille à clé et s'éloigne précipitamment du lieu. Il ne veut surtout pas croiser Maro et encore moins Ksenia.

S'arrêtant sous un porche, il compose le numéro de sa compagne de jeux favorite. Le manque d'elle le taraude trop souvent au cours des nuits solitaires, pendant lesquelles il se désespère en l'imaginant entre les bras de son mari, surtout depuis sa rupture forcée avec la délicieuse Ksenia. Yerina joue avec lui. Elle l'a toujours fait. Elle impose l'absence, la présence, de nouveau l'absence, les retrouvailles, la puissance des tortures qu'elle veut subir ou lui fait subir, puis la douceur de la consolation qu'elle seule sait lui prodiguer. Mais parmi tout ce qu'il a dû endurer de cette femme, la femme de sa vie assurément, le renoncement à la si douce, tendre et sensuelle Ksenia, et à leur enfant, demeure la plus vive, la plus insupportable. Il est certain que Yerina a exigé ce sacrifice par pur plaisir égoïste, pour s'assurer qu'elle est bien la plus forte et qu'elle parvient, encore et toujours, à manipuler tout le monde.

— Tu te moques de moi, dit-il dans le combiné, réprimant sa colère pour ne pas crier au milieu de la ruelle. Pourquoi es-tu allée leur dire que tu crois aux dieux grecs ? Tu es une pauvre folle, tu sais ça ? Elle, là, elle m'a raconté des bobards, mais elle est bien trop futée pour penser que je la crois, tu t'imagines quoi ? Et lui, si tu avais vu le regard qu'il m'a lancé, il me prend pour le dernier des bâtards. D'ailleurs, je ne sais pas ce que tu leur as dit au juste. Tu soupçonnes Ksenia, mais tu es la première à entretenir un double jeu !

Il couvre le téléphone de sa paume pour qu'on ne l'entende pas, et la fureur, mêlée à l'inquiétude, le fait rougir. À l'autre bout du fil, son amante lui parle et il l'écoute un long moment. Ses traits peu à peu se détendent et son regard bientôt s'adoucit. La transformation est encore plus manifeste dans le ton de sa voix.

— Et comment..., susurre-t-il. Tu mérites même une très grosse punition. Cette nuit, OK ? Tu n'annuleras pas, hein ?

Il semble se fâcher de nouveau mais finalement abdique.

— Très bien, mon amour, oui, je comprends. Cette nuit alors, d'accord. Et une dernière chose. Il faudrait vraiment être plus silencieux cette fois. Tu sais que la momie nous entend.

Il écoute la réponse avant de conclure, redevenu ombrageux :

— Tu as raison, ma déesse. Elle ne peut pas nous voir, c'est l'essentiel. N'empêche qu'elle m'inquiète en ce moment.

Joséphine cherche une stratégie appropriée afin de convaincre Terrence de rester encore quelques jours à Korčula pour parvenir à faire ce qu'elle souhaite : vérifier ce que cachent les révélations de la jeune Ksenia. Elle sait qu'enrubanner Terry dans la séduction risque de ne pas fonctionner, sans compter qu'il s'agirait d'irrespect. Ce n'est pas du tout la teneur de leur relation. Avec lui, elle le sait bien, il faut soit ne rien dire, soit jouer franc-jeu. Les zones grises de la psyché humaine qui font les délices de la bonne littérature n'intéressent pas Terrence dans la vraie vie. Au quotidien, son fiancé s'astreint plutôt à cultiver une perception des êtres en noir et blanc.

— Je veux aller voir le souterrain, annonce-t-elle donc, en levant la tête de son assiette de fruits frais.

Terry enfourne une nouvelle bouchée de son bourek aux épinards et au fromage et mastique posément sans la quitter des yeux. Puis il prend une première cuillérée de yaourt maison aux herbes sauvages, une deuxième, une troisième, puis un autre morceau de bourek. Pas la moindre expression ne s'affiche sur son visage, mise à part celle de l'appétit satisfait. Il déglutit, s'essuie la bouche et croise tranquillement les bras.

— Je n'ai rien entendu, dit-il, imperturbable.

Il sait, bien sûr, que si un désir a germé dans la jolie tête bouclée de Joséphine, il ne parviendra pas à l'en extraire. Mais il essaie néanmoins, sait-on jamais.

— Ksenia affirme que le souterrain qui relie la maison de Marco Polo à l'église Saint-Pierre dans laquelle je me suis évanouie n'est pas condamné, alors que Maro m'a affirmé le contraire.

— Mais enfin, c'est lui le responsable de ces lieux, non ? Il sait certainement mieux que quiconque ce dont il parle. Pour quelle raison mentirait-il ?

— Ah, mais je ne pense pas qu'il mente ! s'exclame Jo. Je pense plutôt qu'il ignore ce qui se trame là-dessous.

— Mais qu'est-ce qui peut bien se tramer là-dessous, comme tu dis ? demande-t-il, les sourcils froncés.

Joséphine prend une gorgée de café et esquisse un geste d'ignorance.

— Ce matin, j'ai surpris cet homme, Andros, qui se glissait sous la dalle de béton. Imagine ma surprise ! Je l'ai suivi, et là, je l'ai entendu parler à quelqu'un en grec ancien.

— En grec ancien ?

— Parfaitement ! Il parlait d'une cérémonie et de dieux antiques.

— N'importe quoi !

— Ben... fait Jo avec une moue entendue. Justement, ça n'est pas n'importe quoi, à mon avis...

— C'est donc ça, ta tirade de tout à l'heure ? soupira Terry. Je me demandais où tu voulais en venir. Yerina ne nous a jamais parlé de divinités grecques, si ?

— Non. J'ai dit ça uniquement pour voir la réaction de ce type. Et j'ai bien vu que ça l'a déstabilisé. Il a clairement manqué de perdre contenance.

Et de raconter l'incident du matin. Le *pizdoun* dans le souterrain, le dossier oublié, la conversation stratégique pour le récupérer.

— Eh bien, lâche Terry. Et moi qui pensais que tu l'avais simplement rencontré sur le parvis de la cathédrale.

— Voyons ! Je l'aurais rencontré et lui aurais dit : « Oh, salut ! Belle matinée, n'est-ce pas ? On pourrait se tailler une bavette. Et, au fait, croyez-vous aux dieux grecs, par hasard ? » Pas du tout ! Je ramais, figure-toi, quand, miracle !, Zorro est arrivé !

— Zorro ?

— Laisse tomber, je me comprends... Je voulais dire, *tu* es arrivé.

— Superman !

Elle éclate de rire. À chacun ses références.

— Miss Watson-Finn...

Lorsqu'il commence ainsi, c'est qu'il est sur le point de flancher. Pas tout de suite, évidemment, pas sans une ultime résistance, mais déjà noyauté, ce qu'elle a à lui proposer l'intrigue. Le regard de Jo s'illumine comme celui d'un enfant devant un sapin de Noël. Elle bat des mains, et les ravissantes fossettes qui encadrent sa bouche et font craquer son amoureux se creusent un peu plus.

— Est-ce que je peux avoir des vacances ? poursuit-il, cabotin. Enfin, regardez autour de vous. C'est mer-vei-lleux ici, et nous avons fait un si long voyage pour y parvenir. Alors que nous aurions tout simplement pu aller dans le Maine, ou quelque part plus au sud...

— Mais pas en Floride parce que...

— Vous détestez, je sais, et ça tombe bien parce que moi aussi... À part peut-être les Keys...

— Évidemment ! persifle Jo. Tout le monde aime les Keys !...

Terry réprime à grand peine un sourire. Il reprend :

— Nous aurions aussi pu nous rendre au bord de l'un de ces lacs québécois, si nombreux qu'on n'a pas encore réussi à tous les nommer. Enfin, c'est sans compter le fait que vous n'aimez pas non plus vous « geler le cul », comme vous le dites élégamment... Mais non, nous sommes venus jusqu'ici, et j'apprécie, croyez-moi, cette mer si belle, si pure, une réserve sous-marine, la limpidité des tons de bleu, des fonds transparents tapissés de coraux visibles jusqu'à trente mètres sous la surface, trois cent soixante jours d'ensoleillement par an, des vestiges historiques millénaires en veux-tu en voilà, une gastronomie incomparable, des paysages bruts et sauvages, ah ! la Dalmatie, Miss Watson-Finn, la douceur de vivre de la Dalmatie... Et vous ? Vous, vous voulez me pourrir tout cela, au nom de votre sacro-sainte curiosité aventureuse ? Au lieu de plonger dans l'Adriatique, vous, vous prétendez plonger dans des souterrains poussiéreux après vous être évanouie dans l'escalier d'une église préromane ? Ce n'est pas sérieux.

« Il est irrésistible », pense Jo, prête à signer pour une décennie supplémentaire avec lui et à y laisser sa dernière culotte. Mais elle tente quand même de garder son flegme, héritage, assez éventé il faut bien l'avouer, de son British de père.

— Tout est magnifique, ici, mon Terry terrible, mais c'est du pipeau. Un simple décor.

— Ah non ! Tu ne vas pas me dire ça, Jo, ce n'est pas juste ! Ce décor existe. Absolument. Qu'il y ait autre chose derrière, je veux bien le considérer. Mais cela n'enlève rien à la réalité de ce qui apparaît au premier plan.

Joséphine secoue la tête, impassible. Elle admet qu'il a raison. Mais elle, ce qui l'intéresse en général dans la vie, et en l'occurrence ici, c'est ce qui n'apparaît pas immédiatement, ce qu'il faut mettre au jour après des fouilles ardues. Elle n'est tout de même pas devenue archéologue par hasard.

— Faisons un marché, renchérit-elle, tu veux bien ? Viens avec moi dans ce souterrain, juste pour voir de quoi il en retourne, et je te jure, promis juré craché, croix de bois croix de fer... que, s'il n'y a rien, on quitte immédiatement les lieux et je ne t'en reparle jamais plus. Ja-mais plus. Ça te va ?

— Et si tu ne tiens pas ta promesse ?

— Mais je vais tenir ma promesse, Terry, bien entendu ! Je ne traînerai pas ici si je ne trouve rien.

— Qu'est-ce qu'elle t'a dit d'autre, Ksenia ?

Joséphine a coupé la poire en deux. Elle a décidé de parler du souterrain à son fiancé mais ne veux en aucun cas lui livrer les confidences sur les mères porteuses vierges, rituellement engrossées puis logées, sinon détenues, dans l'île de Mljet. Par aversion pour les complications glauques et inutiles, Terry ne la suivrait pas dans cette galère.

— Ksenia m'a parlé de son doctorat, dit-elle avec aplomb. C'est passionnant. Cette fille est brillante, vraiment. Je rêverais d'avoir une étudiante de sa trempe.

Terrence se penche sur son assiette, picorant tranquillement les grains de raisin qui y restent.

— OK, soupire-t-il au bout d'un moment. Et comment on va y aller, dans ton souterrain ?

Elle répond aussitôt, son plan est déjà tout prêt, ce qui méduse Terry.

— J'ai vu que la terrasse en balcon du restaurant Adio Mare donnait sur la cour de la maison de Marco Polo. On pourrait dîner là ce soir, puis, à la fin du repas, après la fermeture de la maison aux touristes, y sauter. Après c'est simple, il y a une échelle adossée au mur du pigeonnier. On la prend pour l'introduire dans l'ouverture qui conduit au souterrain. Je l'ai vue. Il suffit de soulever la vigne vierge qui la dissimule.

C'est au tour de Terry d'éclater de rire. Voilà fort longtemps qu'il n'avait pas entendu une si bonne blague.

— On va dîner, et hop !, on s'en va en sautant par le balcon arrière ! Et sans payer, j'imagine ?

— Pourquoi sans payer ? On paie. Je vais même me faire un plaisir de t'inviter.

Terrence se penche vivement par-dessus la table et attrape ses deux mains.

— Jo ! On est dans le réel là, d'accord ? À l'indicatif présent. On n'est pas dans un film d'Indiana Jones !

Oh ! ça, c'est trop facile comme attaque. Jo pince les lèvres, feignant de se vexer. Elle adore Indiana Jones et il ne faudrait pas trop la pousser pour qu'elle s'identifie à cet archéologue devenu une légende du cinéma. Terry le sait et ne rate pas une occasion de s'en moquer.

— Bon alors, ronchonne-t-elle en dégageant ses mains. Puisque tu sembles avoir une meilleure idée, je t'écoute.

— Hum..., fait-il, l'air de se creuser les méninges. Non. Je n'en vois pas. Ton idée reste la meilleure.

— C'est vrai ? s'exclame-t-elle, tout excitée. Alors, ça veut dire que tu es d'accord ? Oui, tu l'as dit, tu es d'accord.

— Minute... À condition qu'on passe d'abord toute la journée à la plage, qu'on passe ensuite au moins deux heures dans notre lit, et là, si je suis satisfait, et seulement si je suis satisfait...

Et il lui décoche un irrésistible clin d'œil.

— ... on ira dîner à l'Adio Mare et on avisera. Si ça s'avère possible de sauter par le balcon, on le fera, mais, si ça se trouve, ce n'est pas faisable.

Jo lève la main droite et regarde autour d'elle.

— Où est la bible pour que je jure dessus ?

— Te voilà croyante, alors ? ironise Terry.

— « À Rome, fais comme les Romains », cher monsieur Mead. C'est bien ce que vous faites en Amérique du Nord, me semble-t-il. Vous allez dans un tribunal laïc et jurez sur la Bible, non ? Bien évidemment, ça choque une enfant de la République dans mon genre, mais je suis prête à tout.

— Un héritage incongru de la Grande-Bretagne, Miss Watson-Finn.

Un bon point pour lui. Jo se mordille la lèvre pour ne pas éclater de rire. Elle lève haut les mains, en signe de reddition.

— Je le jure sur la tête d'Aphrodite. Et tu sais combien je respecte Aphrodite.

— La Barbie de l'Olympe ?

— Traître !

Bouche ouverte, elle le foudroie de son regard devenu bleu ouragan. Elle lui a déjà expliqué qu'Aphrodite est plus puissante que tous les dieux de l'Olympe. Zeus la hait autant qu'il la redoute parce que, précisément, elle lui est totalement inaccessible et qu'il jalouse en elle, fille directe d'Ouranos, dieu du ciel et fils de Gaïa, des pouvoirs et une liberté illimitée qu'il ne possède pas. Aphrodite, loin, très loin du portrait de « déesse de l'amour » sous lequel se cache son absolutisme. Quand on attaque Aphrodite devant Jo, c'est comme si on l'attaquait personnellement ; elle perd alors tout sens de l'humour.

— Je sais, ma Jo chérie, tu m'as déjà fait un cours complet sur le panthéon grec. Mais tu prétends qu'Andros croit aux dieux et vit et parle avec eux. Et toi alors ?

— Je ne m'en suis jamais cachée, je te signale. Quand je dis vivre en leur compagnie, c'est textuel, tu le sais bien. Ils n'en demeurent pas moins des symboles pour moi. Je ne m'attends pas à les voir se matérialiser devant moi, et je n'imagine pas une seconde qu'ils gouvernent ma vie, me protègent ou me punissent.

— Mais qui te dit que c'est le cas pour Andros ?

Elle tique, affichant une moue dubitative.

— Mon petit doigt..., finit-elle par répondre, mystérieuse. Et puis... combien tu paries que Yerina et lui sont plus liés qu'on ne le penserait de prime abord ?

Terrence retrouve aussitôt un air sérieux. Préoccupé.

— Tu crois ça ?

Joséphine hausse les épaules pour signifier qu'elle n'en dira pas plus pour l'instant.

— Alors, combien tu paries ? répète-t-elle.

Terrence la fixe un moment, puis une moue malicieuse anime ses lèvres charnues et son regard se met à briller comme de la moire.

— Quoi ? dit Joséphine, déstabilisée par la transformation.

— Je parie... un mariage.

— Oh ! Non. C'est pas du jeu, franchement.

— J'exagère ? Moi ?

— Absolument. C'est trop sérieux pour jouer ça à la roulette russe !

— Mais je suis sérieux. Te convaincre de m'épouser, c'est comme jouer à la roulette russe, je suis d'accord. Sinon, qu'est-ce que je gagnerais à te suivre dans tes élucubrations, pardon !, tes aventures ?

Sous ses airs de plaisantin, il est sérieux. Jo le voit bien. Elle en est flattée et pourrait même, par mégarde, dire oui. Juste oui, sans réfléchir, parce qu'elle en a envie. Mais voilà, elle réfléchit. Et plus elle réfléchit, plus elle se méfie. Elle a déjà épuisé son capital de confiance avec un autre homme, jadis. Elle a failli y laisser la peau de son cœur et la chair de son âme. En amour il y a toujours un chasseur et un gibier, un qui aime l'autre plus que l'autre ne l'aime, les rôles s'inversant sans cesse, au risque sinon de l'ennui. Depuis qu'elle a survécu à ce grand amour impossible, Jo a décidé qu'elle serait le gibier qui chasse le chasseur, ce qui implique de tenir la dragée haute. Indéfiniment.

— Ce que tu gagnes, mon amour, lui dit-elle avec un clin d'œil empli de tendresse, c'est une vie in-té-res-san-te. Pleine de désir inassouvi, de surprises et d'aventure. Mais aussi...

Elle s'interrompt, craignant d'en dire trop peut-être.

— Mais aussi ?

— Merci de faire tout ça pour moi, Terry.

— Mais... je t'aime, Jo. Rien de plus. Rien de moins. C'est pas plus compliqué. Je sais que tu as du mal à voir les choses ainsi, pourtant c'est pour moi la façon la plus juste de te l'exprimer. Je t'aime. Ça veut tout dire.

Elle prend ses mains et pose ses lèvres sur le bout de ses doigts, puis y frotte son nez. Émue.

— Moi aussi, je t'aime, murmure-t-elle. Plus que tout au monde. Ne l'oublie jamais.

Ils badinent ainsi au soleil encore un long moment, à la terrasse de ce café situé sur un promontoire au pied duquel se trouve une petite plage s'ouvrant elle-même sur une eau délicieusement magnétique. Ils évitent de parler des ombres et des doutes, et elle, de mentionner ce trafic de bébés dont l'abjection justifie l'expédition dans le souterrain. Ils se contentent d'être bien ensemble, de prolonger ces plaisirs qui renforcent leur complicité, nagent, bronzent, paressent quelques heures sur la plage puis finissent la journée, encastrés l'un dans l'autre, au creux de leurs draps froissés.

Ils ont bien raison de prendre des forces, physiques et psychiques, en prévision de la suite que rien, pas même l'intuition aiguisée ajoutée aux connaissances empiriques de Jo, ne permet de présager. Le dessein des dieux reste impénétrable aux simples mortels.

7

À 22 heures ce soir-là, Joséphine émerge de la salle de bains. Allongé sur le lit, Terrence lève les yeux de son roman et émet un long sifflement admiratif.

— On dirait que je t'ai bien éduqué, dis donc? fait Jo en tournant sur elle-même, les bras légèrement écartés.

Elle ne se lasse pas de faire apprécier sa silhouette, magnifiée par une courte robe rouge cerise à dos nu. Celle-ci rehausse l'éclat de sa peau qui, sous le puissant soleil dalmate, a viré au cuivré foncé en quelques jours seulement. Pendant ce temps, Terry a rougi. Il faut plus de temps à sa délicate peau blanche discrètement piquetée de roux pour s'acclimater, mais lorsque ce sera fait, Jo sait que son teint prendra d'irrésistibles tons de caramel brûlé.

Avec un déhanchement appuyé, elle accentue la cambrure imposée à sa chute de reins par de vertigineux stilettos dont les pierreries étincelantes, assorties à la couleur de son vernis à ongles, rehaussent avec élégance la finesse de ses chevilles. Elle a pris le temps de préparer son effet. Avec un masque d'argile rose sur le visage, elle a frotté son corps d'une crème au sucre doucement abrasive puis s'est enduite de lotions odorantes de la racine des cheveux à l'extrémité des pieds et des mains, polis et laqués avec minutie. Mais les cheveux, non. Elle ne les peigne jamais. Après un shampooing et une crème démêlante à la pivoine, elle se contente de renverser la nuque vers l'avant pour replacer ses boucles, qu'elle laisse sécher naturellement. Elle se maquille peu, mais ce soir elle a pris le temps de redessiner le contour de ses lèvres au crayon avant de les farder d'un rouge orangé brillant, à l'aide d'un pinceau. Des bijoux en or ciselé, beaucoup plus volumineux que ceux qu'elle porte d'habitude, parachèvent sa tenue. Elle en jette et c'est ce qu'elle voulait. Le sifflement de son fiancé la ravit autant qu'il salue ses efforts. Jamais le jeune homme de trente-quatre ans qu'elle a rencontré il y a dix ans n'aurait osé le faire si spontanément. Au fil des années, Jo a réussi à amincir la retenue un rien guindée de son éducation de mâle nord-américain, fils d'une activiste féministe des années 1970. Elle a fait valoir que les Françaises ont besoin de se sentir désirées, de le voir et de se l'entendre dire. Quelques touches de machisme ancestral, certes encore très mesuré, sont ainsi apparues sous la surface lisse de Terry.

«Comment toi, Terry-ble bête de sexe incandescente, peux-tu te faire passer pour un glaçon en société?» lui a-t-elle souvent fait remarquer, jusqu'à ce que Terry «se détende», comme elle aime à le remarquer aujourd'hui. «À soixante ans, tu seras parfaitement au point», prévoit-elle en riant, puis s'arrête aussitôt. Lorsque Terry aura soixante ans, elle en aura... Rien ne sert d'y penser à l'avance. Ce soir, Jo, ravie de sa journée et excitée à l'idée de leur expédition secrète, a eu envie de se faire belle. Elle est belle. Magnifique. Alors au diable l'âge, les doutes et les pensées attristantes. Elle lui sourit, heureuse du pétillement coquin qui dilate les pupilles de Terry. Il est superbe, lui aussi, dans son jean bien coupé et son polo crème dont le tissu fin moule son buste sculptural. Une sobriété masculine absolument craquante. Tous deux aiment la mode. Leurs après-midis dans les boutiques et grands magasins de Montréal ou de New York constituent un de leurs plaisirs partagés. «On est des intellos complètement superficiels», aime à dire Jo. «*God saves fashionistas!*» réplique alors Terry, sans le moindre remords. Lors de leur départ pour la Croatie, dans la boutique hors-taxes de l'aéroport, il lui a d'ailleurs offert pour l'été un parfum nouvellement sorti. Un effluve qui a tout de suite captivé ses sens et qu'il a souhaité sentir sur sa peau à elle. «Fleur de coco gorgée de jasmin charnel et de myrrhe précieuse», promettait l'étiquette qui a tenu sa promesse. Depuis longtemps, Joséphine fait fabriquer sa fragrance par un parfumeur parisien qui en garde le secret dans ses grimoires, mais elle adore lui être infidèle au gré de flacons choisis régulièrement pour elle par son homme, et dont les noms réchauffent ses oreilles comme des confidences.

Plantée devant lui, Jo renverse le cou et se nimbe d'un généreux nuage de senteur, donnant ainsi le signal du départ vers le restaurant Adio Mare.

— Tu es... digne d'Aphrodite! dit-il, sans moquerie cette fois. Mais...

— Quoi?

— Eh bien... tu as usé de tous tes charmes pour me convaincre de sauter d'un balcon dans un tas de broussailles.

Elle se doutait que son pragmatisme atavique reviendrait au galop.

— Mais quel rabat-joie, ce type! s'exclame-t-elle en soupirant. Tu me prends vraiment pour une nouille, on dirait. Regarde.

Elle brandit un sac en soierie indienne, rond et chic, dont elle défait promptement les cordons pour en extraire une tenue de sport noire – corsaire et tee-shirt de coton moulant – ainsi qu'une paire d'espadrilles en caoutchouc souple.

— Et voilà. Je suis équipée, mais dans ce joli sac personne ne peut imaginer que je porte autre chose que du maquillage et un porte-monnaie...

— Sans oublier tes cigarettes..., ajoute-t-il d'un air critique.

— Oui. Mes cigarettes. Tu es convaincu?

— Pas du tout. Tu comptes te changer au milieu du resto, je suppose.

— Aux toilettes, nigaud!

— Ah oui? Tu vas aux toilettes dans une tenue qui ne passe pas vraiment inaperçue, tu en sors transformée en joggeuse, et là, hop! nous sautons du balcon main dans la main.

— Mes escarpins à la main, nuance!

— On est en plein délire, là, à moins que je n'aie pas tout compris.

Jo le regarde un moment, interloquée. Mais elle ne veut pas se changer. Son envie d'un bon dîner en tête à tête dans une tenue de fête amoureuse lui fait au moins autant envie que la découverte de ce qui se trame sous la dalle de béton de la maison natale de Marco Polo.

— Allons-y, décrète-t-elle. On avisera sur place. Je me fais une joie de me faire belle, et toi, voilà comment tu réagis !

— Ah non, ah non ! rouspète Terry, c'est pas du jeu. Ne me mets pas ça sur le dos, veux-tu ? Quant à moi, je suis bien prêt à renoncer à cette foutue expédition. Et ton allure est une raison majeure de m'en convaincre.

Il lui pince les fesses pour appuyer ses paroles. Joséphine sursaute.

— Eh ! Il y a des limites au relâchement, jeune homme..., dit-elle en ouvrant la porte.

— Jo ?

— Oui... ?

— J'hallucine ou tu ne portes pas de culotte ?

Là, elle éclate franchement de rire.

— Si... Mais une petite. Quelques centimètres carrés de dentelle grise cousue à un ruban...

— Oh là là..., dit Terrence en levant les yeux au plafond, ravi.

Mais leur belle humeur s'altère une fois la porte de leur chambre bouclée. Ils tombent nez à nez sur Yerina montant l'escalier avec à la main un plein sac de victuailles qui semble lourd. Terry amorce un mouvement pour l'aider.

— Laissez, j'ai l'habitude, dit-elle en avançant dans le couloir vers la partie privée de la maison, réservée à sa famille. Je dois préparer plusieurs plats pour un groupe de Suédois qui partent demain en croisière.

Elle affiche un air sombre et exaspéré.

— Je m'occupe de tout ici. Maro est parti à la pêche, comme toujours... Il ne rentrera pas avant demain matin.

— On pêche la nuit ? demande Terry.

— Bien sûr. Homards, langoustes et langoustines, dans des casiers de bois qu'il fabrique lui-même. Les pieuvres aussi.

— On prend les pieuvres dans un casier ?

— Non. Je veux dire, il attrape aussi des pieuvres mais au fusil-harpon. Il pourrait vous emmener avec lui si vous le lui demandez.

— Oh oui! J'aimerais vraiment beaucoup.

Yerina hume les effluves sucrés qui nimbent Joséphine.

— Vous sentez tellement bon... apprécie-t-elle. Sucré et entêtant.

— Oui, approuve Jo avec coquetterie, ça s'imprègne. Il y a de la noix de coco, c'est assez rare chez les grands parfumeurs.

— Qu'est-ce que c'est?

— Un nouveau parfum français.

— Ici, on ne trouve pas tout, se désole Yerina, ou alors il faut attendre des mois. Ou aller à Zagreb. Maintenant que la Croatie est entrée dans l'Union européenne, peut-être que ça ira plus vite, qui sait?

— Vous êtes contente?

— De faire partie de l'Union? Oh...

Yerina pose son cabas à ses pieds en secouant la tête.

— C'est n'importe quoi! tranche-t-elle. Une pure magouille de politiciens qui ne va rien apporter au peuple. Vous avez vu les Grecs? Eh bien, c'est ça qui nous attend. De toute façon, ce n'est pas une confrérie, l'Europe, c'est un marché de dupes.

Joséphine ne peut s'empêcher de sourire. Elle croirait entendre son père. Sir Lawrence, après avoir milité pour l'entrée du Royaume-Uni dans l'Union européenne, s'affiche désormais en détracteur de son appartenance.

— Il y a des confréries bien plus solidaires, conclut Yerina.

Et avant que Joséphine ait eu le temps de répliquer, elle reprend son cabas et se dirige vers ses appartements.

— En tout cas, j'adore votre parfum... Vous dînez où?

— À l'Adio Mare.

— Très bon choix.

— Savez-vous qui nous l'a recommandé? demande alors Jo, un rien perfide. Le père du vainqueur de la course d'hier. C'est incroyable, n'est-ce pas?

Malgré la pénombre du couloir, Jo jurerait que Yerina a blêmi. Son regard erre du visage de Terry à celui de Jo, comme si elle cherchait la réaction adéquate.

— J'avais oublié mon dossier de l'Unesco sur la table d'un café, enchaîne Jo avec le même débit accéléré qui lui a permis de tenir tête au *pizdoun* le matin même. Il m'a sans doute vue le laisser et me l'a rapporté. Terry était avec moi, du coup on a échangé quelques mots.

Yerina la fixe comme elle lui collerait une claque. Dans son regard dur, Joséphine lit la confirmation d'un lien entre Andros et elle, un lien que Yerina cherche à cacher, voire à protéger.

— Il s'appelle Andros et il est grec, insiste-t-elle. Mais je ne vous apprends rien, n'est-ce pas ?

— Non, dit-elle d'une voix assourdie par l'effort manifeste qu'elle fait pour répondre. Tout le monde le connaît ici. Ça change quoi ?

— Oh, rien ! Ça nous a étonnés, n'est-ce pas, mon chéri ?

Terrence la foudroie du regard. Pourquoi ce besoin de se lancer dans cette joute verbale, là, alors qu'ils s'apprêtaient à passer un bon moment ? Il saisit la main de sa compagne et accentue sa pression.

— J'ai faim, dit-il. On ne pourrait pas parler de ça une autre fois ?

Yerina recule, son sac de provisions à la main.

— Vous savez, dit-elle, l'Adriatique a toujours représenté une zone de passage, depuis...

— Les Grecs anciens, je sais, coupe Joséphine.

— Oui, les Grecs en particulier. Il y a beaucoup de liens entre les marins grecs et les nôtres, forcément, on partage la même mer. Il y a des antiquités grecques plein nos fonds marins. Il y a pas mal de Grecs installés dans la région aujourd'hui.

Leur hôtesse noie le poisson, c'est le cas de le dire. Elle parle des Grecs pour éviter de parler de ce Grec-là en particulier. Mais quel est le lien exact qui l'unit au *pizdoun* ?

— Et puis, poursuit Yerina, le tourisme a repris comme avant la guerre, et même davantage. Tout change. On appelle ça la résilience, n'est-ce pas ? On nous parle tout le temps de résilience, mais, vous savez...

Elle baisse la tête, comme si le poids ne se trouvait plus à bout de bras mais sur ses épaules.

— Quoi donc ? enchaîne Terry.

— Avec tout ce qui s'est passé pendant la guerre, si les gens par ici n'étaient pas résilients, il n'y aurait plus personne de vivant...

C'est un sujet auquel Joséphine et Terrence ont pensé, forcément, dès qu'ils ont su la destination de leurs vacances. Bien que les atrocités n'aient que peu atteint la côte dalmate – les bombardements sur Dubrovnik mis à part, les îles de l'Adriatique ayant plutôt servi de refuge aux victimes de la guerre et de mouillage aux porte-avions de l'OTAN –, l'effondrement politique et économique, la disette provoquée notamment par l'interruption du tourisme mais avant tout la haine et la méfiance ont déchiré le jeune pays, indépendant depuis juin 1991, brisé des milliers de familles et « lobotomisé », selon les termes lus par Jo dans les journaux, les Croates autant que les habitants du reste de l'ex-Yougoslavie, sommés d'oublier d'un coup leur passé, leurs amis, leurs frères, leurs voisins, leurs partenaires économiques d'hier. Tellement d'histoire, millénaire ou récente, dans un territoire si exigu. Tellement de résilience, obligatoire, imposée aux peuples qui s'y sont succédés, par-delà la somptuosité environnante. Bien sûr. Comme ses compatriotes, Yerina a dû traverser un nombre incalculable de jours pendant lesquels la beauté de la nature n'est pas parvenue à la consoler. Cela change forcément un caractère. Cela le forge, à coups de burin en plein cœur.

— C'est terrible, en effet, murmure Terrence, intimidé, en hochant la tête. Nous sommes désolés, croyez-le.

— De quoi ? rétorque aussitôt Yerina en relevant le menton, avec une dignité non feinte. On est peu de chose, vous savez. On peut être pris dans une guerre, voir les siens tués sous ses yeux, se faire tuer... Tout est possible. Et ce n'est pas l'entrée dans l'Europe qui va y changer quelque chose. Au cours de cette dernière décennie, l'Adriatique est devenu la plaque tournante du trafic de drogue, vous saviez ça ? En plus de tous les trafics d'immigrés qui transitent par ici pour aller tenter leur chance dans les pays au nord. Alors, voyez-vous...

— Tout de même..., glisse Joséphine qui se sentirait presque mal d'avoir volontairement déstabilisé son hôtesse.

Malgré tout, une intuition l'empêche de voir en Yerina une victime. Ou, pour traduire plus exactement son sentiment, Joséphine ne peut cependant pas la voir uniquement ainsi. Est-ce à cause de sa force de caractère ? Non. Car les victimes, si elles survivent, le font précisément parce qu'elles développent un caractère d'airain, lequel s'avère indispensable pour passer de la condition de martyr à celle de résilient, et d'une position subie à une condition choisie. Laquelle est la plus enviable ? Ceux qui répondent trop vite à cette question, ou croient la réponse évidente, se trompent. En général, ceux qui sont trop sûrs d'avoir sans cesse raison sont plus en danger que ceux qui doutent. Aussi vrai que les personnes qui se clament farouchement rationnelles se défendent ainsi de la sensation inconsciente de ne pas l'être vraiment et que ceux qui se méfient des émotions sont précisément ceux qui pourraient y couler corps et cœur, ceux qui s'affichent en victimes peuvent en vérité tisser de redoutables toiles d'araignée pour les autres, des tentacules d'autant plus inévitables qu'elles sont dissimulées. Voilà trop longtemps que Joséphine s'intéresse aux façons, innombrables, dont l'homo sapiens sapiens tente de décrypter, voire de répondre, au mystère du système dont il fait partie – bien que plus grand, plus insondable que tout ce qu'il pourrait en découvrir, malgré des efforts incommensurables, et ce, depuis qu'il en a pris conscience –, pour ne pas savoir que toutes les réponses, fussent-elles jadis mythifiées et imaginées ou désormais scientifiquement fondées, restent également valables. Chacune des tentatives successives de compréhension du monde et de l'homme en son sein a en son temps répondu à son objectif et permis à l'être humain de ne pas sombrer dans une inacceptable, et mortifère, vision de lui-même comme insignifiant grain de poussière parmi d'autres. Fût-il un grain de poussière céleste, une poudre d'étoile couvée par la chaleur du soleil et de son miroir lunaire.

Joséphine sait bien que l'humanité ne peut vivre sans croire. Sans croire comprendre ce qu'elle fait sur cette minuscule planète improbable, soustraite à la fureur des tempêtes solaires ou galactiques. Certains, pour cela, se consacrent aux nécessités du quotidien, le leur et celui de ceux qui les entourent, sans qu'il s'agisse là de petitesse mais bien plutôt d'humilité. D'autres, pour échapper à leur condition périssable, optent, les yeux fermés alors même qu'ils les croient grands ouverts, pour le renoncement à leur individualité au profit d'un dessein plus grand. Une œuvre, voire un grand œuvre, lequel, trop souvent, se révèle servir un ego encore plus grand, le sien ou celui d'un autre.

Tout cela, Joséphine l'a appris jadis auprès de cet homme inoubliable, qui fut son professeur à Harvard avant de devenir son amant, puis son compagnon de recherches universitaires, de voyages autant que de plaisirs. Cet homme avec lequel elle imaginait jadis vivre toute sa vie, avoir des enfants et des petits-enfants. Elle l'a fui pour ne pas couler avec lui. Mais elle a gardé tout ce qu'il lui a appris, de la vie comme de son métier. Elle sait trop comment fonctionne l'humanité, comment elle a progressé au cours des millénaires, et elle a vécu trop de choses elle-même pour ne pas se méfier de Yerina. Son intuition et sa raison sont pareillement en alerte. Pour survivre à tout ce qu'elle a subi, cette femme, lucide et forte, a certainement dû aiguiser ses canines, durcir son péricarde et transformer son vagin d'objet conquis en arme de conquête. Apparaître comme une victime, ou se faire passer pour telle, confère toujours beaucoup de pouvoir. Le pouvoir de s'attirer les attentions et l'aide indéfectible de ceux qui en sont émus. Ceux qui ont été des victimes peuvent compter sur ce capital toute leur vie. Devenir des méchants à leur tour. Ou bien au contraire, mais ces cas-là sont bien plus rares, se consacrer à battre la méchanceté sur son terrain en prodiguant soins, générosité et gentillesse, en donnant ce qu'ils n'ont pas reçu. Jo sait cela. Comment, d'ailleurs ? Est-ce son savoir universitaire ou son vécu de femme de cinquante-quatre ans qui lui insuffle cette certitude ? Peu importe.

L'important, c'est sa conviction que tout ce que Ksenia lui a révélé ne constitue que la pointe de l'iceberg et que le trafic de nourrissons nés de mères porteuses n'exprime que le dicible pour mieux camoufler l'indicible. Intuitivement, elle sent que Yerina en sait plus qu'elle ne veut bien en dire, et qu'une partie de ce mystère repose dans les profondeurs du souterrain sous la dalle de la maison de Marco Polo. Toutes ces raisons font que Jo refuse de s'y arrêter. En son hôtesse, elle ne peut s'empêcher de déceler une interlocutrice à sa mesure. La reconnaissance est tacite. Joséphine sait aussi qu'en d'autres circonstances, Yerina pourrait presque devenir une amie.

Elle fait volte-face et s'engage avec détermination dans l'escalier de pierres lisses en se tenant à la rampe pour ne pas vaciller sur ses talons vertigineux.

— Je dirai à mon mari de venir vous voir pour la pêche, dit Yerina à l'adresse de Terrence.

— Merci, répond Terry. Si c'est possible, j'aimerais ça, mais nous partons bientôt, vous savez...

— Je voulais justement vous le demander : quand partez-vous ? Je dois le savoir pour louer la chambre.

Joséphine, depuis le bas des marches, se retourne et échange un regard entendu avec son amoureux.

— On ne sait pas encore, dit Terry. Mais... bientôt, c'est sûr. On vous préviendra au moins vingt-quatre heures à l'avance.

Il emboîte le pas à Joséphine. La lourde porte d'entrée en bois sculpté se referme bientôt sur eux. À l'étage, Yerina ne bouge pas, statufiée par un mélange de rancœur, de dégoût et de désir de vengeance non exempt de panique.

— C'est ça, cassez-vous ! peste-t-elle entre ses dents serrées. Espèce de salope. *Pizdounka*[8] !

Elle pose de nouveau son sac à terre et attrape son téléphone dans la poche arrière de son jean blanc ultramoulant.

— *Pizdounka* ! répète-t-elle dans le combiné, ajoutant d'autres insultes en croate. Je vais lui apprendre à se croire plus maligne que moi !

Elle écoute la réponse de son interlocuteur, puis ajoute, un rien radoucie :

— Ça m'énerve, bien entendu. Pour qui elle se prend, cette vieille poule riche, non mais ? Mais bon, inutile de s'inquiéter outre mesure. Ils ne découvriront rien du tout, ils n'en auront pas le temps parce qu'ils s'en vont. Ils partent, je te dis, ils viennent de me le confirmer.

Sa voix grave devient franchement lascive lorsqu'elle glisse :

— Mon Zeus adoré, ne parlons plus d'eux, tu veux bien ? Sans toi, je serais déjà morte mille fois. À tout à l'heure.

Andros raccroche. Un pli d'inquiétude barre son front. Son cellulaire sonne une nouvelle fois. Interdit, il regarde le nom

---

8. Féminin de *pizdoun* : « connasse ».

inscrit sur l'écran. Ksenia. C'est la première fois qu'elle appelle depuis leur rupture. Le cœur d'Andros se met à battre la chamade. Oubliant toute prudence, il prend l'appel.

— Kseni? murmure-t-il, très ému. Kseniki, comment vas-tu?

Ses traits se décomposent aussitôt. À son oreille, les mots de son ex-amoureuse ne sont ni tendres ni affectueux. Ils résonnent au contraire avec le fracas d'un orage qui s'abattrait sur lui.

— Tu n'as pas pu faire ça, Ksenia... Pourquoi? Mais pourquoi? À quoi ça t'avance d'aller tout raconter à cette archéologue? Tu rends les choses encore plus difficiles...

Les yeux fermés, il écoute la réponse, retenant à grand peine les sanglots qui menacent de l'étouffer. À cet instant, il ne se sent pas fort comme Zeus mais plutôt souffrant, coupable et impuissant tel un Prométhée déchu, livré aux assauts impitoyables de l'aigle qui lui dévore le foie, paralysé par le feu qui s'est emparé de son bas-ventre.

— Kseni, Kseniki, mon amour... Je t'ai demandé de me faire confiance même si toutes les apparences sont contre moi. Je t'ai demandé un an, rien qu'une petite année pour pouvoir arranger mes affaires et être enfin libre de vivre notre histoire. Je suis prêt à tout quitter, tu le sais, je dois mettre de l'ordre, mais ça prend un peu de temps. Et toi, tu vas tout raconter à une étrangère... Qu'est-ce qu'on va faire maintenant?

Ravalant sa salive, il écoute de nouveau les mots de Ksenia, mais déjà la chape de plomb du désespoir l'empêche de respirer normalement.

— Voyons-nous demain, veux-tu? parvient-il à articuler. On pourrait aller se baigner, après ton travail, par exemple. Je serai heureux de te revoir. Tellement heureux.

Il raccroche puis se laisse tomber sur son lit, incapable de retenir plus longtemps ses larmes. Son amour. Son dernier amour. C'est ce que Ksenia aura été dans sa vie. Une vie trop tôt et trop violemment grevée par le malheur et qui aura longtemps, bien trop longtemps, suivi des sentiers ombrageux. *A long walk on the dark side.* Acculé à le faire, il a rompu avec elle mais sans l'avoir véritablement intégré ni surtout avoir véritablement renoncé à elle. Il avait vraiment l'intention d'en finir avec toutes ces turpitudes, avec la confrérie et surtout avec Yerina, mais pour le faire il devait ne pas éveiller les soupçons de cette dernière, éloigner sa jeune amoureuse blonde et se défaire de tous ses liens, de tous ses engagements, de tous ses biens aussi. Il était même déterminé à abandonner son fils. Ksenia le savait bien, il lui avait confié ses plans. Pourquoi, diable, a-t-elle tout gâché en se confiant à cette satanée archéologue qui a chamboulé la donne en débarquant sur Korčula ?

Ksenia aura donc été son dernier amour. Car cette fois, il n'a plus le choix. Il va devoir renoncer à elle. Pour toujours.

8

Il est presque 1 heure du matin lorsque Terry et Joséphine se retrouvent dans le souterrain, le cœur battant. Jo a troqué sa petite robe rouge à dos nu et ses escarpins contre sa tenue de sport et ses espadrilles de plage en caoutchouc noir.

Du baluchon de soierie indienne qui lui sert de sac, elle a également tiré une lampe de poche dont le faisceau ne suffit cependant pas à la libérer du malaise qui l'a prise à la gorge dès qu'elle s'est retrouvée dans cette cave. Une fente de la largeur de la main permet de soulever la dalle pour ensuite glisser une échelle par l'ouverture de la galerie. Le silence et la chaleur sont écrasants dans ce lieu où l'air ne pénètre qu'avec parcimonie. Le passage est étroit et périlleux. Joséphine doit s'agripper de toutes ses forces au corps musclé de Terrence pour ne pas chuter. En brandissant la lampe, elle avance pas à pas, inhalant peu pour se protéger de la poussière. À présent qu'elle se trouve là, elle prend conscience qu'elle n'aurait jamais eu le courage d'y pénétrer seule. Cette idée, qu'elle avait un instant envisagée, lui semble désormais irréaliste, autant, sans doute, que celle de sauter du balcon du restaurant. Heureusement, cette prouesse aux relents romanesques s'est révélée inutile. En remontant la ruelle depuis leur chambre pour se rendre à l'Adio Mare, ils ont constaté que la grille de la demeure des Diepolo était entrebâillée. Étrange quand on sait que le lieu est ouvert au public jusqu'à 22 heures et qu'il était presque 23 heures.

Terrence en a conclu à la négligence de la jeune guide qui, en l'absence de Maro parti pêcher, aurait bâclé sa tâche. Mais quelles que furent les raisons de cette incongruité, celle-ci a fait leur affaire. En sortant de table, il leur a suffi de se faufiler dans le jardin puis d'emprunter l'échelle vers l'intérieur du souterrain.

Un long couloir de grosses pierres blanches typiques de l'île de Korčula apparaît dans le faisceau lumineux. Jo balaie l'endroit du sol au plafond, très bas. Un instant d'inattention, et Terry pourrait se blesser le sommet du crâne. Il se penche un peu, les mains sur les épaules de Jo. Ils avancent ainsi, soudés, quand Jo s'immobilise brusquement. Dans le rond de lumière apparaissent des bas-reliefs. Les murs du couloir sont recouverts d'insignes gravés que les siècles ont noircis mais qu'elle reconnaît aussitôt : des croix de gueules caractéristiques des chevaliers de l'Ordre du Temple. Ces croix, aux extrémités ouvertes comme des gueules, étaient rouges sur les tuniques blanches des membres de cet ordre religieux constitué de fervents miliciens du Christ qui, aux XIIe et XIIIe siècles, accompagnèrent et protégèrent les pèlerins sur la route des Croisades. Route qui passa, au moins une fois, par ces îles adriatiques, dont Korčula. Joséphine s'approche des bas-reliefs partiellement recouverts de mousse et en examine les contours. Dans l'église Saint-Pierre, une fois le porche franchi, elle avait repéré cette même croix à gueules. Accusé d'hérésie, l'Ordre du Temple fut dissous par le pape en 1312, ce qui signifie qu'à l'époque de Marco Polo, il était en plein déploiement.

— Encore eux ! s'exclame Jo à mi-voix.

— Qui ça ? demande Terry à son oreille.

— Les Templiers.

— Les Templiers... Comme Geoffroy de Charnay ?

Joséphine hoche la tête. L'année dernière, une de ses missions pour l'Unesco les a conduits, Terry et elle, à Saint-Jean-d'Acre, au nord de la côte israélienne. Inévitablement, en ce haut lieu de la guerre sainte chrétienne, ils avaient longuement parlé des Templiers.

— C'est bien ça, confirme-t-elle. C'est la preuve que les Croisés sont passés par ici.

— Quelle croisade ?

— La quatrième. Mais je t'expliquerai plus tard.

Elle demeure circonspecte. Elle n'en sait pas assez sur l'histoire de Marco Polo pour saisir immédiatement la raison du passage des Templiers, sortes de gendarmes des Croisés, dans ce qui fut la demeure originelle de l'illustre explorateur. Marco Polo vivait au XIIIᵉ siècle, et il partit avec son père et son oncle pour la Terre sainte. De cela, elle se souvient. Furent-ils accompagnés par des Templiers chargés de les protéger en chemin? Sans doute. Mais pourquoi l'ordre chevaleresque a-t-il ainsi désiré inscrire la preuve de son passage dans la pierre? L'église Saint-Pierre date du XIᵉ siècle. Elle était donc édifiée lorsque la famille de Marco Polo, originaire de Venise, s'installa à Korčula, et par voie de conséquence, bien avant l'arrivée des Templiers sur les lieux. Joséphine se promet de demander à son assistante montréalaise de faire les recherches correspondantes et de lui rappeler l'histoire complète de Marco Polo et de sa suite. Toutes ces traces ne sont évidemment pas fortuites, mais comment les interpréter exactement? Elle le saura bientôt.

Ils avancent dans le souterrain humide et malodorant. Une vraie pouponnière de bactéries et de virus. Dans le mince faisceau de lumière de la lampe, apparaissent des portes, bardées de gros clous en fer forgé typiques du Moyen Âge. Les gonds et les serrures, en revanche, semblent avoir été changés récemment.

— Tu vois ça? murmure Terry.

Joséphine scrute la porte devant elle, sans rien noter de particulier.

— Les serrures sont à gauche, dit Terry.

Jo se souvient alors qu'Andros est gaucher. Il a dû installer ainsi les serrures par commodité. C'est une preuve supplémentaire, s'il en fallait une, que Ksenia n'a pas menti, et que c'est ici que les mères porteuses vierges sont gardées et préparées pour la cérémonie d'engrossement rituel.

— Le *pizdoun* est gaucher, murmure Jo. Je l'ai remarqué ce matin.

— Son fils aussi, figure-toi, renchérit Terry. Ça a failli me jouer un mauvais tour pendant la course.

— Ça ne veut pas forcément dire qu'il vient ici lui aussi.

— Mais qu'est-ce que cet homme a exactement à voir avec ce souterrain ? demande-t-il sur un ton qui trahit clairement son mécontentement.

Joséphine se mord la lèvre inférieure. Elle ne lui a rien dit des confidences de Ksenia. Son fiancé vient de s'en rendre compte. Il va bien falloir lui expliquer. Plus tard. Pour l'instant, ils doivent avancer.

— Jo, qu'est-ce que c'est que ce souterrain ? renchérit Terry d'une voix forte.

— Je te dirai tout à l'heure, Terry. Quand nous serons sortis.

Elle l'entend soupirer dans son dos et attrape sa main pour l'entraîner derrière elle. Il ne s'agirait pas qu'il l'abandonne ici. Mais il ne le fera pas. L'un derrière l'autre, ils s'enfoncent dans le couloir qui s'ouvre devant eux. Jo essaie d'ouvrir la première porte en pesant de toutes ses forces sur le mécanisme ancien, situé sous la serrure neuve. Mais elle ne bouge pas. Elle est verrouillée. Tout comme les trois attenantes. Au fond du couloir, cependant, une dernière porte grande ouverte donne sur une geôle. Au mur du fond sont fixés cinq anneaux auxquels pendent de lourdes chaînes. Sans doute les autres cellules fermées sont-elles identiques. C'est peut-être là que sont gardées les mères porteuses durant les quinze jours qui précèdent leur fécondation sur l'autel. L'entrée souterraine vers l'église doit certainement se trouver non loin de là, quelque part au bout du couloir.

Jo et Terry continuent d'inspecter les lieux qui leur semblent vastes. Ils aboutissent dans une grande pièce carrée, sans doute une salle commune. D'innombrables taches d'humidité maculent les murs, et le sol est fait de pierres inégales. Traversant la salle, ils finissent par buter contre des marches.

— Je le savais, commente Jo. Le souterrain relie bien la maison des Diepolo à Saint-Pierre. C'est par là qu'on monte vers l'enceinte de l'église.

— C'est donc l'escalier où tu t'es évanouie ? s'enquiert Terry en la serrant aux épaules.

L'odeur soufrée qui a incommodé Jo flotte encore. Terrorisée, elle se bouche instinctivement les narines, craignant qu'ils ne perdent tous les deux connaissance. Mais l'odeur n'est pas assez forte. Évaporée, elle est devenue inoffensive, bien que toujours désagréable.

Terry gravit prudemment les marches. Les mains au-dessus de la tête, il tâtonne dans la lumière partielle que dégage la lampe de poche. Une trappe de bois se trouve bien là, qui sans doute permet de déboucher dans l'église. « C'est par là que sont amenées les vierges lors de la cérémonie du 15 novembre », se dit Joséphine. La trappe est fermée. Terry redescend à reculons. Revenu au pied de l'escalier, il lui semble voir luire quelque chose au sol.

— Éclaire par ici, demande-t-il.

Joséphine dirige le rayon sur les pieds de son amoureux. Et manque de défaillir. Terry est debout au milieu d'une flaque de liquide rougeâtre, encore frais. Dans un mouvement de panique, il arrache la lampe des mains de sa fiancée et éclaire le liquide autour de lui, tentant d'en voir la source. La lueur qu'il avait aperçue provient d'un tonneau qui se trouve derrière lui, dans un coin à gauche de l'escalier. Joséphine met ses deux mains sur sa bouche pour ne pas crier. Terry lève un pied puis l'autre et enjambe le liquide puis racle nerveusement les semelles de ses sandales contre le sol. Il braque la lumière sur le tonneau et avec précaution se dirige vers lui. Joséphine s'agrippe à son polo et le suit. Le couvercle s'illumine sous le faisceau.

— C'est de l'or ? bégaie Jo.

— On dirait bien, répond Terry, penché sur l'objet.

En en faisant le tour avec la lampe, il constate qu'il est hermétiquement clos, scellé par des rivets qui semblent avoir été martelés pour empêcher toute ouverture. Le fond cependant semble fissuré. C'est de là que s'échappe le liquide rougeâtre qui s'est répandu en une flaque déjà large au pied de l'escalier. Ce pourrait bien être du sang. Joséphine et Terry y pensent certainement chacun de leur côté. Mais le liquide est plus ocre que rouge, et surtout beaucoup moins épais que le sang.

— Enlève ton polo, lui intime soudain Joséphine.

Un moment interdit, Terry s'exécute. Avec des gestes précipités, Joséphine s'accroupit et imbibe le tissu du liquide rouge. Puis elle tire un sac plastique de son baluchon et y enfouit le polo dégoulinant. Dans le halo de lumière, ils échangent un regard, ahuris. Terry se tient là, torse nu, bras ballants. Joséphine est bouche bée, les mains maculées de matière sanguinolente et poisseuse.

— Ne restons pas là, réagit Terry.

Prenant Jo par le coude, il dirige la lampe vers le couloir par lequel ils ont abouti dans la salle et qu'ils vont devoir prendre en sens inverse pour quitter le souterrain. Retourner à l'air libre. Reprendre haleine et, peut-être, leurs esprits. C'est ce qu'ils doivent faire. Il n'y a pas une minute à perdre.

C'est alors qu'une voix s'élève dans l'obscurité.

La surprise et la terreur mêlées ont cette fois raison de Joséphine. Un cri strident jaillit du plus profond de ses entrailles. Au point que Terry doit la saisir par la nuque et lui plaquer le visage contre son torse pour la faire taire. Mais sa main tremble.

À cause du cri, la voix s'est interrompue. Après un long moment de silence pendant lequel Terry et Joséphine, toujours collée contre lui, évitent de faire le moindre bruit, la voix s'élève de nouveau. Une voix de femme. Une plainte stridente comme celle d'une truie sur le point d'être égorgée. Ils écoutent, tétanisés comme le furent les marins d'Ulysse par le chant des Sirènes. Progressivement la plainte se meut en chant puis en un flot de paroles précipitées, incantatoires autant qu'incompréhensibles. Pour Terry du moins. Car Joséphine reconnaît les phrases. En grec ancien. Une prière en grec ancien. La prière de Delphes. Celle qu'adressait la Pythie à Apollon avant de révéler les oracles en son nom.

— Ça n'a aucun sens, murmure-t-elle, au bord des larmes, en se serrant encore plus étroitement contre son amoureux.

— Qui est-ce que ça peut bien être ?

— Sors-moi d'ici, s'il te plaît. Tout de suite.

Terry fait un pas sur le côté mais aussitôt s'arrête. Un vacarme se fait entendre du côté de la dalle. Il éteint aussitôt la lampe, plaque Joséphine contre le mur et se recroqueville sur elle. L'échelle craque et grince sous le poids des corps qui viennent de l'emprunter. Une lueur apparaît dans le couloir, et des pas précipités résonnent dans le silence des vieilles pierres. Joséphine mord l'intérieur de sa joue pour ne pas crier.

— Zeus, mon amour, dit une voix de femme.

C'est la voix de Yerina. Ils l'ont reconnue tous les deux. La voix grave et nette de leur hôtesse retentit dans le couloir, à moins de dix mètres du recoin où ils se tiennent.

— Héra, ma sœur, mon épouse, répond une voix d'homme.

L'accent ne laisse aucun doute. C'est Andros qui vient de répondre à son amante.

Un bruit de clé, puis une porte s'ouvre. La porte d'une des geôles qui se referme sur la lumière après que les arrivants pénètrent dans la pièce. S'élève bientôt le son métallique de chaînes qui tombent sur le sol, et celui d'un râle, étouffé par l'épaisseur des murs qui bientôt ne laissent filtrer qu'un feule de jouissance.

C'est le moment que choisit Terrence pour prendre dans la sienne la main tremblante de sa fiancée. Dans l'obscurité totale, un pas après l'autre, il la tire vers la sortie. Au pied de l'échelle, il l'aide à gravir les échelons en la hissant à deux mains vers la lumière. Puis il sort à son tour.

Quelques minutes plus tard, la porte de leur chambre se referme enfin sur eux. Joséphine ne sait pas comment elle y est parvenue. Elle a marché comme un robot dans le couloir sombre, guidée par Terry, puis a monté l'échelle, passé la grille et descendu la ruelle dans un état quasi somnambulique. Est-ce qu'une Pythie est bien enfermée dans le sous-sol de la maison de Marco Polo, est-ce vrai ou bien a-t-elle rêvé ? Elle ne saurait le dire avec exactitude. Assise sur le lit, elle regarde ses mains, rouges du liquide qu'elle a épongé. Ses paumes la brûlent. Elle se lève mécaniquement et les lave abondamment au savon sous un puissant jet d'eau tiède. La couleur rouge est partie, mais la brûlure demeure. Elle revient dans la chambre et, ouvrant les mains, les expose devant le nez de Terry, assis dans le fauteuil d'osier dans lequel il s'est laissé tomber à leur retour. Son regard écarquillé passe du visage de Jo à ses mains enflammées sans qu'il puisse proférer un mot.

— On dirait un produit corrosif, articule enfin Joséphine. Pourras-tu me mettre de la crème antiseptique et des pansements ?

Bien sûr qu'il le fera. Ils se sont aventurés dans ce souterrain un rien goguenards, excités par l'aventure. Ils en sont revenus atterrés.

— Je vais prendre une douche, décrète Terry en se redressant lentement sur ses jambes. Il ne manquerait plus que j'attrape je ne sais quelle infection. Mais dès que je sors, Jo, tu as intérêt à m'expliquer.

Il regarde sa fiancée avec une expression d'égarement et de fureur mêlées. Jo ne répond pas. Elle voudrait un whisky. C'est la seule pensée qui pour l'instant parvient à se former dans son esprit.

9

Yerina et Andros reprennent leur souffle, étroitement soudés l'un à l'autre après leurs ébats. Andros se penche et lampe la goutte de sang qui perle à l'extrémité du téton tailladé de sa dulcinée, lui arrachant un nouveau cri de douleur et de plaisir mêlés.

— Ne recommence pas, mon Zeus, je suis exténuée.

Pour toute réponse, il glisse le long de son corps. Parvenu au creux du pubis, il écarte ses cuisses et les maintient fermement ouvertes, y plonge la bouche puis les dents. Yerina se cambre puis se tord en essayant d'échapper à son emprise. Elle agrippe son épaisse chevelure bouclée et tire dessus de toutes ses forces, jusqu'à l'obliger à relever la tête avec un grognement sauvage. Il a le dos, les reins lacérés. Des marques de fouet fraîches s'ajoutent aux anciennes qui ont viré au violacé. Yerina y enfonce ses ongles acérés, précipitant Andros aux confins de la fureur et de l'extase. D'un brusque coup de reins, il enroule les jambes de Yerina autour de sa taille et se redresse d'un bond. Il la plaque contre le mur de pierres inégales et s'enfouit au plus profond d'elle.

Leurs jeux sexuels laissent dans leurs parties les plus intimes des stigmates profonds comme un pacte de fidélité sans cesse renouvelé. Au temps où Andros la gardait prisonnière et la violait à répétition, Yerina est tombée amoureuse de lui, payée de retour par l'amour absolu qu'Andros lui voue depuis cette époque. Ils étaient si jeunes alors. Elle, seize ans, lui, vingt à peine. Lui ne s'est jamais marié. Elle, en revanche, a rencontré Maro et l'a épousé, optant ainsi pour une vie normale et un respectable statut d'épouse et de mère. Mais Andros n'a jamais renoncé.

Orphelin de l'île de Paros, dans les Cyclades, où il vivait lorsqu'il a été recruté par l'organisation secrète qui l'emploie, il est venu s'installer à Korčula et a réussi à convaincre Yerina de mener une double vie. « Tu dois renoncer à l'amour, le sacrifier, le sublimer, lui a maintes fois répété son père adoptif, le responsable de l'organisation. Tu dois grandir et te déployer. Tu es bien trop dépendant de cette femme. Tu ne dois pas travailler avec elle. » Et puis son père a compris qu'Andros n'aurait pas l'envergure pour développer la succursale dalmate sans Yerina à ses côtés. Alors il a cédé.

Yerina et Andros travaillent donc ensemble. Il est Zeus, fils de Cronos, et elle, Héra, sœur et épouse de Zeus. Au sein de l'organisation, tout est ainsi parfaitement ordonnancé. Unis par des liens inaltérables, quasi gémellaires, dans lesquels les notions de bien et de mal n'ont pas cours, du moins pas dans leur acception convenue, Andros et Yerina se réservent des pratiques sexuelles exclusives. Les instruments de torture sont destinés à elle, les fouets à lui. Après Yerina, il n'a plus jamais participé aux viols. Monté en grade, il est devenu le geôlier en chef responsable des mères porteuses qu'il loge dans l'une de ses maisons de l'île de Mljet ainsi que le maître des cérémonies qui se tiennent chaque 15 septembre sur la plaine grecque de Stari Grad, sur l'île voisine de Hvar. Yerina, quant à elle, est responsable de la section GPA, du recrutement des mères puis de l'instruction et du bon déroulement de la cérémonie d'engrossements rituels du 15 novembre, ainsi que des accouchements par césarienne et sous X du 15 août en tant que sage-femme diplômée.

15 novembre, 15 août, 15 septembre : ces trois dates rythment les années qui passent pour ces complices efficaces, soudés par leurs secrets mais aussi par une égale soif de pouvoir et d'argent. Car l'argent coule à flots. En vingt ans d'activité, ils ont amassé une véritable fortune. De quoi envisager de passer prochainement la main en nommant de nouveaux lieutenants à la tête de la succursale dalmate de l'organisation internationale : un nouveau Zeus qui peut-être, mais pas obligatoirement, pourra compter sur la

présence indéfectible d'une nouvelle Héra à ses côtés. C'est en tout cas ainsi qu'Andros envisageait les choses, avant l'ouragan Ksenia.

Le destin d'Andros, il est vrai, s'est révélé extraordinaire. Les dieux auxquels il croit le lui ont réservé. Grâce à Cronos et à l'organisation, il a échappé à la misérable, à la minuscule existence que sa condition d'orphelin lui promettait. Ses parents, jeunes opposants athéniens à la dictature des colonels, furent emprisonnés et éliminés peu après sa naissance. Sa nourrice l'a alors emmené avec elle dans son île natale de Paros. En grandissant, Andros s'est persuadé qu'il avait une revanche à prendre, que la vie lui devait bien ça. C'est ainsi qu'il est devenu l'un des principaux chefs de l'organisation. Pour être chef, il faut être d'airain, il le sait. Le plus fort impose toujours sa loi. Le sort malheureux de ses parents le lui a prouvé.

Le seul doute, l'unique morsure qui, sporadiquement, attaque ce qu'il lui reste de conscience, c'est elle. Cette vieille femme au service de ses parents qui l'a recueilli à leur mort. Une médium. Une voyante, aveugle comme l'exige la tradition. Il l'a emmenée avec lui à Korčula, c'était la condition sine qua non pour que Cronos lui confie la direction de la succursale locale et accepte la présence de Yerina à ses côtés. Parfois, au creux de ses nuits généralement solitaires, Andros s'en veut de lui faire du mal. Mais ne veille-t-il pas sur elle avec appliction ? Sa vieille nourrice aveugle est devenue la cheville ouvrière de leur macabre commerce. Qu'aurait-elle pu rêver de mieux après tout ? Devenir la Pythie d'Apollon, c'est un grand privilège. C'est en tout cas incommensurablement mieux que de vivre d'olives et de figues séchées sur la terre aride de l'île de Paros. Un tel privilège a forcément un prix. Tout a un prix. Chaque année, le prix des oracles transmis par cette vieille Pythie rapporte des millions. À Andros et à Yerina, bien entendu, mais surtout à Cronos, ou du moins au trust international occulte qu'il a édifié. L'avoir pensé et structuré relève du pur génie. Il est bien normal qu'il soit payé de retour. De plus, il fait vivre des centaines de personnes de par le monde. Il est Cronos, le père de tous les dieux, mais lui, contrairement à celui de la mythologie, ne dévore pas ses enfants. Lui, il donne. Généreusement. Andros a le plus grand respect pour son père adoptif.

Cette nuit, pour ne pas réveiller les soupçons de Yerina, il est venu comme prévu dans ce souterrain et s'est adonné à leurs ébats avec l'énergie décuplée du désespoir. Lui et son amante gisent à présent sur le matelas souillé, dans cette geôle réservée à leurs satisfactions mutuelles. Tout à coup, la Pythie, enfermée dans la geôle adjacente, vient se rappeler à leur bon souvenir. Elle cogne contre le mur, à petits coups répétés.

— Qu'est-ce que tu veux ? demande Andros en grec.

— Aphrodite est venue, répond sa vieille nourrice de sa voix profonde, assourdie.

Yerina se redresse sur le coude en fronçant les sourcils.

— De quoi tu parles, sorcière ? Quelle Aphrodite ?

— Aphrodite à la voix mélodieuse. Elle parlait devant ma porte, et puis elle a poussé un cri. C'est Aphrodite, je le sais. Je l'ai vue.

Andros et Yerina échangent un regard paniqué. Ils savent très bien qui est cette Aphrodite, comme l'appelle la Pythie, qui depuis son arrivée à Korčula vient perturber l'orchestration, jusque-là parfaite, de leur vie, créant des couacs qui menacent de tourner à la cacophonie.

Yerina se lève et, encore nue, se rend dans la geôle voisine, Andros sur ses talons. La preuve de la présence de Joséphine dans ce lieu secret lui saute aussitôt aux narines. Une odeur tenace de coco et de tubéreuse, un effluve rare et singulier qu'elle n'a pas oublié. Elle sent son cœur bondir dans sa poitrine comme s'il allait jaillir de sa gorge. Impossible. Mais vrai. Comment Joséphine Watson-Finn a-t-elle réussi à venir jusque-là ?

— Elle est venue quand ? gronde Yerina en secouant le bras squelettique de la vieille Pythie.

D'ordinaire, elle évite de toucher la vieille femme décharnée qui vit au milieu de ses déjections, rarement lavée et changée. Elle est couverte de pustules et son interminable chevelure blanche n'est qu'un nid de poux. Sa seule vue est terrifiante. Depuis très longtemps, sa condition n'est plus vraiment celle d'un être humain. Sa place n'est d'ailleurs plus parmi les humains. Elle flotte déjà dans un univers intermédiaire, par-delà le visible et le périssable. Mais dans son énervement, Yerina oublie sa répulsion, malgré l'odeur pestilentielle qui pourtant écœure dès la porte franchie. Une odeur de mort qui couvre même le sillage suave que Jo a laissé derrière elle.

— Par Ouranos, Andros! Peux-tu laver cette momie? Et nettoyer cet endroit? Elle va finir par crever d'infection, si ça continue...

Andros ne répond pas. Ce n'est pas le moment d'aborder ce sujet. Pour lui aussi, toucher, laver et changer cette femme s'avère au-dessus de ses forces. Chaque fois, il lui faut toute la puissance de son sens du devoir, et de sa cupidité, la Pythie étant le véritable trésor de leur organisation, pour s'astreindre à le faire, et ce, quelques fois par an. Notamment à la veille de la cérémonie du 15 septembre, ce qui signifie qu'il devra s'acquitter de cette tâche dans moins de deux semaines.

— Merci, Katya, dit-il. C'est gentil de nous prévenir. Elle était où, Aphrodite?

— Elle est très belle, murmure la femme. Très jeune. Très blonde. Très grande. Infiniment puissante. Je la vois comme ça.

Yerina soupire, agacée. La Pythie ne vient-elle pas de décrire Ksenia et non Joséphine?

— Tu délires! s'énerve Yerina. De qui parles-tu?

— Aphrodite. Elle est venue ici, tout à l'heure.

— Ça, c'est l'archéologue, rétorque Yerina. Et elle n'est pas du tout comme tu la décris. De toute façon, tu ne peux pas l'avoir vue, tu es aveugle! Et même si tu ne l'étais pas, elle était dans la pièce d'à côté, c'est bien ce que tu dis? Elle n'a pas pu entrer ici.

— Je vois les gens de l'intérieur, reprend Katya très calmement. Toi, par exemple, je te vois comme un djinn[9] immense et énorme.

Andros ne peut s'empêcher de sourire à ces mots.

— Ça suffit! s'écrit Yerina. Elle était où, ton Aphrodite?

— Je l'ai entendue crier. Elle était ici, tout près. Dans l'autre pièce.

— Quelle autre pièce? demande Yerina, figée, à Andros.

— La grande salle peut-être, bafouille Andros.

---

9. Dans la tradition sémitique, créature qui contrôle le psychisme des humains.

— Par Ouranos! s'écrie alors Yerina. La potion!

Elle se précipite aussitôt dans la salle commune adjacente où Terry et Jo se trouvaient en effet peu de temps auparavant. Andros accourt derrière elle avec la puissante lampe torche qu'il prend toujours pour descendre dans le souterrain. Dès que le faisceau de lumière blanche éclaire le tonneau, Yerina pousse un cri de rage et tape du pied sur le sol maculé. Elle se tourne vers Andros pour frapper sa poitrine à coups redoublés.

— Regarde, sombre abruti, regarde! Comment as-tu pu laisser ça comme ça?

Une flaque rouge s'étend sous le tonneau au couvercle d'or, dans lequel se trouve la potion que la Pythie boit avant la cérémonie. Le breuvage lui permet d'entrer en contact avec Apollon et de prononcer ses oracles. Or, le tonneau fuit manifestement. Mais ce qui terrorise Yerina, ce sont les traces de nettoyage que l'on distingue, nettes, sur le sol. Quelqu'un, elle se doute bien qui, a précipitamment essuyé le liquide, laissant des traînées désordonnées que le suintement n'a pas encore recouvertes.

— Ouais, la momie a raison, elle était ici il y a peu. Son parfum est encore là.

Elle se retourne vers Andros et le frappe violemment au visage.

— Tout est de ta faute! hurle-t-elle. Tu devais réparer ce tonneau depuis l'an dernier déjà. Ta négligence est criminelle. Je le dirai à Cronos.

— Laisse mon père en dehors de ça, veux-tu?

— Tu as tout détruit! Tu m'as trahie. Tu as trahi la confrérie. Tu as trahi la Pythie. Car qui a pu dire à cette damnée archéologue que le souterrain n'était pas condamné, hein? À ton avis? Même Maro ne le sait pas. Tu te rends compte de ce que tu as fait?

Andros baisse les yeux. Consterné, il sent son cœur battre à tout rompre, puis, soudain, submergé par l'émotion et la fureur, il fonce sur Yerina, agrippe ses épaules nues et la secoue comme un prunier, lui hurlant au visage :

— Tout est de ta faute, maudite Héra! Je te hais! Tu ne sais pas à quel point je te hais. Tu nous as détruits, Stjepan et moi, tu nous manipules comme des pantins depuis vingt-cinq ans! Et pendant ce temps-là, toi, tu te fais passer pour une honnête mère de famille, une bonne petite épouse modèle. Et moi, moi, je n'aurais même pas droit à une amourette?

Abasourdie par cette sortie fielleuse, Yerina reste un moment interdite. Puis, reprenant ses esprits, elle répond d'une voix pleine de morgue.

— Mais moi, je sais comment faire, mon p'tit Zeus. Moi, j'ai le contrôle. Jamais Maro ne s'est douté de rien, jamais il n'est venu compromettre nos affaires. Alors que toi... tu as perdu la tête. Voilà le résultat.

Les traits de son visage fin se déforment sous le coup de sa révolte inopinée.

— J'aime Maro, qu'est-ce que tu crois? Il m'a sauvée, oui, bien sûr que oui. S'il n'était pas là, si je n'étais pas mariée avec lui, jamais je n'aurais accepté de revenir avec toi, jamais! Sans lui et l'équilibre qu'il m'apporte, jamais je n'aurais pu vivre toute cette merde, avec toi, ton père, et votre organisation sordide. T'as pas compris ça, mon p'tit Zeus? Eh bien, c'est la vérité pourtant. Et c'est pas parce que je suis amoureuse de toi, que je me laisse torturer et tout et tout... que je suis stupide. De toute façon, je ne sais même pas si je veux aller vivre avec toi à Paros. Cette vie n'est pas celle que je me souhaitais dans ma jeunesse. Quand j'ai accepté d'être mère porteuse, c'était pour l'argent uniquement. J'étais prête à y laisser un enfant, mais je n'imaginais pas que j'allais y laisser toute ma vie. Quand j'ai rencontré Maro à Dubrovnik, je pensais vraiment tourner la page, Alors pourquoi es-tu revenu pour m'entraîner dans cette histoire?

Andros la regarde dans la lueur de la torche. Il ne dit rien, atterré et meurtri.

— Et puis? Tu croyais quoi? poursuit Yerina. Là, le p'tit Zeus est tombé amoureux, alors tu pensais me planter là, après toutes ces années? Et tu croyais que je me laisserais faire? Erreur, mon cher, grave erreur.

Andros la fixe, vidé comme si le sang avait déserté son corps. Il ne dira pas à Yerina qu'elle a raison, et encore moins que Ksenia lui a avoué avoir tout révélé à Joséphine Watson-Finn. Il ne s'imaginait pas que celle-ci allait se précipiter dans le souterrain, mais elle l'a fait. Il sait parfaitement ce que cela implique. Il va falloir empêcher ces deux femmes, son amoureuse autant que l'archéologue, de tout révéler au grand jour.

Mais ce n'est pas tout. L'essentiel est ailleurs. Depuis plus d'un an, avant même qu'il ne rencontre Ksenia, Andros sentait Yerina absente, plus tout à fait partie prenante de leur histoire ni de leurs nombreux secrets. Quand Yerina s'est-elle vraiment éloignée ? Pourquoi ne l'a-t-il pas compris à temps ? Est-ce pour cela qu'il est tombé amoureux d'une autre ? Là, nu dans ce souterrain glauque et malodorant, il ne peut que constater l'ampleur des dégâts.

— Yerina, murmure-t-il, qu'est-ce qui nous est arrivé ? Pourquoi tu ne m'as pas dit que tu ne voulais plus de cette vie-là ? Quelle vie voulais-tu ?

— Je n'en sais rien ! répond Yerina d'une voix grave, les mâchoires serrées. Pas celle-là en tout cas.

C'est la première fois qu'ils sont ainsi confrontés à l'effritement de leur relation.

— Tu n'es pas sincère, ma belle, lâche-t-il, amer. Bien sûr que tu étais faite pour exercer un pouvoir de vie et de mort. Tu n'es pas devenue Héra par hasard. Les dieux l'ont voulu pour toi. Nulle part ailleurs tu n'aurais trouvé une plus juste place. Et tu aimes ça. Bien sûr que tu aimes ça. Tout comme tu aimes l'argent.

Avec une moue attristée, il ajoute comme pour lui-même :

— Tellement d'argent, Yerina. Pour toi...

Yerina chasse ces paroles culpabilisantes d'une série de gestes précipités.

— Qu'est-ce qu'on va faire maintenant, hein ?

— Laisse-moi faire, répond Andros. Je vais arranger ça.

Il s'écarte avec l'intention de se rhabiller dans la geôle puis se ravise. Il braque la lumière sur le visage défait de Yerina.

— Parce que moi, articule-t-il en la regardant au fond des yeux, moi, malgré tout ce que tu dis, je ne te laisserai pas tomber. Je n'ai jamais pensé à le faire. J'ai pensé à partir avec Ksenia, c'est vrai, je l'avoue. Mais je voulais tout te laisser, figure-toi, jamais je n'ai pensé à te nuire. Je suis Zeus, oui. Zeus n'est pas petit. Il est grand et magnanime. Et personne n'échappe à sa foudre.

Yerina éclate d'un rire mauvais.

— Grand seigneur, hein ? Voyez-vous ça ! Zeus est offensé, oh, pardon !

À tâtons, la Pythie est sortie sur le pas de sa cellule. Les bras levés, les yeux révulsés, comme en proie à une transe, elle lance un cri avant de laisser tomber ces mots en grec ancien :

— Je vois Aphrodite. Grande et blonde, immense ! Aphrodite est plus forte que Zeus. Aphrodite détruira Zeus.

— Grande et blonde, hein ? dit Yerina, acerbe. Tu vois, petit Zeus, même la vieille momie voit que tu mens. Il semble qu'on ait deux Aphrodite pour le prix d'une. Une petite rousse et une grande blonde. Deux historiennes, en plus, qui menacent de tout détruire. Et tout ça, c'est de ta faute !

Andros se rue sur elle. L'agrippant aux épaules, il serre les poings comme s'il voulait broyer ses os.

— Tais-toi, oiseau de malheur ! marmonne-t-il, les yeux injectés de sang. Je m'en occupe, j'ai dit, je vais arranger ça. Alors boucle-la.

10

Le lendemain matin, laissant Terry dormir, Joséphine enfile un pantalon de jogging et un long tee-shirt informes, à des années-lumière de l'ambiance sexy de la veille. À leur retour dans la nuit, ils se sont endormis, engourdis et choqués, remettant toute explication au lendemain. Terry s'est assoupi le premier, sans toucher sa fiancée, sur son côté du lit pourtant étroit.

Joséphine vérifie l'état de ses mains. Les traces rouges ont disparu et la peau a dégonflé. Après avoir soigneusement savonné ses doigts, elle les enduit de nouveau de crème antiseptique mais cette fois-ci ne les bande pas. Ses tongs sous le bras, elle se glisse dans l'escalier, priant pour ne pas tomber sur Yerina.

Dehors, la perfection de la journée l'agresse. Trop en contradiction avec l'humeur maussade et l'angoisse diffuse qui l'ont tenue éveillée presque toute la nuit. Exténuée, elle cache les cernes de son insomnie derrière de larges lunettes qui lui mangent les joues. Elle a tenté de mettre ses idées en ordre, sans vraiment y parvenir. Elle pressent cependant que le souterrain est loin d'avoir livré tous ses secrets. Mais il n'est pas question d'y retourner. Ce serait trop dangereux.

Elle sait à présent qu'une prophétesse enthousiaste[10] est enfermée dans ce souterrain, tout comme les vierges après leur enlèvement.

---

10. Étymologiquement : « qui a le dieu en soi ».

Dans la tradition grecque, la Pythie était une jeune fille vierge, Joséphine imagine donc que celle-ci l'est aussi. Et si, après tout, ces hommes cagoulés embauchaient des mères porteuses pour en faire des Pythie ? Elle l'a pensé, mais cette éventualité ne tient pas la route, sinon Ksenia le saurait. Dès lors, qui est cette femme qui exerce la mantique au nom d'Apollon, de surcroît si loin de Delphes ? En tout cas, Joséphine a entendu la prisonnière dans cette cave sans lumière et presque sans air, elle a vu le tonneau et son contenu, et tout cela devrait logiquement la mener tout droit à la police au lieu de se poser ces questions. Et Terry, en se réveillant, ira-t-il livrer leur découverte ? Elle ne le veut pas. Elle n'a pas l'âme d'une justicière, mais surtout, elle pressent que si la police intervient maintenant, elle l'empêchera de poursuivre son enquête et de comprendre ce qui se cache véritablement dans ce souterrain secret. Il faudrait faire analyser le liquide recueilli au plus vite, avant qu'il ne soit inutilisable.

Au cœur de la nuit, elle a eu une idée. Sur un chantier de fouilles en Tunisie il y a quelques années, elle a rencontré le professeur Safet Zimamović, qui tient la chaire d'archéologie de l'Université de Sarajevo, en Bosnie. Installée dans la salle de bains pour ne pas réveiller son homme, elle a vérifié sur Internet qu'il était toujours en poste puis a noté l'adresse de l'université, dont l'histoire a retenu son attention. D'école soufiste ou *medressa*, fondée en 1531 sous l'empire ottoman, elle est devenue une université moderne dès 1940. Le département d'archéologie de l'Université de Sarajevo demeure fort estimé dans le milieu, notamment en ce qui a trait aux traces des six siècles de l'empire ottoman dans les Balkans mais également de l'histoire millénaire de la côte adriatique. À quelques reprises, le professeur Zimamović a invité Joséphine à tenir des conférences. Elle a promis, mais, à tort ou à raison, elle a toujours pensé qu'il s'agissait d'un prétexte pour la draguer, et elle n'a cessé de reporter ce voyage aux calendes grecques. À présent, elle a besoin de lui. Il est certainement l'un des meilleurs interlocuteurs qu'elle puisse trouver dans la région. Le seul aussi à qui elle puisse envoyer le polo imbibé de liquide et demander de le faire analyser discrètement. Soit par le laboratoire de la police croate, soit par celui de l'Université de Sarajevo. Jo a vite fait son choix. Toujours accroupie sur le carrelage de la salle de bains, elle a écrit une lettre à son homologue, ne lui livrant que des éléments vagues. Elle a insisté sur le caractère urgent, autant que confidentiel, de sa demande. Puis elle a soigneusement préparé l'envoi dans une boîte à chaussures, avec le sachet en plastique contenant le tissu imbibé et le courrier. Ce n'est qu'alors qu'elle a réussi à s'endormir. Quelques petites heures.

Dans le matin qui s'étire, Joséphine presse le pas, son précieux paquet à la main. À la poste, elle fait impatiemment la queue, médusée de trouver autant de clients. Des touristes, bien sûr.

Arrive enfin son tour. Méfiante – qui sait combien d'habitants de Korčula participent vraiment à ce trafic ? –, elle dit tout fort qu'elle envoie un livre savant à un collègue et qu'elle espère qu'il ne sera pas abîmé par le voyage.

— Il faudra au moins une semaine, lui précise la postière.

— Comment ? Une semaine ! Alors je vais l'envoyer en express. Vous devez bien avoir des envois spéciaux.

— Peu importe, répond la postière. C'est une île, ici. Que vous l'envoyiez en mode urgent ou pas, je vous assure qu'il faudra plus d'une semaine. Je préfère vous prévenir.

— À ce rythme-là, je devrais plutôt louer un hélicoptère. Ou y aller moi-même en voiture ou à pied. Il y a combien de kilomètres jusqu'à Sarajevo ?

— Environ cent quarante depuis Dubrovnik...

— Je n'en reviens pas ! En marchant trente kilomètres par jour, ce qui constitue une bonne moyenne, j'y serai en cinq jours. Alors votre facteur, il fait comment ? Il y va à dos d'escargot ?

Là, c'est certain, elle a tout fait pour se faire remarquer. Au mépris du bon sens. L'employée des postes hausse les épaules, impassible. C'est tout juste si elle ne lui bâille pas au nez.

— Vous pouvez l'envoyez en Express deux jours, dit-elle. Vous pouvez toujours essayer.

— Quel jour sommes-nous ?

— Mercredi 4 septembre.

Il s'est passé tellement de choses qu'il semble à Joséphine que beaucoup de temps s'est écoulé. Mais il n'y a que sept jours que Terry et elle ont atterri à Dubrovnik. Cinq jours qu'ils sont installés à Korčula. Trois seulement depuis la régate de planche à voile que les événements lui ont presque fait oublier. Ils ont prévu de rentrer le 18 septembre à New York, de passer là une semaine ensemble avant qu'elle ne regagne son appartement à Montréal. Terry doit assurer ses cours de second cycle à l'Université Columbia, mais Jo, elle, n'est tenue à aucun horaire prédéterminé. Elle a obtenu une disponibilité pour le semestre d'automne afin de se consacrer à ses recherches et écrire des articles, en plus de suivre deux doctorants. La direction de l'Université McGill apprécie beaucoup qu'elle travaille pour l'Unesco et, pour ce faire, lui accorde des avantages. Mais quand même. Si elle veut à présent mener à bien l'enquête qui s'amorce, elle doit également faire ce pour quoi elle est venue ici, soit assurer l'expertise confiée par Charles sur la plaine grecque de l'île de Hvar.

— Bon, tranche-t-elle. Envoyez-le en formule Express deux jours. Je n'ai pas le choix, n'est-ce pas?

— Ça ira toujours plus vite qu'un envoi ordinaire.

— C'est ça, c'est bien ce que je dis. Je n'ai pas le choix.

Elle remplit le formulaire et confie son paquet à la préposée qui, à présent, fixe les mains luisantes de crème de Jo.

— Un numéro figure sur votre double, lui dit celle-ci. Ça ne se perdra pas.

— Il n'en est pas question! s'exclame Jo. C'est un livre rare. Faites-y bien attention.

Avant de quitter la poste, elle jette un œil sur la pendule derrière la tête ébouriffée de la postière. 8 h 20. Elle décide de s'installer au restaurant situé sous les arcades du Grand Hôtel. Là, elle aura certainement accès à une connexion wi-fi. Il est trop tôt pour appeler Andréanne, mais elle pourra au moins lui écrire pour lui demander d'effectuer des recherches. Elle s'assied donc, commande un petit déjeuner et ouvre son portable. Puis passe plus d'une bonne demi-heure à écrire à son assistante, prendre de ses nouvelles, lui raconter la beauté de la Dalmatie et lui exposer en détail les renseignements dont elle a besoin. Urgemment. En achevant son courriel, elle précise qu'elle la joindra par Skype dans l'après-midi, à 17 heures, heure de Montréal, soit 23 heures à Korčula. D'ici là, que va-t-elle faire? De la plongée. Avec le fils du *pizdoun*.

Jo se doute que son amoureux se réveillera de mauvaise humeur, encore sous le choc de leur expédition de la nuit. Dans une boulangerie, elle achète des *krofne*, des beignets fourrés au citron ou à la compote de pommes, ainsi que du jus d'orange puis revient lentement vers leur chambre. Il s'agit d'éveiller Terry le plus tendrement possible, afin de calmer ses appréhensions en attendant de lui fournir de plus amples explications. Lesquelles, d'ailleurs ? Elle sait si peu de choses encore. Pour l'instant, elle voudrait juste réussir à persuader Terry de la laisser aller plonger seule, et sans se rendre au poste de police en son absence.

Elle ouvre doucement la porte de leur chambre et pénètre sans bruit à l'intérieur. Terry dort toujours, les lèvres entrouvertes, les bras relevés encadrant sa belle tête, dans une position d'abandon total. Elle le regarde un moment, attendrie. Puis elle pose ses paquets sur le rebord de la fenêtre entrouverte et se glisse sous les draps. Un moment de tendresse. C'est tout à fait ce qu'il faut pour affronter ensuite les fonds sous-marins. Un vertige de plaisir avant le vertige des profondeurs.

— Bon matin, Terry-ble Superman..., murmure-t-elle en enroulant ses bras autour de son torse.

Dans un demi-sommeil qu'il refuse de quitter, Terrence grommelle quelques sons indistincts et saisit sa main, stoppant sa progression sous les draps. Il bascule sur le ventre, tournant le dos aux avances lubriques de sa fiancée. Le très léger ronflement qui s'échappe de sa gorge atteste qu'il s'est rendormi. Joséphine ne peut s'empêcher de sourire.

Il a besoin de dormir dix heures par nuit, elle le sait. Selon les jours, cela la fait sourire ou fulminer. Depuis que la ménopause lui impose de récurrentes insomnies, chaque fois qu'ils dorment ensemble elle doit trouver des parades. Se lever afin d'éviter que l'oreiller et les draps ne soient trempés et prendre l'air à la fenêtre ou sur le balcon mais discrètement pour ne pas le déranger. Lire ou écrire ou simplement errer sur la toile sur laquelle, la nuit, elle magasine, achète des robes, des escarpins et surtout des sacs griffés qui encombrent d'autant plus ses placards qu'elle les y oublie, revenant sempiternellement aux mêmes. Il s'agit généralement d'une à deux heures d'interruption de sommeil qu'elle refuse de tromper au moyen de somnifères. Aux petites heures du matin, elle finit par sombrer dans un rêve épais, ce que son emploi du temps ne lui permet pas et qui fiche en l'air toute sa journée, au cours de laquelle elle impose sa fatigue et sa mauvaise humeur à son entourage. Par l'effet, toujours un peu déstabilisant, du hasard, elle a rencontré Terry alors que son organisme abordait la périménopause, qui dans son cas s'est révélée plus pénible encore que la ménopause. Chacune des dix années écoulées l'ont menée vers l'aménorrhée définitive qui signe la fin de cette transformation hormonale. «Est-ce que c'est bientôt fini?», a-t-elle déjà demandé à sa gynécologue montréalaise, lui expliquant qu'elle luttait contre la prise de poids, allant jusqu'à lui confier le défi que représente une liaison avec un homme encore très loin de l'andropause. «Fini? a répondu celle-ci en évaluant son bilan sanguin. Vous parlez de votre relation?» «La *bitch*!», s'est dit Jo en tapant du talon dans l'ascenseur, furieuse de n'avoir rien répliqué, impressionnée par cette femme encore jeune. «La prochaine fois, je change de crémerie!», a-t-elle néanmoins décidé.

Elle se lève et se rhabille. Tant mieux si Terry dort. Au moins, il ne tentera pas de l'empêcher d'aller plonger. Elle enfile son maillot spécial et prépare son sac. Puis écrit un petit mot tendre qu'elle pose à côté du paquet de beignets.

Mon amour chéri, j'ai besoin d'exercice, je vais découvrir les fonds sous-marins, attends-moi, s'il te plaît. Je serai de retour dans deux ou trois heures, car j'aurai très très très faim... On pourra aller pique-niquer dans les collines et se parler. Je t'aime.

Son message se veut léger. Mais l'angoisse noue son ventre.

11

Joséphine marche le long du quai d'un bon pas, son sac de plongée sur le dos. Le vent s'est levé, apportant une fraîcheur inattendue malgré le soleil sans partage. Vingt-six degrés ce matin, c'est mieux que les trente auxquels elle avait fini par s'habituer, à grand renfort de baignades, de boissons glacées et de coups de pales du ventilateur au plafond de la chambre. La température de l'eau, elle, demeure toujours fraîche par contraste, vingt-deux degrés maximum. Mais de toute façon, malgré sa passion pour la plongée contractée à Charm el-Cheikh, au bord de la mer Rouge, durant les dix-huit ans vécus en Égypte, aujourd'hui sa curiosité a principalement pour objet le fils d'Andros plutôt que les bancs de coraux qu'il lui fera découvrir.

Par la vitrine, Andros aperçoit Jo qui avance vers l'agence. Il se lève aussitôt et se précipite dans l'arrière-boutique.

— Tu as bien compris, Stjepan, dit-il à son fils avant de disparaître, on est d'accord ? On a besoin de toi, alors pas de rigolade. Et appelle-moi dès que c'est fini, d'accord ?

Le jeune homme hoche la tête. Il arbore la même haute stature que son père, la peau couleur havane, les yeux chocolat contrastant étonnamment avec ses cheveux d'un blond presque norvégien, striés de mèches blanchies par le soleil, les muscles sculptés par la vie en plein air et la pratique des sports nautiques. Un très beau jeune homme. Mais dont la beauté ne parvient pas à cacher la tristesse. Le regard éteint, les épaules bien découpées mais étrangement tombantes, il semble porter le poids du monde sur son dos, pareil à Atlas dont il rappelle à la fois la stature et l'abattement. Joséphine est saisie par le ton bougon avec lequel il la reçoit, pas même étonné de la voir débarquer. Comme s'il l'attendait alors qu'elle ne s'est pas annoncée, décidant de tenter sa chance sans téléphoner.

— *Odiseja*, hein ? lui dit-elle, faisant allusion au nom de la boutique. Ça se dit ainsi en croate ?

Il se contente d'opiner du menton.

— Mais on parle bien de l'Odyssée, n'est-ce pas ? L'Odyssée d'Ulysse ?

— Vous en connaissez une autre ? réplique-t-il d'un ton cassant.

— Non, bien sûr, se dépêche de dire Joséphine, qui ne veut pas qu'il se referme. Je comprends que ce soit important pour votre père. Il reste grec après tout et...

— Ce n'est pas pour ça, coupe Stjepan. C'est parce que l'Odyssée a eu lieu ici.

— Ici ?

— Oui, le long des îles de l'Adriatique. L'île de Krk, au nord, en face de Rijeka, est celle des Cyclopes. La grotte bleue de Circé se trouve sur l'île de Vis, au-delà de Hvar. Mljet est l'île de Calypso.

« Mljet, tiens donc... se dit Joséphine. L'île où les mères porteuses sont gardées. Retenues prisonnières pour tout dire... » Aussitôt, elle se souvient que la nymphe Calypso, fille d'Atlas, retenait Ulysse prisonnier parce qu'elle voulait l'épouser et qu'elle venait de lui donner un enfant. Ça ne peut pas être une coïncidence. Elle fait attention cependant à ne pas laisser transparaître son trouble.

— Calypso, vraiment ? glisse-t-elle prudemment, guettant la réaction de son interlocuteur. L'île de l'amour qui rend prisonnier.

— Hum... si vous voulez. Dans la réalité, c'est une île avec un cratère au milieu, dans lequel se trouve de l'eau de mer. C'est exceptionnel, géologiquement parlant.

Phénomène géologique certes peu courant. Mais le jeune homme a sciemment éludé son allusion.

— Ici, nous sommes sur Scylla, vous le saviez ? renchérit-il.

— Vous voulez dire... comme dans « Charybde et Scylla » ?

— Exactement. Le chenal sur lequel a eu lieu la course l'autre jour, le vent s'y engouffre avec fureur à cause de l'étroitesse. Les fonds sont hérissés de rochers tranchants, il faut être un marin aguerri pour y naviguer. Les jours de tempête, c'est très dangereux, les bateaux peuvent être projetés d'un rocher sur l'autre et se briser.

Stjepan vient de décrire l'expression « aller de Charybde en Scylla ». Bien sûr, il a dû en lire l'histoire d'origine dans le livre d'Homère, mais Joséphine sent quelque chose de plus dans ce qu'il dit. Une vérité issue du vécu. Pourtant elle n'est pas encline à suivre tous ceux qui revendiquent que l'aventure, la mésaventure pour tout dire, d'Ulysse a eu lieu chez eux. Les Grecs, par exemple, affirment que l'Odyssée s'est déroulée dans les Cyclades, les Turcs, dans la mer de Marmara, pour ne citer qu'eux. Mais avec ce qu'elle sait à présent des activités occultes qui ont lieu à Korčula, elle ne peut s'empêcher de trouver une résonnance dans ce que lui révèle le fils du *pizdoun*.

— Donc Pelješac serait Charybde ?

— C'est ça.

— Et ça ne vous fait pas peur d'habiter là ?

Stjepan hausse les épaules.

— Pourquoi j'aurais peur ? On habite ici. On connaît bien la région et les fonds sous-marins.

Peu convaincue par sa réponse, Joséphine rebondit néanmoins :

— Quels fonds sous-marins allons-nous voir, alors ? Pas ceux entre Charybde et Scylla, j'espère ! Ceux de l'île de Calypso peut-être ?

— Ne vous moquez pas, tranche-t-il d'une voix forte. On ne joue pas avec les dieux. Voyez comme Poséidon a envoyé Ulysse errer sur la mer de Cronos ? Sans l'intervention d'Athéna, il aurait pu errer encore dix ans de plus.

C'est la première fois que Joséphine entend mentionner la mer de Cronos.

— C'est l'Adriatique que vous appelez la mer de Cronos ?

Cette fois, son interlocuteur la regarde droit dans les yeux, affichant un air moqueur.

— Vous êtes archéologue, n'est-ce pas ? Vous devriez le savoir, non ?

— Eh non, vous voyez, je ne le savais pas. Je ne sais pas grand-chose sur cette région, je m'en rends compte tous les jours.

— Eh bien, oui, les Grecs appelaient cette mer ainsi, la mer de Cronos, réputée pour ses tempêtes, ses dangers et ses milliers d'îles qui y rendent la navigation délicate.

— Cronos dévorait ses enfants...

— Oui, tout comme cette mer capricieuse dévore les navigateurs qui la défient. Surtout quand Éole et Poséidon unissent leurs forces, comme ils l'ont fait contre Ulysse.

— Il n'avait qu'à pas aveugler Polyphème, après tout...

Stjepan éclate de rire. C'est la première fois qu'un semblant de légèreté détend ses traits réguliers.

— Exactement ! C'est bien ce que je vous dis. Ne vous moquez pas des dieux.

— Vous étudiez les mythes à l'école, je suppose ?

— Pas spécialement, non. Mais j'ai lu. Je lis beaucoup. Notamment sur les mythes.

— Grecs ?

— Du monde entier.

— C'est drôle, votre père parlait des dieux lui aussi, l'autre jour.

Cette fois, il pique un fard, troublé. Jo a réussi à le faire réagir.

— Mouais... bougonne-t-il. En effet. C'est lui qui m'a offert ces livres-là. Vous savez... Mon père est né en Grèce, mais il est orphelin, et il vit ici depuis des décennies. Quant à moi, je me sens complètement croate. Et je n'ai jamais mis les pieds en Grèce, de toute façon. Sinon, vous êtes bonne en plongée ? Je veux dire... Vous avez de l'expérience ?

— Ah oui. Je suis nulle en planche à voile, mais la plongée, je connais. J'ai plongé sur tous les continents au fil des années.

— Dans ce cas, décrète-t-il, je vous emmène de l'autre côté de l'île.

Depuis tout à l'heure, il observe ses mains et ose enfin poser la question :

— Vous vous êtes blessée ? Je veux juste m'assurer que vous serez à l'aise, parce que l'eau est très salée.

— Ça va aller, je crois. Je mettrai des gants de plongée s'il le faut... C'est loin, où nous allons ?

— Soixante-dix kilomètres d'ici, par la route. Il y a beaucoup de courant, mais les fonds sont superbes. Ça vaut le coup.

Jo se dit qu'elle ne sera pas rentrée de sitôt, contrairement à ce qu'elle a écrit à Terry. Mais passer du temps avec le jeune Stjepan est tout indiqué. En un quart d'heure, il lui en a déjà appris pas mal sur Andros. Ce n'est pas le moment de lâcher prise.

— Je suis partante, dit-elle en lui emboîtant le pas.

Le centre-ville étant piétonnier, ils marchent un moment pour rejoindre la voiture, garée sur un parking auquel on accède par une longue rue en escalier. À mesure qu'ils grimpent, chargés de leur équipement, le silence se densifie. Une petite brise répand les odeurs entêtantes des figues mûres et des grenadiers en fin de floraison. La mer en contrebas est parfaitement lisse, festonnée de milliers de diamants de Poséidon.

— C'est vraiment très beau, lâche Joséphine qui s'arrête un instant pour admirer la vue.

— Cette rue s'appelle le chemin du Paradis, ça dit tout.

— Est-ce que c'est vraiment le paradis de vivre ici ?

Stjepan pose les bombonnes d'oxygène au sol, en profitant pour souffler.

— J'ai surtout grandi à Dubrovnik et désormais je vis à Split sept mois par an. J'y étudie.

— Ah oui ? En quoi ?

— Biologie marine. Au Centre d'études maritimes de l'Université de Split.

Joséphine ne peut retenir un regard admiratif. Décidément, ce garçon est plein de ressources.

— Félicitations, jeune homme !

— Je finis ma maîtrise cette année, dit-il, intimidé. J'ai fait un trimestre à l'Université de Sophia Antipolis à...

— Nice, je sais. C'est une université réputée.

— Et j'espère faire mon doctorat en Californie. À UCLA. L'Université de Split entretient un partenariat important avec eux dans le domaine de la biologie marine et de l'océanographie.

Jo émet un long sifflement. Si Terry était là, il serait furieux. Il n'admet pas qu'on siffle une femme dans la rue. Et encore moins qu'une femme siffle dans la rue. Mais Stjepan est méditerranéen. Le compliment lui arrache un sourire. Enfin.

— Et vous avez quel âge avec tout ça?

— Vingt-deux. En fait vingt-trois début décembre.

Le fils du *pizdoun* l'impressionne. Une tête bien faite dans un corps d'athlète. Ses ancêtres grecs en seraient flattés.

— Vous êtes comme moi, en somme, conclut-elle. Vous faites dans la mythologie autant que dans la rigueur scientifique.

— On peut dire ça comme ça, lâche-t-il, de nouveau renfrogné, en soulevant son chargement pour reprendre le chemin.

Lorsqu'ils parviennent sur le parking, Jo siffle derechef. En guise de véhicule utilitaire, l'agence Odiseja possède un VUS de luxe.

— Eh bien! Vous avez les moyens!

— C'est mon père, bafouille le jeune homme en s'installant au volant. L'agence ne fonctionne que de mai à octobre, c'est moi qui m'en occupe. Lui il possède des oliveraies. Il fabrique une huile d'olive réputée, plusieurs fois primée. L'année dernière, son huile a remporté un prix à New York parmi cent vingt-sept autres.

Assise à ses côtés, Joséphine se tourne vers lui, stupéfaite. Ce qu'elle apprend démontre bien que l'on se fait des idées sur les gens. Or, personne n'est monochrome. On peut être une brute, un salopard de kidnappeur, un violeur qui tient une Pythie prisonnière dans un souterrain, et n'en être pas moins un respectable négociant, un virtuose de l'huile d'olive première pression à froid. « Décidément, ce *pizdoun* est bourré de talents », se dit Joséphine.

— Je peux en acheter? demande-t-elle.

— De l'huile? Mais bien sûr. Mon père possède plusieurs boutiques dans Korčula, mais j'en vends aussi à l'agence. Elle s'appelle Athenais.

— Qui ça?

— L'huile. Mon père l'a baptisée Athenais. Car c'est la déesse Athéna qui a créé l'olivier.

— Ça, je le sais, tout de même! J'ignorais que l'Adriatique s'appelait jadis la mer de Cronos, mais la légende autour du nom d'Athènes, je la connais, merci!

Stjepan accueille cette remarque avec un sourire en coin. Il engage la voiture sur une petite route sinueuse qui ne cesse de monter. Bientôt, ils se retrouvent au sommet de la colline qui surplombe Korčula et roulent à vive allure à travers une épaisse forêt de chênes qui rapidement bouche l'horizon. La mer disparaît derrière le rideau compact des feuilles d'un vert foncé et lustré. Leur ombre recouvre presque entièrement la route.

— Vous savez, reprend Stjepan, j'étais sérieux à propos de l'Odyssée. Elle a eu lieu dans les îles dalmates. C'est logique d'ailleurs, compte tenu de l'emplacement d'Ithaque.

— Expliquez-moi ça, l'encourage Jo, amusée d'entendre enfin une explication logique au sujet du récit légendaire du non moins légendaire Homère.

— Ithaque est la dernière île des Cyclades. Elle se situe au carrefour de l'Égée et de l'Adriatique. Lorsque Ulysse a voulu revenir chez lui après la guerre de Troie, Poséidon l'en a empêché. Il a repoussé son bateau plein nord, l'envoyant errer sur la mer de Cronos.

— C'est convaincant, admet Joséphine, pourtant dubitative mais désireuse de gagner les faveurs du jeune homme. C'était pas malin de la part d'Ulysse, vous ne trouvez pas? Sa *mètis*[11] ne lui a pas servi cette fois-là, avouez-le.

— Non, c'est ce que nous disions précédemment. Il n'y a pas de stratégie qui tienne contre les dieux. Même si Ulysse a eu raison de crever l'œil du Cyclope pour sauver sa peau et celle de ses marins, il n'en demeure pas moins qu'il s'en est pris au fils de Poséidon. Malgré la ruse d'Ulysse, le combat était fichu d'avance.

L'analyse du jeune homme force l'admiration de Joséphine. Elle apprécie en lui l'analyse critique. Elle aimerait que tous ses élèves, lors de discussions semblables, fassent preuve du même sens de la controverse à dimension philosophique. Défier les dieux ou pas: qu'est-ce que cela signifie, quelle interprétation contempo-

---

11. Intelligence rusée. On doit notamment à Ulysse le stratagème du cheval de Troie.

raine peut-on en faire de nos jours ? Quel enseignement peut-on retenir pour soi-même à partir de la mythologie ? Intéressantes questions qui devraient fournir le sujet d'un examen pour ses élèves du premier cycle. Et si elle-même devait répondre à ces questions, que dirait-elle ? Que l'homme moderne, avec une ruse et une présomption comparables à celles d'Ulysse, se prend pour un dieu, sûr de son pouvoir illimité fondé sur une volonté irréductible. Si je veux, je peux, tout. Et peu importe les conséquences de cette volonté arbitrairement exercée sur moins rusé, ou moins ambitieux, que soi. La morale qui prévaut en Occident de nos jours ne valorise-t-elle pas une compassion et une éthique de la grosseur d'un timbre-poste, le fait de « tuer père et mère » ou d'« écraser la concurrence » pour imposer sa loi propre, aussi aveuglément que le faisaient jadis les dieux des panthéons païens ? « Croire aux dieux » doit rester une métaphore propice à rappeler l'humilité dont le minuscule être humain n'aurait jamais dû se départir. La discussion est d'une brûlante actualité, Joséphine le sait bien. Elle est passionnante autant qu'éternelle. Car les Anciens qui avaient créé les dieux l'avaient fait à leur image, donc à l'image de l'humain, comme un miroir de la psychologie humaine. Raison pour laquelle la psychanalyse et la psychologie, à la suite de Freud et de Jung, s'en s'ont emparées. Stjepan a raison. Ce qu'il dit, c'est ce que Joséphine essaie de transmettre. Que tant que les hommes craignaient les dieux, leur ego ne risquait pas de devenir surdimensionné, mythique.

— Je vous félicite, dit-elle avec conviction. Vous semblez avoir bien compris l'enseignement des Anciens.

Stjepan se tourne vers elle et la gratifie d'un beau sourire de fierté non feinte. Joséphine est une spécialiste mondialement reconnue, il le sait. Elle n'est pas du genre à distribuer des compliments, ce serait plutôt l'inverse. Il le sait aussi.

— Mais dites-moi, reprend-elle, taquine. Et les Sirènes ? Vous ne m'avez pas dit où se trouve le repaire des Sirènes enchanteresses que redoutait tant Ulysse.

— Oh, les Sirènes... Elles sont partout. On pourrait en croiser sous l'eau tout à l'heure...

— Ah oui ? J'espère qu'en plus des gants de plongée, vous avez des bouchons de cire, alors, sinon on va se noyer.

Elle éclate d'un rire un peu forcé, mais lui ne semble pas du tout goûter la plaisanterie. Son humeur s'assombrit comme un orage noircit le ciel.

— J'ai rencontré une sirène, d'ailleurs, échouée dans la maison de Marco Polo. Elle y travaille comme guide. Mais vous la connaissez peut-être, elle s'appelle Ksenia.

Stjepan se renfrogne un peu plus mais ne répond pas.

— Vous l'adoreriez, continue Joséphine, car elle connaît très bien les mythes, elle aussi.

— Non, je ne la connais pas.

Il appuie brutalement sur l'accélérateur. Joséphine, les talons au plancher, se retient à la poignée de la portière. Pour quelle raison a-t-il menti ?

La route est très étroite, et le croisement des véhicules redouble sa dangerosité. La visibilité s'avère extrêmement limitée, avec des tournants à chaque centaine de mètres. Lancé à plus de cent kilomètres heure, Stjepan pile avant chaque virage, revient in extremis en troisième puis repasse aussitôt la quatrième pour s'élancer en ligne droite, freinant de nouveau un instant plus tard. Même Joséphine, conductrice expérimentée et nerveuse, roulerait en deuxième sur une telle route. Mais son chauffeur, lui, accélère encore. Soudain, à la sortie d'un court tunnel creusé dans la roche, les roues décollent à la faveur d'une pente à douze pour cent. Heureusement, le véhicule est lourd et stable. Il retombe et retrouve aussitôt son équilibre. Stjepan semble n'avoir rien remarqué. Il avale la pente à fond de train avant d'effectuer un virage en épingle pour s'engager dans un lacet ascendant qui conduit vers le sommet de l'île. Le ciel se rapproche à vive allure. Ils débouchent bientôt sur une plaine dégagée et cultivée et, à pleine vitesse, traversent des champs de lavande, des vignes et des oliveraies. Le paysage serait bucolique si la conduite du jeune homme n'était saccadée. Délibérément périlleuse, menaçante. Le cœur de Joséphine bat la chamade.

— Eh, oh ! s'écrie-t-elle enfin, à bout de nerfs. Vous voulez me faire vomir, ma parole !

Le jeune homme ralentit aussitôt. Il rétrograde en troisième et, sur le volant, desserre l'emprise de ses mains aux jointures blanchies par la pression. Une colère muette fige chaque muscle de son visage.

— Excusez-moi, marmonne-t-il, la mâchoire crispée. J'ai l'habitude de conduire ainsi, je connais la route par cœur.

Comme Joséphine ne répond pas, il ajoute :

— Je veux arriver au plus vite.

Sa voix est troublée. Comme si chaque parole prononcée risquait de l'étouffer. Il se racle la gorge avant de pousser un long soupir puis s'astreint à conduire posément. Au bout d'une heure, de lacet en lacet, de pente en remontée et de plaine en bosquet, ils parviennent à l'autre extrémité de l'île de Korčula. Sans plus se parler.

Stjepan gare la voiture sur un quai de béton érigé le long d'une petite crique. Joséphine s'extirpe vivement de l'habitacle, l'estomac barbouillé. Ils sont seuls. D'ailleurs ils n'ont croisé que quelques rares voitures durant le trajet. Elle respire lentement, cherchant à faire taire l'anxiété qui l'a envahie et ne semble pas vouloir relâcher son étreinte. Il est presque 11 h 30. Terrence doit être réveillé à présent. Sans doute mange-t-il ses beignets, peut-être l'attend-il tranquillement, ou pas, peut-être s'inquiète-t-il pour elle tout comme elle se désole à présent de ne pas se trouver à ses côtés, avec une pointe de regret mêlée à une prémonition aussi étrange que tenace.

Devant elle se déploie un paysage saisissant, composé de couleurs franches qui tranchent les unes par rapport aux autres. Dans le village où elle loge, au milieu des remparts, la promiscuité des maisons, leur cachet historique mais aussi la permanence du vent venu de la mer prennent le pas sur l'impact de la végétation. Mais ici, dans ce cadre sauvage exempt de toute trace d'urbanisme, face à la mer d'un bleu dur, Joséphine est saisie par la majesté altière de la flore dont l'odeur puissante l'envahit jusqu'à l'étourdir. Que Korčula soit connue comme l'île la plus boisée de l'Adriatique prend ici toute sa signification. Diverses variétés de conifères, dont les imposants pins noirs de Dalmatie, se mêlent au maquis constitué d'oliviers sauvages, de cyprès, d'arbousiers et de bruyères ainsi que de nombreuses herbes et plantes aromatiques abondamment utilisées dans la cuisine locale. Du quai où elle se tient, elle aperçoit des grimpantes qui s'accrochent aux troncs des pins. Jamais elle n'a vu un tel mélange, si dense. La végétation exubérante descend jusqu'aux extrêmes abords des rochers escarpés dont la blancheur semble dresser un rempart suprême, étincelant, empêchant le vert de dévorer complètement le bleu. De guerre lasse, la pierre semble néanmoins sur le point d'abdiquer. Il semble à Joséphine que, d'un instant à l'autre, les arbres vont pencher leurs branches et aspirer la mer jusqu'à la dernière goutte. Elle en a froid dans le dos. Intimidée, elle se dit qu'il ne doit pas faire bon se retrouver immobilisé dans tant de beauté. Ici la nature n'est pas protectrice. Elle déploie toute son impitoyable souveraineté. Pour domestiquer un tant soit peu les lieux, défricher, débroussailler, résister aux insectes et aux animaux sauvages, gagner du terrain cultivable, même en à-pic sur le flanc des collines, survivre aux vents et aux intempéries, nul doute que les humains, par ici, ont dû calquer leur caractère sur celui de leur environnement.

— Vous venez? l'interpelle Stjepan depuis le bateau où il a transporté le matériel.

Il se tient dans la cabine d'un glisseur, embarcation conçue pour fendre les vagues et filer au gré des crêtes jusqu'au lieu de l'exploration sous-marine. Joséphine le regarde un moment, hésitante. Si la partie émergée de l'île l'impressionne tant, qu'en sera-t-il de la partie immergée?

— J'arrive, finit-elle par dire avant d'accepter la main tendue qui l'aide à embarquer. Où allons-nous?

Assise à ses côtés, elle observe le dessin qu'il trace sur un calepin.

— On va contourner cette crique et passer derrière la pointe sud-est de l'île. On ne peut y accéder qu'en bateau.

— Pourquoi si loin?

— La caractéristique des fonds adriatiques, ce sont les caves. Certaines font plus de cent mètres de profondeur. C'est réservé aux plongeurs aguerris, mais vous m'avez dit que ça ne vous pose pas de problème.

Jo confirme d'un nouveau signe de tête.

— C'est le meilleur endroit pour cueillir des éponges, il y en a des milliers sur les parois des caves. Et pour observer de nombreuses espèces de poissons méditerranéens, notamment un poisson qu'on ne trouve qu'ici, le doris...

— Vrai ? s'étonne-t-elle. Le doris dalmatien à pois noirs ? Il y en a encore ?

— Bien entendu, qu'est-ce que vous croyez ? C'est un écosystème protégé, l'Adriatique, une réserve sous-marine...

— Oui, oui, tant mieux... On ne peut donc pas pêcher ?

— Vous venez explorer ou pêcher ? Faudrait savoir !

— Explorer, ne vous inquiétez pas.

— Parce que je n'ai qu'un fusil harpon, explique-t-il. C'est pour la sécurité. Il y a beaucoup de dauphins ici, on en verra sûrement, mais il pourrait aussi y avoir des requins, on ne sait jamais...

Pourquoi cette annonce résonne-t-elle à ses oreilles comme une menace ? Les requins tigres abondent en mer Rouge, sans parler des Caraïbes. Cela ne l'a jamais arrêtée. Elle sait l'Adriatique trop fraîche pour permettre leur prolifération. Et puis, il fait beau, la mer est calme, et Stjepan, très professionnel. D'où vient alors cette inquiétude acide qui remonte dans son œsophage, comme si elle faisait une indigestion ? Certes, Terry l'attendra plus longtemps, elle lui expliquera. Elle l'imagine dans la position qu'il affectionne depuis qu'ils sont installés dans cette chambre chez Maro et Yerina : le dos bien calé dans le fauteuil, les pieds posés sur le rebord de la fenêtre ouverte, lisant face au large. Cette image paisible la réconforte. « Tu es là maintenant, se berce-t-elle, alors vas-y, ma vieille, profite de cette plongée. Tu penseras au reste plus tard. »

En une demi-heure, ils parviennent à destination. Jo enfile sa combinaison, ses palmes, ses gants, ses lunettes et fixe sa ceinture de plomb, puis se penche pour hisser la bouteille d'oxygène sur son dos et vérifier que le tout fonctionne. Elle lève le pouce droit, prête à basculer dans l'eau à la suite de son guide. Il lui prend la main et ils s'enfoncent ensemble dans la transparence turquoise de l'Adriatique. Parfaitement synchronisés.

La féérie qui l'attend sous la surface dépasse toutes ses attentes. L'onde est si pure que la lumière l'irise à des dizaines de mètres de profondeur. D'un petit coup de reins, Joséphine tourne sur elle-même, jouant à la toupie au milieu d'un banc de rascasses et d'ascidies rouges, de moustelles brunes et de petites sardines argentées, avec la légèreté d'un ange pelletant les nuages. Une allégresse insouciante l'envahit et sa bouche, de chaque côté de son tuyau d'oxygène, s'étire en un sourire enfantin. C'est ça qu'elle aime de la plongée. S'échapper dans un monde parallèle, une perfection silencieuse où la pesanteur est prohibée, sommée d'aller exercer ailleurs son pouvoir terrifiant. En quelques petits coups de palme, elle glisse derrière Stjepan, le cœur allégé. Des sirènes, il y en a partout, il a raison. Même elle, en ce moment, en est une. En baissant la tête, elle aperçoit une colonie de crustacés qui s'ébattent parmi les éponges de toutes les couleurs, posées comme un tapis de velours sur les fonds sableux et meubles. Bientôt, ils parviennent près de tombants rocheux le long desquels les murs d'éponges sont encore plus impressionnants. En lui tendant un panier d'acier, Stjepan l'invite à les cueillir. Leur rôle écologique de filtreurs de l'eau est fondamental, Jo le sait, mais quelques éponges de plus ou de moins n'y changeront rien, et leur douceur sur la peau est incomparable. Terry, ainsi que ses amies, seront sans doute heureux qu'elle leur en rapporte. Elle pose ses palmes sur un rocher et passe un agréable moment à ramasser une belle brassée d'éponges brunes trouées comme du gruyère. Stjepan la regarde faire, patient. Plusieurs pieuvres virevoltent à vive allure autour de lui, sans retenir son attention. Ils ne sont pas venus chasser. Lorsque son panier est plein, il le referme et s'en charge. Elle fait ses courses, il les porte, jusque-là tout est normal.

D'un geste, il lui enjoint de le suivre, ouvrant le chemin vers les grottes. Joséphine a lu que les fonds dalmates sont semés d'épaves et même d'antiquités, qu'on y a découvert récemment une pleine cargaison d'amphores grecques du Ve siècle, mais là où ils se trouvent, ils n'en voient trace. L'apparition d'une première grotte après un tournant la stupéfie. La lumière disparaît et le rythme cardiaque de Joséphine s'affole aussitôt. Stjepan agrippe la grosse lampe sous-marine qu'il a accrochée à sa ceinture et éclaire le lieu, tandis qu'ils descendent en droite ligne vers le fond. Les pointes acérées des rochers livrent d'étroits passages, à peine assez larges pour qu'ils s'y faufilent. Les parois d'éponges cèdent la place à des bancs de coraux parfaitement blancs, alignés comme dans un cimetière marin de dents de lait. « C'est l'antre de la fée des dents », se dit Jo, émerveillée. Son ravissement est de courte durée. Une murène hideuse, dont la tête flasque et bosselée rappelle celle de la sorcière à la pomme empoisonnée dans *Blanche-Neige*, surgit en un éclair de derrière le rang de coraux et fonce droit sur elle, les dents pleines de venin. Stjepan tire. Le harpon traverse le cou du serpent de mer, coupant net l'effroyable tête. Elle coule lentement dans l'obscurité, emportant dans son sillage la magie de cette plongée.

Joséphine panique. L'attaque de la murène lui a fait prendre conscience qu'elle ne peut pas reculer. Le passage caverneux est trop étroit. Elle tente quelques mouvements de rétrogradation, aussi épuisants que vains. Les yeux écarquillés derrière son masque, elle interroge Stjepan qui lui fait signe de le suivre et de se calmer. Ils poursuivent leur progression à l'intérieur de la cave sous-marine. Jo entend son cœur battre dans ses oreilles sous l'effet conjugué de la terreur et de la pression qui commence à l'incommoder. Ils sont certainement descendus à plus de cent mètres. Elle ne tiendra plus longtemps. Mais Stjepan continue de descendre et elle n'a d'autre choix que de suivre le faisceau lumineux qui l'englobe. Exactement comme, la nuit précédente, elle suivait Terry dans le souterrain de la maison de Marco Polo. Elle bat des palmes pour se rapprocher de son guide autant que pour dissiper les picotements qui déjà envahissent ses jambes. À un moment, le couloir sous-marin forme un coude. Stjepan s'y faufile. Jo l'imite et débouche dans une grotte vaste au sommet de laquelle clignotent des bulles de lumière. C'est la sortie. Enfin. Joséphine, dans un ultime effort, entreprend sa remontée en ondulant vigoureusement des hanches. Son jeune guide est passé derrière elle. Jo pense qu'il cherche ainsi à la protéger, se tenant prêt à la pousser, au besoin, vers la surface.

Mais il n'en est rien. Arrivant dans son dos, il saisit le tuyau d'oxygène et tire dessus de toutes ses forces. Joséphine se débat. Sans succès. Le tuyau se décroche de la bombonne, stoppant l'arrivée d'air.

12

Terrence s'est réveillé vers 11 heures. Le stress vécu la nuit précédente l'a assommé aussi sûrement qu'un knock-out de Mohamed Ali. Le dos et les reins endoloris, il s'est astreint à quelques exercices d'assouplissement pour ne pas risquer de se retrouver bloqué. Joséphine n'étant pas là, il est descendu sur le quai situé sous leur fenêtre et, prenant le premier escalier de pierre venu, a rejoint les rochers en contrebas des remparts. De là, il a plongé dans l'eau fraîche et a longuement nagé, lentement et posément, glissant dans le léger frémissement des vaguelettes au gré desquelles la tension nerveuse a finalement relâché son emprise, et ses muscles, retrouvé leur tonus. Avant de sortir, il a fait la planche, se laissant flotter ainsi, longtemps, dans le miroitement des rayons matinaux. La perfection. L'Adriatique est tellement extraordinaire qu'elle en parvient à lui faire oublier les aspects cachés et dangereux du lieu.

Enfin presque. Car il ne peut pardonner à Joséphine de s'obstiner à rester ici après ce qui est arrivé. Il ne connaît que trop l'esprit romanesque de sa fiancée. C'est l'un des nombreux aspects de son caractère qui l'ont séduit. Mais, aussi vrai que nos défauts sont des qualités poussées à leur extrême, il exècre l'obstination et l'outrance qui accompagnent cet esprit ouvert et aventureux. Il se doute que les découvertes de la nuit, au lieu de décourager Joséphine, l'inciteront à poursuivre ses investigations, même si lui ne l'entend pas de cette oreille. Mais alors pas du tout. Dès qu'elle sera rentrée, il lui dira qu'il veut partir. Et si elle refuse, il partira seul, pour l'île de Hvar, que les autochtones nomment « la lumineuse », ou pour d'autres îles, car ce n'est pas ce qui manque le long de cette côte. Il aspire à y retrouver la beauté de la nature et la prégnance de l'histoire, tout en laissant derrière lui l'envers glauque et sombre de Korčula. L'obscur, Terrence l'aime dans la littérature. Dans les livres, il est prêt à l'admettre, à le comprendre et à l'analyser sans jamais se lasser. Mais pas à le côtoyer, encore moins à le vivre, dans le réel.

Retourné dans la chambre, il a rincé son corps du sel avant de l'enduire de crème hydratante et de s'habiller. C'est là qu'il a aperçu le sac de beignets et le petit mot laissés par Joséphine. « Sale chipie », n'a-t-il pu s'empêcher de commenter, non sans un sourire attendri. « En tout cas, se dit-il, c'est plutôt rassurant qu'elle ait eu envie d'aller plonger. Ça lui fera sans doute le plus grand bien. » Jo revient toujours de très bonne humeur de ses expéditions sous-marines, et ils pourront alors discuter sérieusement. Et il la convaincra de lever le camp. À midi et demi, calé dans le fauteuil défoncé mais confortable qu'il prise depuis leur arrivée, les pieds sur le rebord de la fenêtre, les écouteurs sur les oreilles, il a mangé les beignets et bu son jus d'orange, patiemment.

Il a souhaité appeler sa fille puis s'est ravisé. À Brooklyn, c'est l'aube. June n'est pas encore réveillée et il préfère éviter de tomber sur Lucy. « Dark Lucy », comme l'appelle Joséphine, sans qu'il faille y lire de la jalousie. La jalousie est plutôt du côté de son ex-épouse et mère de sa fille. Une possessivité maladive qui ne s'atténue pas malgré les dix années écoulées depuis leur divorce, et qui la rend, de fait, ombrageuse. Lucy semble croire que Terrence reviendra. Elle attend ce jour improbable, refusant de passer à autre chose, fidèle à la douleur, à la rancœur et à l'autoflagellation qui la maintiennent toujours du côté sombre de la montagne. Lucy n'imagine pas que le soleil pourrait l'illuminer si elle acceptait de grimper de quelques mètres pour apercevoir l'autre versant. Pour elle, le retour de la lumière reste tributaire de celui de Terrence. Car, voyons, il ne peut s'agir que d'une erreur. Il n'est pas normal de quitter sa femme, pas encore quadragénaire, pour une vieille peau sans avenir. Chef de la rubrique beauté d'un magazine féminin, Lucy s'y connaît en vieilles peaux. Elle sait que les produits qu'elle recommande, autant que les articles écrits par ses consœurs des rubriques psycho et socio, ne sont que des pis-aller, au mieux des mouchoirs posés sur l'inexorable décrépitude physiologique. Si au moins Jo et Terry vivaient ensemble, mais même pas. Selon Lucy, c'est une preuve. La preuve qu'au fond leur couple n'en est pas vraiment un. Éternels fiancés, ça veut aussi dire jamais mariés. Elle se persuade que Terry se lassera de tant de solitude imposée. Les fiançailles ne dureront pas. Un jour, Jo aura soixante, puis soixante-cinq ans, et plus, et Terry, en pleine cinquantaine, se rendra forcément compte que Lucy, elle, est toujours plus jeune que lui. Jamais il ne lui vient à l'esprit, ou du moins ne laisse-t-elle pas affleurer la pensée, que Terry en la quittant a quitté son caractère grincheux, son manque de dynamisme et son envergure limitée à son obsession de la sécurité et de la répétition. Terrence connaît très bien son analyse. Combien de lettres lui a-t-elle écrites pour la lui exposer ? En réponse, il évite même de lui parler.

Le pire est que Lucy a énormément influé sur sa fille, du moins quand June était petite. Elle s'est opposée à la garde partagée et a obtenu gain de cause. Les relations entre l'enfant et son père durant les fins de semaine et les vacances qu'ils durent se contenter de partager ont longtemps été infernales et douloureuses. Jo alors vivait encore au Caire et ne pouvait consoler Terry que par téléphone, craignant mille fois qu'il finisse par rendre les armes et retourne auprès, non de sa femme, mais de sa fille. Il ne l'a pas fait. Et ses relations avec June, depuis qu'elle est entrée dans l'adolescence, se sont nettement améliorées. Parallèlement, sa relation avec Lucy s'est détériorée.

Ainsi, chaque année, Terrence organise un grand voyage avec sa fille unique, en tête à tête. Ils passeront leur prochain Noël au Pérou. De toute manière, Jo passe toujours Noël à Paris, chez sa mère Anne-Marie, Lawrence, son père, quittant son manoir pour cette réunion familiale annuelle et unique à laquelle, bien qu'ils aient divorcé lorsque Jo n'avait que quatre ans, ils n'ont jamais dérogé. Les parents de Joséphine sont restés amis, Jo pense même que c'est pour cela qu'ils se sont séparés, ayant vite compris que la cohabitation allait détruire tout ce que l'un aimait chez l'autre, leurs goûts, visions et partages communs. Anne-Marie et Lawrence ne se sont jamais remariés, ont eu de nombreuses histoires chacun de leur côté, mais Joséphine les a toujours soupçonnés de continuer à se fréquenter en cachette, en tant qu'amants secrets, libérés du rôle officiel de parents assagis par les ans et le socle des responsabilités. Bien que, responsables, ils l'aient toujours été. Pas étonnant alors que l'anormal, l'atypique soient devenus la norme pour leur fille. Contrairement à ce que d'aucuns pourraient hâtivement conclure, Jo n'est pas une rebelle. Elle est la fille de ses parents. Une enfant brillante et fidèle.

En regardant le soleil monter dans le ciel intact, Terry a pensé à tout cela. June ayant un cours de danse le mercredi soir, il a décidé d'attendre que la nuit soit tombée sur la Croatie pour lui téléphoner sur son cellulaire. Il est fier de sa fille et espère qu'elle aussi trouvera ses propres marques. Ses résultats scolaires se sont améliorés. Elle semble plus épanouie. Évidemment, si elle appréciait Jo, qui de son côté l'adore mais ne sait pas vraiment s'y prendre avec elle, ce serait le nirvana. Ça ne l'est pas encore. Mais le nirvana, Terry le croit, doit certainement être aussi ennuyeux que la vie avec Lucy. Le moins que l'on puisse constater, c'est que choisissant Joséphine, il est passé d'un extrême à l'autre. La vie de sa fiancée recèle aussi une certaine routine, mais elle se garde bien de la lui imposer. À lui, elle réserve les voyages lointains, les frissons de l'inconnu et de l'inattendu, le défi de la reconquête permanente et du « Terry-ble sexe ». Une vie où rien, jamais, n'est acquis. Une vie comme un roman.

Il a d'ailleurs repris la lecture de son roman, toujours installé dans le fauteuil, les pieds sur le rebord de la fenêtre. Il relit Flaubert pour préparer un cours du second cycle. Madame Bovary s'ennuyait tant avec son bourgeois de mari, dans sa province guindée où la routine implacable tenait lieu de vie. Malheureusement, en cette seconde moitié du XIXe siècle, sa démesure ne pouvait que la précipiter vers une issue fatale. Si Joséphine avait vécu à cette époque, son audace, sa curiosité et son besoin d'espace, ce qu'elle appelle sa « démangeaison des ailes », n'auraient-elles été, à l'instar de celles d'Emma Bovary, que velléités sans lendemain ?

Terrence en frémit. Il aime Jo telle qu'elle est. Pas question de la faire rétrécir. Ah, évidemment... si Jo pouvait se montrer ne serait-ce qu'un peu plus... un peu plus quoi d'ailleurs ? Raisonnable ? Non, le terme est impropre. Si elle pouvait être un peu moins, voilà tout, juste un peu moins.

Car le vrai problème avec Jo, c'est qu'elle n'a peur de rien. Du moins, c'est ce qu'il croit. Même quand elle lui confie ses peurs, il ne la croit pas. Quand elle avoue craindre de le perdre, par exemple, il se demande pourquoi elle a besoin d'inventer un tel mensonge. Elle ne peut pas penser ça. C'est insensé. C'est lui qui a tout le temps peur de la perdre. L'inverse serait aussi fou qu'une tempête de neige à Dakar. Dès lors, lorsqu'elle formule ce genre de craintes, Terry conclut à la coquetterie. À un besoin d'être rassurée, ce qu'alors il se dépêche de faire. Mais lui, rien ne le rassure. Chaque jour, seul à New York, il redoute un coup de fil de rupture. Il a beau savoir qu'elle pallie une blessure ancienne, ce dont il se doute plus qu'il ne le sait, car Jo n'a jamais voulu livrer tous les détails de cette histoire d'amour qui a marqué sa jeunesse, une histoire « magnifique et sanglante », comme elle dit, l'indépendance de sa douce et tendre – sa mie, comme il aime l'appeler, faisant référence, non sans une pointe de reproche, aux amours de loyn[12] des princesses d'antan –, le blesse. Non pas qu'il se méfie d'elle ou l'imagine dans les bras d'un autre. Cela ne lui vient pas à l'esprit. Il sait Jo entourée de multiples prétendants, ne serait-ce qu'à une seule nuit, mais sait aussi qu'elle ne le quitterait pas pour un autre. Il sait que si elle le quittait, elle le ferait à cause de lui, parce que, d'une manière ou d'une autre, elle aurait soudain mieux à faire et qu'il deviendrait encombrant. Certaines femmes, « normales » dirait Lucy, s'assagiraient avec l'âge. Dans le cas singulier de Joséphine Watson-Finn, l'âge, de toute évidence, n'atténue pas la quête effrénée. Il semblerait plutôt l'accentuer. « Je n'ai plus le temps de perdre du temps », répète-t-elle. Certaines nuits, seul dans son lit à New York, Terry se demande si cette perte de temps pourrait l'inclure, lui.

---

12. « Amour de loyn » (de loin) : expression du Moyen Âge. Désigne l'amour platonique, à distance, exalté dans les chansons de geste.

Que fait-elle d'ailleurs ? Dans son mot, elle a promis de revenir sous deux ou trois heures. Or, quatre coups viennent de sonner au beffroi de la cathédrale Saint-Marc. Quatre heures de l'après-midi. Cinq heures se sont donc écoulées depuis qu'elle est partie plonger. Terrence abandonne Emma Bovary, retourne dans la salle de bains, se rase minutieusement, histoire de passer le temps. Revenu dans la chambre, il choisit un pantalon et une chemise amples en lin savamment froissé, et roule les manches sur ses avant-bras bronzés. Ce sont les derniers cadeaux de Jo, et il adore ce tissu. Il détaille son allure dans le miroir de l'armoire. Se parfume. Inspecte ses ongles, décide de les polir. Nouveau coup de cloche au beffroi. Il est 16 h 45. Le soleil amorce son lent déclin. L'exaspération, puis l'inquiétude, s'installent. Le cellulaire de Joséphine ne répond pas. Il est éteint. Jo se trouve sans doute dans un lieu trop éloigné. Mais où, exactement ? Son regard se pose sur le sac à main qu'elle a laissé sur la table. Pris d'une intuition, il l'ouvre et trouve le cellulaire à l'intérieur. Elle ne l'a pas pris. Il ne pourra pas la joindre ni même, au besoin, faire suivre sa trace grâce à la puce GPS qui se trouve à l'intérieur. Quand June a fait une fugue l'an dernier après s'être disputée avec sa mère, la police l'a retrouvée grâce à son cellulaire.

Les muscles de sa nuque se contractent malgré lui. Quelque chose ne va pas. Il ne peut plus rester là à attendre. Après les événements de la nuit précédente, dans le souterrain, où a-t-elle bien pu aller se fourrer ? Sans plus réfléchir, il ouvre la porte et fonce vers l'appartement de leurs hôtes.

Après deux grands coups à la porte, Maro ouvre avec un grand sourire. Devant l'expression de Terry, ses traits se figent.

— Joséphine n'est pas rentrée. Elle est partie faire de la plongée, mais ça fait trop longtemps...

— Mais... bredouille Maro, elle a peut-être opté pour une promenade impromptue. La campagne est très belle, vous sav...

— Non ! coupe Terry en secouant la tête. Elle est partie à 9 heures et il est 17 heures. Où est l'agence ?

— Écoutez... élude Maro en tentant de le calmer. Yerina n'est pas là, mais entrez prendre un verre. Ça va aller.

160

Cette fois, Terry se fâche. Ce pauvre Maro est décidément trop bon, trop con. Il est le gardien de la maison de Marco Polo mais ignore que le souterrain n'est pas condamné ni que sa femme y fricote avec un diable grec. Comment pourrait-il l'aider ?

— Écoutez, s'énerve-t-il, il s'agit de l'agence du jeune homme qui a gagné la course de planche à voile. Je veux m'y rendre, et tout de suite !

— À l'*Odiseya* ? demande Maro.

Il semble réfléchir.

— Je vous accompagne, décrète-t-il.

— Je suis prêt.

— Non, rétorque Maro en fixant ses pieds. Vous êtes pieds nus.

Terry retourne dans sa chambre, enfile des sandales à la va-vite, attrape son portefeuille et claque la porte. L'instant d'après, il suit Maro le long du quai à grandes enjambées. Aux terrasses des restaurants, les convives, de retour de la plage ou de promenade, s'installent déjà dans un joyeux brouhaha. Mais Terry n'entend rien. Rien que le bourdonnement qui envahit ses oreilles.

Le *pizdoun* se tient derrière la caisse de l'agence. Dès qu'il l'aperçoit, Terry manque de défaillir.

— C'est son agence, explique Maro. Son fils est plongeur professionnel, c'est lui qui emmène les clients.

— Mais c'est pas vrai ! peste Terrence entre ses dents. Jo n'a pas pu être stupide à ce point !

Andros le fixe d'un air mauvais. Maro s'adresse à lui en croate. Sa voix est sèche, son débit brusque comme le claquement d'un barillet. Le ton monte rapidement. Andros se met à crier, agitant le bras dans la direction de la colline. Sa voix de stentor résonne dans la boutique exiguë. Maro se met à crier à son tour, avançant le poing vers le *pizdoun*. Celui-ci contourne le comptoir, l'air menaçant. Ils vont en venir aux mains.

— Holà ! s'interpose Terry, bien malgré lui. Retrouvons ma compagne d'abord, intime-t-il à son hôte en le tirant par le coude, vous vous battrez après.

— Venez, dit Maro, en tournant les talons. Je crois savoir où ils sont allés. Il n'y a pas de temps à perdre.

Au pas de course, ils gravissent le chemin du Paradis et, parvenus au parking en hauteur, sautent dans la camionnette de pêche de Maro. Filets à poissons et casiers à crustacés se trouvent encore à l'arrière. Une désagréable odeur s'en dégage. En temps normal, le nez délicat de Terry en serait incommodé, mais autre chose l'absorbe, si bien qu'il en oublie de boucler sa ceinture. Mal lui en prend. Maro conduit vite. Les innombrables virages, pentes à lacets et remontées abruptes qui conduisent vers l'autre côté de l'île ont rapidement raison de son estomac crispé. Au bout d'une ultime descente, il baisse précipitamment la fenêtre et se penche pour vomir. Maro ralentit, mais de toute façon ils sont arrivés. Il gare la voiture sur le petit quai d'où Stjepan et Joséphine ont embarqué le matin même. Terry sort du véhicule et régurgite ce qu'il reste dans son estomac sur les galets en contrebas du quai de béton.

— Regardez, s'écrie Maro. Ils sont là !

En se redressant, Terry aperçoit le bateau de Stjepan. Il dérive au gré des vagues et du vent, droit vers les rochers. Pourtant Joséphine et son guide se trouvent à bord. Ils semblent abattus. Ou blessés. Joséphine est renversée sur les coussins, les jambes allongées sur la banquette. Elle semble pantelante, ou endormie, ou peut-être... évanouie. De là où il se trouve Terrence ne peut le déterminer clairement. À ses côtés, le jeune homme est plié en deux, la tête entre les mains. Est-ce qu'il pleure ? Et pourquoi le ferait-il, abandonnant son bateau au bon vouloir de la mer, sinon parce qu'un malheur est arrivé ? Enlevant ses sandales, Terry plonge aussitôt. Maro, pris de court, saute à sa suite. À la faveur d'un crawl puissant, ils parviennent rapidement jusqu'au glisseur et grimpent l'échelle pour sauter à bord.

Stjepan lève la tête, à peine étonné de les voir embarquer. En effet, il pleure. À chaudes larmes. Ses traits sont décomposés et ses yeux rougis et gonflés. Joséphine, elle, accueille son fiancé avec un petit cri de joie incrédule. Celui-ci se jette sur elle et l'entoure de ses bras. Elle paraît très faible, pâle malgré son bronzage, peinant à retrouver son souffle. Toute énergie semble l'avoir abandonnée. Elle prend la tête de Terry et la serre faiblement contre la sienne, embrassant ses cheveux. Un flot de larmes la secoue à son tour.

Elle sanglote un long moment, lovée contre lui. Terry ne l'a jamais vue se liquéfier ainsi.

Maro, inquiet que l'embarcation dérive si vite, les courants étant très forts de ce côté, s'affaire promptement à les mettre hors de danger. Prenant le volant, il les ramène vers le quai avec habileté. Stjepan s'ébroue, saute sur le quai et amarre le bateau à sa bitte habituelle. Il ne pleure plus. Il se tient debout, silencieux, la nuque baissée, comme un enfant fautif ou un malfrat attendant sa sentence. Terrence soulève Jo dans ses bras et la hisse sur le quai. Elle pose les pieds au sol, encore étourdie, mais tient debout, recouvrant un semblant d'énergie et, avec elle, ses esprits.

— J'ai perdu mon tube d'oxygène, murmure-t-elle.

— Comment ça ? s'écrie Terry, à la fois choqué et furieux. Ce n'est pas possible !

— Eh bien si, souffle Jo, le tuyau s'est détaché, j'ai failli me noyer. Stjepan m'a ramenée à la surface.

Stjepan relève vivement la tête en entendant ces paroles. Il regarde bizarrement Jo. Puis se détourne.

— Mais enfin, c'est arrivé où ? lui demande Maro. Tu n'as pas vérifié ton matériel ? Tu te rends compte de ce que tu as fait ?

— Arrêtez, intervient Jo, il est déjà assez choqué comme ça. Nous sommes descendus dans une grotte sous-marine très étroite.

Maro lève les yeux au ciel et frappe violemment du poing dans sa paume.

— *Budala bez mozga*[13] ! Même les professionnels n'y vont plus depuis le dernier accident. Et toi, imbécile, tu emmènes une touriste là-bas ? Tu mériterais que je te casse les os.

Stjepan ne répond pas.

— Sans lui, je serais morte, intervient Jo. Ça suffit.

— Mais qu'est-ce qui serait arrivé si nous n'étions pas venus ? lui dit Terrence en la serrant contre lui.

Il veut la réchauffer, mais lui-même est trempé. Jo s'accroche à sa taille, comme si elle voulait entrer en lui.

— Je t'aime plus que tout au monde, Terry. Ne l'oublie jamais. Une fois de plus, tu m'as sauvée.

---

13. « Écervelé ».

— J'allais justement rallumer le moteur, murmure Stjepan. Je ne nous aurais pas laissé dériver encore longtemps.

— Tais-toi, mais tais-toi donc! s'écrie Maro qui se précipite sur lui.

Terry s'interpose.

— Maro, rentrons, s'il vous plaît. Rentrez de votre côté, moi, je vais ramener Jo et... ce jeune homme. S'il vient avec vous, vous finirez dans un ravin. Pour l'instant, ne discutons pas, nous déciderons plus tard.

— On ne décidera rien du tout, décrète Jo en forçant la voix. Je vais bien. J'ai juste froid et faim.

Elle remercie Maro en serrant ses mains, les tenant un peu plus longtemps que nécessaire. Dans sa tête, les pièces du puzzle s'agencent peu à peu. Elle a de la peine pour Maro, mais lui semble tout ignorer.

— Venez chez nous, propose ce dernier en s'ébrouant. Yerina va vous préparer quelque chose.

— Non, merci! disent Jo et Terry de concert. Nous nous débrouillerons, ajoute Terry. C'est que Jo doit prendre un bain chaud et se coucher. Et j'aimerais faire venir un médecin, si possible.

— Oui, bien sûr, l'assure Maro. Je vais en appeler un.

Leur hôte remonte dans sa camionnette et démarre aussitôt, faisant crisser les pneus sur le gravier du parking.

Joséphine fait la fortiche, mais sa vue reste brouillée et ses membres sont de coton. Il lui semble que ses jambes vont se dérober sous elle. Elle a atteint le stade trois de la noyade. Exactement comme elle lui fut décrite lors de ses cours de plongée. Stade trois sur quatre : grande hypoxie ; l'apnée réflexe qui protège les alvéoles pulmonaires de l'invasion d'eau prend fin ; l'épiglotte se rouvre et l'eau submerge les poumons ; le cœur ralentit, le cerveau se débranche et plonge dans l'inconscience en même temps que coule le corps. Heureusement, Jo est en grande forme, malgré les quelques cigarettes quotidiennes qu'elle s'obstine à fumer. Elle a sans doute tenu plus longtemps que la plupart des gens ne l'auraient fait. Il reste que quatre minutes, c'est long. Suffisant pour endommager le système cardiaque en même temps que l'oreille interne, centre de l'équilibre. Quatre minutes sous l'eau, ça tue normalement. Mais une fois de plus, Jo s'avère atypique. Elle n'est pas morte. Mais néanmoins détraquée. Elle sait qu'il lui faudra plusieurs jours avant de se sentir tout à fait bien.

Terrence ne sait pas tout cela, mais il voit combien elle est faible et étourdie. Il se penche pour la soulever de nouveau dans ses bras et la porter dans le VUS, quand Stjepan d'un coup se retourne et rebrousse chemin vers le bateau. Puis en revient, le panier d'éponges à la main. Il le tend à Joséphine sans un mot.

— Cadeau, dit celle-ci avec un petit sourire à l'intention de Terry. On a quand même fait une extraordinaire plongée, tu sais...

— Jo, ma chérie, souffle Terry, découragé, tu es incroyable.

Il l'installe sur la banquette arrière puis se déshabille. Ses beaux habits neufs sont trempés, durcis par la forte teneur en sel de la mer. «Maudite Adriatique, pense-t-il, bleue comme la mort, voilà sa couleur.» En caleçon, il s'installe au volant, Stjepan à ses côtés. Il démarre lentement, peu habitué à la conduite manuelle, qui plus est sur ce type de routes sinueuses. Pour arranger le tout, il est presque 20 heures, le soleil va bientôt disparaître et il n'y a aucun lampadaire le long de la route. Le jour franchit l'ultime stade de son agonie quotidienne. Le crépuscule déploie son incroyable palette de mauves striés de langues de feu rose orangé qui bientôt consumeront tout, répandant la noirceur de leurs cendres sur la terre. Une fois de plus, il faudra suivre un faisceau de clarté artificielle pour ne pas basculer de l'autre côté de la vie.

Depuis qu'il a pris conscience de son insignifiante place sur cette insignifiante planète d'un insignifiant système solaire de la Voie lactée, l'homme a déployé force stratagèmes pour faire réapparaître l'un ou l'autre des deux luminaires dont dépend sa vie. Il a fait jaillir le feu de la pierre, envoyé des flèches pour conjurer les éclipses, heureux que cela fonctionne toujours, dressé des feux plus grands encore au moment des solstices, celui de décembre ramenant la lumière, celui de juin l'emportant avec lui. Et puis, un jour, il a inventé l'électricité. Une fée gracile capable de vaincre les monstres des souterrains, des grottes sous-marines, des ravins et des forêts. Jamais autant qu'au cours des deux derniers jours, Joséphine ne l'avait apprécié.

— Laisse-le conduire, murmure-t-elle.

— Certainement pas ! répond Terry, vexé.

Stjepan tient la tête tournée vers la droite, le regard fixé sur le paysage qui n'est plus qu'un amoncellement d'ombres fantasmagoriques. Par sa fenêtre baissée s'immiscent les senteurs mêlées des pins, de la bruyère et de l'iode.

— Suivez simplement la route sans la quitter des yeux, conseille-t-il au conducteur sans bouger la tête.

Celui-ci s'exécute, amorçant la manœuvre.

— Vous, remontez la vitre ! ordonne-t-il.

— Non, s'il vous plaît, intervient Jo, j'ai besoin de respirer.

Elle sait que dans un moment, ils traverseront les plaines recouvertes de lavande et de vigne. Elle veut profiter des effluves des sucs et de la terre qui exhale la chaleur accumulée dans la journée. L'obscurité est maintenant totale. Roulée en boule sur le siège de cuir, elle ferme les yeux.

A-t-elle vraiment vécu tout cela ? Est-ce arrivé ou bien était-ce une hallucination, un effet pervers de l'ivresse des profondeurs ? Sous ses paupières closes, elle revoit la scène.

Elle coulait inexorablement. À la limite de l'évanouissement définitif, Joséphine voyait déjà des sirènes nager alentour d'elle, lorsque la main vigoureuse de Stjepan l'a fermement agrippée, redressant son corps à la verticale. Après avoir reconnecté l'arrivée d'oxygène, il a saisi sa taille pour la hisser le plus vite possible vers la surface. Ils se trouvaient encore à une cinquantaine de mètres de fond. Remonter a pris du temps. Trop de temps. Lorsqu'ils ont émergé à l'air libre, le tuyau ne servait plus à rien. Les poumons de Joséphine s'étaient remplis d'eau. Elle suffoquait. L'allongeant sur le dos, le jeune homme a réussi à la faire flotter jusqu'au bateau puis à l'accrocher à la coque, le temps de monter à bord puis de la tirer à la force de ses bras.

Avec un enchaînement de gestes précis, il a promptement appliqué la technique de réanimation qu'apprennent tous les professionnels. Bouche-à-bouche suivi de coups secs sur le plexus, jusqu'à ce que le corps de la noyée réagisse. En une série de spasmes, tournée sur le côté, le corps de Joséphine a régurgité l'eau de mer qui l'empêchait de respirer. Elle a ouvert les yeux, à temps pour voir le visage décomposé de Stjepan penché sur elle, les yeux noyés d'eau, mer et larmes, de l'eau salée dans les deux cas. À cet instant, seul importait le fait qu'il avait voulu la noyer puis qu'il l'avait sauvée. Il l'a déposée pantelante sur la banquette, la tête relevée sur des coussins, la laissant reprendre son souffle. Joséphine a toussé, craché, toussé et craché encore, puis, peu à peu, elle est parvenue à alterner inspirations et expirations et ainsi à se calmer peu à peu. C'est là que Stjepan s'est effondré sur le siège à ses côtés, pleurant cette fois à chaudes larmes. Il en a complètement oublié de sécuriser le bateau, dont il avait auparavant relevé l'ancre, sans que Jo sache pourquoi. Il semblait si malheureux, si repentant, proférant des excuses en continu, que si elle en avait eu la force, elle se serait redressée pour le prendre dans ses bras.

Il s'est mis à raconter. Elle a bien entendu ce qu'il a dit, oui, elle l'a entendu. Même en rêve elle n'aurait pu inventer une telle histoire.

Il a d'abord dit que Yerina est sa mère. Qu'il est né à Dubrovnik du temps où celle-ci, alors âgée de vingt ans, faisait ses études de sage-femme et habitait chez sa tante. Stjepan a dit que ses parents s'étaient rencontrés là. Joséphine l'a écouté sans mot dire. En confiant son histoire, il ne savait pas qu'il lui fournissait les renseignements qu'elle espérait recueillir en venant plonger avec lui. Ce qu'il révélait dépassait cependant tout ce qu'elle avait pu pressentir.

Sa mère voulait avorter, mais son père l'en a empêchée. Elle a refusé de l'allaiter, alors son père l'a pris avec lui, l'a nourri, langé, aimé, élevé. Sa mère s'est ravisée et est venue le voir, mais jamais son amour maternel ne s'est éveillé. Stjepan n'a jamais été qu'un lien avec l'homme qu'elle aime. En repensant au geste tendre de Yerina après la course, Jo s'est dit que ce ne devait pas être tout à fait vrai. « Mes parents s'aiment comme des fous, a ajouté Stjepan. C'est même pour ça qu'elle ne supportait pas que je sois entre eux. Mon père m'a raconté qu'ils se sont juré fidélité à vie. Vous savez, a-t-il ajouté, ils entretiennent une relation particulière, absolue, ils s'appellent mutuellement Zeus et Héra. Frère et sœur et époux à la fois, et moi, je suis leur Arès, leur seul enfant commun, haï et encombrant. » Mais quand et pourquoi Yerina s'est-elle mariée avec Maro, alors ? Stjepan a expliqué ce qu'il savait : que Maro a travaillé dans la marine marchande, qu'il a navigué sur des pétroliers et parcouru toutes les mers du globe, notamment jusqu'au Canada, puis qu'il est revenu s'établir dans sa ville natale, Dubrovnik. C'est là que Yerina et lui se sont rencontrés et sont tombés amoureux. «Ma mère était amoureuse de mon père et de Maro en même temps, a-t-il dit à Joséphine. Moi, je vivais avec mon père quand elle a décidé de rompre avec lui. Pour s'éloigner, elle a voulu retourner dans son île de naissance, Korčula, après son mariage. Ils ont eu deux fils, a-t-il ajouté d'un air abattu, et eux, elle les aime. Mais mon père, manifestement, n'a jamais accepté de la perdre tout à fait. Il est venu s'installer sur cette île à son tour, avec moi. Et il accepté cette double vie.» Joséphine l'a écouté parler, profondément touchée par l'histoire du jeune homme. «Malgré tout, ma mère reste correcte avec moi, a conclu Stjepan, sans amour ni effusions mais correcte. Et de loin. De toute façon, je passe après. Dans cette histoire, je passe après tout le monde.» Dès le primaire, Stjepan a vécu neuf à dix mois par an à Split, chez une tante maternelle, ne revenant que durant l'été. Il vit toujours à Split où il fréquente l'université.

«Vous savez, a-t-il poursuivi, ce dont nous parlions ce matin, à propos du manque d'humilité des êtres humains aujourd'hui... Eh bien, pour mes parents le rapport aux dieux n'a rien d'allégorique. Ils sont Zeus et Héra, ce n'est pas un jeu, ils sont là-dedans au premier degré. Vous vous demandez pourquoi je ne les dénonce pas? Je pourrais aller voir Maro et mes demi-frères et tout leur dire... Et alors? Que m'arriverait-il? Je suis certain que mes parents n'hésiteraient pas à m'éliminer. C'est pourquoi je veux partir. Étudier et partir loin, me faire engager comme océanographe en Californie. C'est mon plan, je n'ai pas d'autre choix.» Il n'a pas eu besoin de prononcer sa supplique aphone pour que Joséphine l'entende. Une prière. Je vous en supplie, pardonnez-moi, comprenez-moi, aidez-moi. Sauvez-moi, vous seule pouvez le faire. Vous seule pouvez saisir ce dont je vous parle. Vous vivez en Amérique, vous êtes une universitaire renommée, vous pouvez m'aider. Adoptez-moi. Elle a entendu cette imploration tacite dans son cœur à mesure que le jeune homme, effondré, vidait le sien.

Quelle horrible vie... Arès, en effet. Arès, le seul enfant légitime de Zeus, éternellement en colère, en guerre contre lui-même parce qu'en guerre contre ses géniteurs, aussi méprisants que négligents à son égard. Arès dont Freud emprunta la figure symbolique pour émettre sa célèbre phrase : un enfant terrible est un enfant terriblement malheureux. Stjepan, un pauvre petit tigre en papier au cœur d'artichaut combustible. Il est si beau. A-t-il une petite amie ? Non, bien sûr, il ne s'aime pas assez pour ça. Tout comme Arès que seule Aphrodite parvint à consoler, pendant un moment. De leur union, celle de l'amour et de la colère, naquit leur fille Harmonie. Harmonie. Qui serait l'Aphrodite de Stjepan ? Qui saurait le ramener vers l'harmonie ?

« Mais ça va mal entre eux en ce moment, poursuivit Stjepan tandis que Jo récupérait lentement. Mon père se morfond, je pense qu'il en a marre de vivre ainsi. Et puis... comment vous dire ? Il est tombé amoureux. » Joséphine le savait, bien sûr, mais elle n'en a rien laissé paraître, afin que Stjepan poursuive son récit. « Il est tombé raide dingue d'une de mes copines, une fille de mon âge. C'est vraiment bizarre, ça m'a beaucoup étonné, mais c'est ça. Je sais qu'ils ont passé l'année ensemble, mais là, ça a l'air fini. En tout cas, mon père m'a dit que c'était fini. Ma mère l'évite aussi, on dirait, ils se voient beaucoup moins qu'avant en tout cas. Pourtant leur domaine est prêt. Leur domaine, oui, ils ont construit un domaine dans l'île de Paros d'où mon père est originaire. »

Joséphine a tressailli en entendant ce nom. Paros, l'île d'où est venue la première colonie grecque qui peupla la côte adriatique, d'abord l'île de Hvar puis les autres. Ce sont les anciennes parcelles agricoles des Parossiens, inchangées depuis le IVe siècle avant Jésus-Christ, que l'Unesco a classées et que Joséphine est venue inspecter. Ainsi Andros est originaire de Paros. Quelle coïncidence... Mais est-ce vraiment une coïncidence ?

« Mes parents pensent que j'irai vivre avec eux dans leur domaine grec, que je vais m'en m'occuper avec eux. Mon père a mis beaucoup d'argent là-dedans, il veut y refaire sa vie. En tout cas, il le voulait avant de rencontrer Ksenia. Parce que oui, je connais bien Ksenia, c'est mon amie, je ne pouvais pas vous le dire avant, je ne m'attendais pas à ce que vous la connaissiez. Quelque chose ne va plus entre mes parents, en vérité, et je soupçonne que ce n'est pas seulement à cause de l'histoire d'amour entre mon père et Ksenia. Avant elle, mon père a eu quelques aventures, quelques filles de passage, mais là, je ne l'avais jamais vu ainsi. Il est tombé amoureux, vraiment, et d'un coup, il s'est... comment dire... révolté. Il aime toujours ma mère, je pense, mais je suppose qu'elle ne comble plus tous ses besoins, ou bien qu'il voulait la rendre jalouse, la faire réagir... Pour ça, c'est réussi. Ils se sont beaucoup disputés et peu avant votre arrivée, ils se sont rabibochés, mais...» Il a secoué la tête en disant: «Le ver est dans le fruit, voyez-vous...» Il a conclu: «De toute façon, je n'irai nulle part avec eux. Je veux partir. Je veux étudier en Californie, là-dessus, je ne vous ai pas menti.»

Jo en a beaucoup appris, mais rien de tout ça ne lui explique pourquoi il a cherché à la tuer. Et qu'il le regrette et se repentisse ne suffit pas. Une seule chose est certaine: Stjepan est utilisé et manipulé par ses parents qui ont toujours pouvoir de vie et de mort, de dissimulation et d'autorisation sur lui, depuis sa naissance. «Mon père m'a dit que vous saviez pour Yerina et lui et que vous risquiez de le dire à Maro, alors il fallait... vous en empêcher.» Abattu et confus, il s'est penché vers Jo, au bord des larmes. «Je suis vraiment désolé, je ne peux pas vous dire à quel point. Je ne comprends même pas comment j'ai pu en arriver là. Mes parents m'ont rendu fou. Fou au point de... au point de tuer.» Mais finalement, il leur aura désobéi, sans doute pour la première fois de son existence.

Joséphine se doute que Yerina ou Andros, ou les deux ensemble, ont donné l'ordre à leur fils de la tuer. Mais Stjepan sait-il ce qui se cache dans le souterrain? Connaît-il l'existence de l'agence de GPA, des engrossements rituels dans l'église Saint-Pierre et de cette femme, cette Pythie d'Apollon, autre fils de Zeus, mais bâtard celui-là? Zeus préférait ses innombrables enfants illégitimes. Stjepan, qui connaît si bien la mythologie, sait sans doute cela. Mais que sait-il du trafic d'enfants? Sa colère, en tout cas, est immense. Égale, au moins, à celle d'Arès. Contre qui se retournera-t-elle? Et quand? Il a refusé de se contenter d'un exutoire en la dirigeant contre Joséphine. Il ne l'a pas tuée. Pire, il l'a sauvée. Ses parents risquent fort de le lui faire payer. Très cher. Dans le bateau, tandis que le jeune homme, honteux et choqué, se laissait aller au chagrin, Joséphine a soudain pris conscience qu'après la sienne, c'était la vie de Stjepan qui était en danger.

Toujours allongée sur le siège arrière de la voiture, elle ouvre les yeux, tentant d'apercevoir les traits du jeune homme. Mais l'obscurité les lui dissimule totalement. Elle se relève péniblement, la poitrine toujours oppressée. Le simple fait de s'asseoir monopolise son souffle.

— Pourriez-vous partir pour Hvar tout de suite? chuchote-t-elle à l'oreille de Stjepan.

Terrence se retourne vers elle, ahuri.

— Mais qu'est-ce que tu dis?

— Je t'expliquerai, mon amour, murmure-t-elle, j'ai beaucoup de choses à te dire. Il faut qu'il parte, il ne peut pas rentrer à Korčula.

Stjepan a compris. Il plonge ses yeux noirs dans ceux de Jo qui le regarde avec une infinie compassion.

— Terry et moi irons demain à Hvar, continue-t-elle.

— Mais ce n'est plus possible! s'exclame Terry. À cause de cet incompétent qui a failli te noyer! Je ne te comprends pas!

— Terry, ne te fâche pas, je t'en prie. Je t'expliquerai tout, je te le jure.

Furieux, il se range sur le bas-côté de la route. En fait, au bord d'un ravin vertigineux au fond duquel la mer miroite sous une lune gibbeuse. La perspective est terrifiante. Si une voiture arrivait derrière eux, le conducteur ne pourrait pas les voir, du moins pas à temps, et ils seraient précipités dans le vide.

— Il y a un bateau qui part de Vela Luka pour Hvar ce soir, à 22 heures.

— C'est loin?

— Non, répond Stjepan, mais c'est dans l'autre sens. À l'opposé de Korčula.

Jo consulte la jauge du véhicule.

— Avons-nous assez d'essence? Je veux dire, pour aller à Vela Luka et rentrer à Korčula?

— Tout à fait, confirme le jeune homme.

— Alors, on vous accompagne. À Hvar, vous vous débrouillerez?

— Oui, bien sûr.

— Nous arriverons demain, je ne sais pas à quelle heure...

— À 17 heures à Stari Grad, répond Stjepan qui connaît les horaires de tous les bateaux. De là, prenez un taxi jusqu'à la ville de Hvar. Je vous attendrai vers 18 heures à l'hôtel Palace. C'est l'ancien palais du procurateur de Venise et, plus tard, de Sissi. Aujourd'hui c'est un hôtel très classe. Je suppose que vous voudrez descendre là...?

Terrence secoue vigoureusement la main, exaspéré. Est-ce vraiment le moment de parler tourisme ?

— On s'en contrefiche ! hurle-t-il soudain. Je veux la paix, vous comprenez ? Jo, il faut que ça finisse, sinon je repars directement pour New York !

Joséphine pose sa main sur sa nuque. Son fiancé a raison.

— Je t'en supplie, répète-t-elle. On va pouvoir se parler tous les deux, dès qu'on l'aura mis dans le bateau.

Elle se penche vers Stjepan, cherchant son regard.

— Nous nous retrouvons donc demain, on est bien d'accord ? Et là, vous finirez de me raconter. Parce que vous ne m'avez pas tout dit, n'est-ce pas ?

Stjepan hoche la tête sans répondre. Terry ne se calme pas. Du plat de la main, il tape plusieurs fois sur le volant.

— Vous avez fini de me prendre pour un pantin ? Et en plus, comment faire demi-tour sur cette putain de falaise ?

13

Le médecin relève la tête. Il pose son stéthoscope et son tensio-
mètre d'un air soucieux.

— Vous avez eu beaucoup de chance, conclut-il. Seuls vingt-
cinq pour cent des gens survivent à quatre minutes de noyade. Surtout par cinquante mètres de fond.

« Et encore moins à votre âge. » Le généraliste n'a pas besoin
de prononcer ces paroles pour que Joséphine les entende clairement. Quatre minutes dans l'eau de mer sans respirer par cinquante mètres de fond à cinquante-quatre ans, ça porte un nom
précis : miracle. Joséphine le regarde, dépitée. Quant à Terry, il
ne décolère pas. Bras croisés, mâchoires serrées, il attend la
suite.

— Quelque chose m'échappe, dit le médecin. Si le guide a vu
que vous aviez perdu votre tuyau d'oxygène, pourquoi a-t-il attendu quatre longues minutes avant de vous porter secours ?

Terrence pointe son index sur lui tout en regardant sa fiancée,
l'air de dire : « Voilà ce qui cloche. » Jo a prévu la question. D'un air
las, elle soulève péniblement l'avant-bras puis le laisse retomber.

— Il ne l'a pas vu, justement. Il pensait que je le suivais. Ce
n'est qu'une fois revenu à la surface qu'il s'est aperçu que je n'étais
pas là. Alors, il a replongé vers moi.

— C'est un bon garçon, très sérieux...

— Oui, confirme aussitôt Joséphine.

173

— Mais... je pense que pour la crédibilité de notre tourisme, vous devriez porter plainte contre l'agence. Un tel incident ne doit pas se reproduire.

— *Pizdoun!* lâche Terry.

Le médecin se tourne vers lui, étonné, avant d'esquisser un faible sourire. L'agence appartient à Andros, c'est lui qui aura des problèmes s'ils portent plainte. Les gens ne doivent pas beaucoup aimer Andros sur cette île. Pas à cause de ses activités occultes, dont ils ne savent rien. Mais parce que c'est un étranger. Dans ce patelin, comme dans tous les patelins, la solidarité va de pair avec la grégarité et la xénophobie. Même si Andros vit parmi eux depuis très longtemps, il ne sera jamais un des leurs. Il reste un barbare. Un barbare riche, de surcroît. Au lieu d'être fiers que son huile Athenais soit célèbre et remporte des prix internationaux, il y a fort à parier que les insulaires lui en veulent.

— Comptez sur moi, décrète Terry, j'irai au poste de police dès demain matin. Mais pour l'instant, que pouvez-vous faire ?

Le médecin se gratte la tête. Quand ils sont enfin rentrés de Vela Luka, après s'être assurés que Stjepan embarquait bien pour Hvar, Maro et lui les attendaient devant la maison. Lorsque Terrence est descendu de la voiture, portant Joséphine dans ses bras, des têtes sont immédiatement apparues aux fenêtres et aux portes de la ruelle. Les voisins, et pas seulement eux, sont au courant. La nouvelle a sans doute déjà fait le tour du village.

— Écoutez, je vous l'ai dit. Après trois minutes sous l'eau sans respirer, les chances de survie sont de soixante-quinze pour cent, après quatre minutes, elles ne sont plus que de vingt-cinq, et au-delà, évidemment...

— Mais je suis vivante, coupe Jo. Votre tourisme n'en pâtira pas !

Le médecin la regarde, interdit.

— Madame, ce n'est pas ce que je voulais dire. Votre corps a subi un sacré choc. Quand on se noie, le cœur réagit, il ralentit, les pulsations cardiaques descendent à moins de soixante, comme chez les mammifères marins. Le sang se concentre sur les organes vitaux parce que le corps déclenche une sorte de réflexe de survie. Le vôtre a remarquablement résisté, mais il lui faudra plusieurs jours pour se remettre. Il y a encore de l'eau dans vos poumons et dans votre estomac. D'ailleurs, il se peut que vous vomissiez encore, mais c'est pour le mieux. Ne mangez pas en revanche, ou très peu, un bouillon chaud par exemple...

— Encore de la flotte, vous rigolez ? soupire Terry.

— Il faudrait absolument faire des examens poussés, poursuit le médecin sans relever. Prises de sang et d'urine pour éliminer tout risque de coagulation multifactorielle et d'insuffisance rénale, radiographies pour s'assurer qu'il n'y a pas formation, ou risque de formation, d'œdème pulmonaire, et cardiogramme, évidemment.

— C'est tout ? murmure Jo, un brin ironique.

— Ne rigolez pas avec ça, madame. Pour le moment votre corps fonctionne au ralenti, il récupère. Votre tension est très basse et votre respiration irrégulière. Mais c'est normal. Je vais vous donner quelque chose pour vous calmer, et j'ai apporté cette bouteille d'oxygène, là, avec un masque. Ça vous aidera à dormir. Mais je vous recommande d'aller à Dubrovnik dès demain, à l'hôpital. Je vais les appeler. Ils feront les examens, et ensuite tout ira pour le mieux.

Il tapote sa main avec un demi-sourire. Jo grimace aussitôt.

— L'ennui, c'est que demain nous partons pour Hvar, dit-elle.

— Vous vous êtes également blessée à la main ?

— Ça va, fait Joséphine, j'ai eu une sorte de réaction allergique.

— À quoi ?

— Je ne sais pas.

Elle retire ses mains, ne voulant pas expliquer la provenance des traces rouges encore visibles sur ses doigts. Terrence la regarde, dubitatif autant qu'inquiet. Il veut quitter Korčula, bien sûr, mais pas au prix de la vie de sa douce.

— Vous êtes obligés d'aller à Hvar ? demande le médecin. Enfin, si vous y tenez, il y a une polyclinique à Hvar, ce sera aussi bien. Je vais écrire une lettre et des ordonnances tout de suite. Vous prenez le bateau de 13 heures, je suppose, le *Liburnija* ?

Le *Liburnija*, grand navire blanc de la compagnie croate Jadrolinija, est la navette Dubrovnik-Korčula-Hvar-Split. Un jour dans un sens et le lendemain dans l'autre. Terry acquiesce.

— Sauf si vous le déconseillez, dit Terry.

— Non, ça va. Mais vous arriverez à 17 heures à Stari Grad. Vous ne pourrez pas aller à la polyclinique avant le lendemain. À moins que je ne demande qu'une ambulance vous attende à l'arrivée du bateau et qu'elle vous conduise aussitôt là-haut.

— Là-haut?

— Oui, la polyclinique est située sur une colline au-dessus de la ville de Hvar, de l'autre côté de l'île.

— C'est loin?

— Non, mais c'est très escarpé. Comme ici, en somme. Le transport prendra une grosse demi-heure.

Joséphine réfléchit. Ils ont rendez-vous avec Stjepan à 18 heures. Elle ne veut pas laisser le jeune homme les attendre en vain.

— Ce n'est pas possible, conclut-elle d'une voix sans réplique.

— Mais si, bien sûr que si, s'énerve aussitôt Terry, qu'est-ce que tu racontes? Tu dois y aller.

Il se tourne vers le médecin.

— Commandez l'ambulance, absolument, dit-il. Et comment faire pour retenir une cabine avec couchettes dans le bateau?

— Maro ira demain matin à 6 heures, si vous le lui demandez.

— Je verrai avec lui. Alors, ajoute-t-il en tapant dans ses mains, c'est décidé.

Le médecin administre une piqûre à Joséphine, remplit des formulaires, écrit une brève lettre et signe des ordonnances.

— Je suis le docteur Stupetar, dit-il en serrant la main de Terry. Je vais téléphoner au médecin-chef de la polyclinique de Hvar demain matin, il vous recevra.

Une fois le docteur parti, Terrence s'assied au bord du lit.

— Jo, je suis sérieux. Si tu ne cesses pas ton comportement irrationnel, je te jure, je te le jure sur ta tête, je reprends l'avion pour New York. Un point, c'est tout.

Jo attrape sa main et la serre dans la sienne. Elle se sent vraiment très fatiguée.

— Qu'est-ce que je ferais sans toi?

— Ben... j'espère que tu ne t'en rends pas compte uniquement dans des moments pareils.

— Oh non... Il y a bien d'autres moments où je m'en rends compte...

Elle espère sa mine un peu lubrique, mais c'est peine perdue. Terry place le masque à oxygène sur son visage et, après l'avoir embrassée sur le front, quitte la chambre. Il pensait aller voir Maro, mais celui-ci l'attend déjà dans le couloir, sur le seuil de son appartement.

— Entrez, dit-il, venez manger du poisson. Vous en avez besoin. Yerina est effondrée à cause de ce qui est arrivé, elle est allée se coucher.

Il est plus de minuit. Terry est affamé autant que terrassé. Mais il ne veut pas mettre les pieds chez Yerina, la maîtresse du monstre dont le fils a failli noyer sa fiancée.

— Venez, Maro, allons plutôt en bas, au restaurant sur le quai. J'ai un service à vous demander.

— Mais votre dame ? s'enquiert Maro. Elle n'a pas faim ?

— Elle ne peut pas manger, la pauvre. Je vais lui faire préparer une soupe, mais je pense qu'elle va s'endormir rapidement, si ce n'est déjà fait.

Pour s'en assurer, il ouvre doucement la porte et jette un œil dans la chambre. Les volets sont clos pour empêcher que la lumière ne dérange Jo. Celle-ci s'est déjà endormie.

Terry et Maro s'installent en terrasse le long du quai, un peu à l'écart.

— *Sljivovica ?* propose aussitôt Terry.

Maro sourit de son beau sourire d'homme bon et serviable. Terry lui est aussi sympathique que lui-même est sympathique à Terry. Et dire qu'ils auraient pu aller à la pêche ensemble, tranquillement, faire griller homards, pieuvres et poissons à même les rochers, dans une de ces innombrables charmantes petites criques. Au lieu de ça, c'est la crise totale. Joséphine malade, Terrence choqué, Maro inquiet, et dupe.

— Nous partons demain par le *Liburnija*, confirme Terry. Je voudrais réserver des couchettes, car Jo doit rester allongée. Et se faire admettre à la clinique dès notre arrivée à Hvar.

— J'irai les réserver pour vous. C'est facile, il y a moins de monde à cette époque de l'année. Mais pourquoi n'allez-vous pas à Dubrovnik ? C'est plus près...

— Nous n'allons pas y retourner, explique Terry qui omet de préciser leur rendez-vous avec Stjepan à Hvar le lendemain. Jo a une mission pour l'Unesco sur l'île de Hvar, c'est même pour ça qu'on est venus, vous savez, je vous l'ai dit... C'est moi qui ai voulu faire un détour par Korčula pour participer à la course. J'en viens à le regretter. Rien de tout ça ne serait arrivé si nous avions simplement atterri à Split et étions allés à Hvar, comme c'était initialement prévu...

— La vie a ses secrets, marmonne Maro, ça devait se passer ainsi. Votre femme va se remettre et remplir sa mission pour l'Unesco. Bientôt, vous aurez oublié toutes ces péripéties. Quant à moi, j'espère surtout que la police va fermer la boutique de cet incompétent.

— Vous croyez ?

— Bien sûr. Si leur matériel est défectueux, vous rendez-vous compte des conséquences ? Yerina et moi vous avons beaucoup appréciés, et nous sommes vraiment désolés pour Joséphine. Pas de chance, vraiment, deux incidents en moins d'une semaine... Dans l'église puis sous l'eau. Vous allez haïr la Dalmatie.

Terry secoue la tête. Il ne doute pas de la sincérité des propos de Maro, mais en ce qui concerne les regrets de Yerina, évidemment... Il ne sait pas comment aborder le sujet. Il ne se résout pas à révéler à Maro ce que Jo et lui ont découvert la nuit précédente dans le souterrain. À quoi bon l'accabler davantage ?

Le serveur leur apporte les verres et prend leur commande. Pizza et salade de poulpe pour Terry, rien pour Maro. Juste de l'alcool. Sans doute trop d'alcool, comme pour beaucoup d'hommes du lieu. Il brandit son verre face à Terrence.

— Je sais, soupire-t-il, j'en bois trop. Mais j'en ai besoin, de cette *sljivovica*, ça me détend...

Terrence l'écoute sans répondre, attendant de voir ce que cachent ces paroles.

— Le Stjepan, c'est un bon gars, c'est vrai, poursuit Maro. Ici, personne n'aime son père, mais lui, on l'apprécie. Il fait partie de la brigade bénévole des sauveteurs en mer, comme moi. On a déjà fait du très bon boulot ensemble.

— Quelle est la fonction de cette brigade ?

— Eh bien, les jours de tempête, les bateaux peuvent s'entre-choquer et se briser les uns contre les autres. Il faut sauter à l'eau pour les retenir, les empêcher de trop bouger.

— À mains nues ?

— Oui.

— Mais c'est dangereux !

— Oui. Il faut être fort, agile et rapide. Il faut aimer la mer et les marins. Stjepan possède tout ça. À vrai dire, j'adorerais avoir un fils comme lui. Moi, mes fils sont paresseux et intéressés uniquement par l'argent facile et les gadgets électroniques de toute sorte. Ils se foutent totalement de la mer. D'ailleurs, ils ne veulent pas vivre ici. Dès qu'ils le pourront, ils ficheront le camp ailleurs, en Allemagne, je pense. Ça fait deux siècles que les Croates partent vivre en Allemagne ou en Autriche. Même depuis la fin de l'empire austro-hongrois, il en est toujours ainsi.

Terry se gratte la joue, les sourcils haussés. Il le comprend cinq sur cinq. Les adolescents du monde entier forment aujourd'hui un ensemble unique et uniforme. Ils semblent nivelés et formatés par une culture planétaire en expansion, suffisamment réduite et vulgarisée, libérée de toute aspérité. L'élimination de tout effort pour y accéder conduit fatalement à y renoncer. La culture ne sert à rien, disent-ils. À quoi servent l'histoire, la littérature, les sciences humaines ? Du moment qu'on sait lire et compter, ça suffit bien pour avoir un boulot qui lui-même suffit bien pour s'acheter «des trucs», interchangeables, jetables et rachetables à l'infini. Joséphine les appelle «les enfants hors-sol» en référence aux tomates cultivées hors de terre comme si elles n'avaient aucune origine contrôlée. Quitte à se faire reprocher un certain atavisme français, elle s'obstine à revendiquer l'AOC[14] pour les produits comme pour les humains. Régulièrement, elle se désole qu'en Amérique du Nord, autant aux États-Unis qu'au Canada, on n'étudie pas, ou trop peu, l'histoire et la géographie, repoussant d'autant l'ouverture à l'altérité. «Si tu ne sais pas d'où tu viens, tu ne sais pas où tu vas, répète-t-elle. Et tu es condamné à croire ce qu'on te dit. C'est la meilleure garantie pour se laisser entraîner

---

14. Appellation d'origine contrôlée.

dans les extrémismes de tout genre.» Terrence ne sait que trop combien elle a raison. Lui-même s'attriste de n'être pas parvenu à transmettre à June ses passions culturelles et artistiques, du moins pas encore. Mais il s'obstine. Essaie d'éveiller la curiosité de sa fille en lui offrant des livres et en l'entraînant à la découverte du monde et des autres, ces autres humains sans lesquels on n'existe pas. Loin, très loin, des principes autosuffisants américains. Loin, aussi, voire carrément à l'opposé, des principes éducatifs de Lucy.

— Dites-moi, dit-il, je voulais vous demander, justement... La mère de Stjepan, vous la connaissez?

Le serveur apporte la pizza de Terrence qui commande deux autres *sljivovica*.

— Servez-vous, il y a en a beaucoup.

— Non merci, décline Maro, je n'ai vraiment pas faim.

Il regarde un moment Terry manger puis se résout à répondre à sa question. Délicate.

— Il n'a pas de mère. Elle est morte, dit-on, à sa naissance. C'est du moins ce que m'a dit ma femme, qui l'a appris de notre voisine. Mais, voyez-vous...

Il s'interrompt, le verre à la main. Terrence mâche posément sa bouchée sans le quitter du regard, attendant tranquillement la suite.

— Il paraît qu'elle est morte à Dubrovnik lors de l'accouchement de Stjepan. Je ne sais pas pourquoi, mais ça m'a toujours semblé louche.

Terrence continue de mastiquer, les yeux écarquillés. Il n'avait pas pensé à cela. À quoi avait-il pensé d'ailleurs? À rien de précis. Pour lui, Stjepan était son concurrent, celui qui lui avait ravi la médaille d'or dimanche. Quatre jours auparavant. Quatre jours seulement. Il s'est passé tellement de choses en si peu de temps. Il a hâte de discuter avec Jo qui en sait décidément beaucoup plus que lui. Beaucoup trop. Mais vu l'état de sa fiancée, il devra encore patienter.

— Il doit forcément y avoir un moyen de le savoir, non?

— Il faudrait vraiment que la police se penche dessus. Je suis désolé de vous dire ça comme ça, mais ce qui est arrivé donnera l'occasion à la police de mettre son nez dans les affaires du père.

Comprenez-moi bien, c'est horrible que ce soit arrivé dans de telles circonstances, mais...

— Je comprends, intervient Terry, pas de problème.

— Vous savez, cet Andros est comme un loup dans la petite bergerie qu'est ce village...

Terrence tique. Un rien xénophobes, ces propos.

— Eh bien, vous n'aimez pas les étrangers par ici, on dirait...

«Vive le panurgisme», pense Terrence avec ironie, mais il n'insiste pas. Révéler à son hôte que le loup, ou plutôt la louve, se trouve sous son toit, dort dans son lit et le trahit, il ne s'en sent pas le courage.

— Écoutez, dit-il plutôt, l'essentiel est que ma compagne aille mieux. Nous partons demain, c'est certain, mais j'irai porter plainte avant, c'est sûr. À part ça, je ne vois pas ce que nous pourrions faire de plus.

Hélant le restaurateur, Maro lui demande de leur apporter un bouillon de légumes aux vermicelles.

— Prépare-moi ça dans une casserole. Je le ferai réchauffer si la petite dame a faim.

— Vous êtes sûr? demande Terry.

— Et comment, voyons! C'est vraiment la moindre des choses que je puisse faire.

De retour dans la chambre, Terrence, rassasié et un peu éméché, écoute un moment la respiration régulière de Joséphine qui, profondément endormie, ne l'entend pas. Il se déshabille et se glisse sous les draps, se plaçant sur le bord du lit pour ne pas la perturber. Joséphine repose sur le dos, calée sur deux coussins qui maintiennent sa nuque légèrement relevée. Terrence se tourne sur le flanc et, bientôt, sombre à son tour dans un sommeil bien mérité. Il est presque 3 heures du matin. Sur le quai, les derniers convives partis, règne un épais silence.

Une heure plus tard, tout le village dort à poings fermés. Rien ne bouge, mis à part quelques chats qui s'ébattent dans les ruelles en escalier sous les rayons de lune. Une silhouette apparaît à la fenêtre de la chambre. Une main tire lentement les volets, puis le corps se faufile à l'intérieur, avec une souplesse rare pour sa carrure haute et massive. Accroupi sur le plancher, l'homme tâtonne dans le noir, retourne un à un les objets posés sur la table, le fauteuil, le rebord de la fenêtre, les recoins et même l'armoire entrebâillée. Terrence l'entend. Il entrouvre les paupières et l'observe à travers le rideau de ses cils. Il ne bouge pas, s'obligeant à respirer lentement. À deux mètres de lui, toujours au sol, l'homme, les mains dans leurs sacs de voyage, retourne à présent leurs habits, en inspectant les poches une à une. Cela dure un bon quart d'heure, une éternité semble-t-il à Terry qui bande ses muscles avec l'intention de bondir à l'instant propice. L'homme tourne la tête dans tous les sens, manifestement mécontent et anxieux. Il se relève et Terrence le reconnaît aussitôt. Andros se tient dans leur chambre, les yeux fixés sur eux, plus menaçant que jamais. « Il ne va pas nous tuer, se dit Terry pour se rassurer, ce serait idiot de faire ça. » En effet. Après un dernier regard circulaire, Andros se résout à quitter la chambre comme il s'y est introduit, par la fenêtre qui donne sur le quai. Il enjambe le rebord. Une échelle métallique grince sous son poids. « C'est décidément l'homme des échelles », pense Terrence qui ravale sa salive, attendant impatiemment qu'il s'en aille.

Andros plonge alors la main dans la poche de son pantalon, en retire un pot qu'il ouvre et jette prestement dans la chambre, avant de reprendre sa descente. Du pot s'échappe aussitôt une fumée grise à la forte odeur soufrée, suffocante. Terry bondit, attrape le pot et le jette par la fenêtre. Pris de court, Andros reste figé.

Terrence saute vers la fenêtre et pousse violemment l'échelle, qui bascule. Cramponné de toutes ses forces, Andros laisse échapper un hurlement qui s'arrête lorsque sa nuque se rompt contre le muret bordant le quai. Net.

14

Zeus est mort.

Sur la terre comme au ciel tout n'est que désolation/Ses frères Poséidon et Hadès rivalisent de puissance pour prendre la place du dieu des dieux sur l'Olympe/Poséidon déchaîne tempêtes et marées, jetant les monstres marins sur les berges et noyant jusqu'aux montagnes/Hadès secoue la terre, déverse lave et cendres, engloutit les derniers vivants dans ses Enfers, recrache les morts en une pluie de poussière d'os et de viscères desséchées/Déméter et Héra, ses sœurs, cahin-caha, appuyées l'une sur l'autre vont errant sur les plaines arides où plus rien ne pousse, folles, échevelées, gémissantes, à jamais déboussolées/Pan, le hideux fils d'Hermès et petit-fils de Zeus en perd sa flûte de Syrinx/Pétrifiés, Apollon et sa jumelle Artémis invoquent les étoiles/Nyx et ses filles les Kères, Hélios et son fils Phaeton ont abdiqué, n'assurant plus l'alternance des jours et des nuits/Athéna pleure d'une colère sourde et impuissante, pleure son père irremplaçable/Seule Aphrodite danse...

— Madame Watson-Finn?

— Excusez-moi, murmure-t-elle en entrouvrant les yeux. Je pensais à un poème ancien...

— Eh bien..., dit l'homme, étonné que l'on puisse se remémorer un poème en pareilles circonstances. Je suis le commissaire Gatin.

— Beaucoup de noms en « -in » en Croatie, j'ai remarqué...

Ou cette femme est folle, ou elle se fiche de lui, pense le commissaire arrivé sur les lieux moins d'une heure après le drame.

— Oui, madame. Depuis que l'on a enlevé le « i » final, après la fin de l'ère vénitienne.

— Ah, mais oui, forcément! Gatini alors? Petit chat...

Elle se fiche de lui, cette fois, c'est évident. La silhouette massive de l'homme, qui a à peine eu le temps de se vêtir et encore moins de se raser, se tasse un peu plus sur elle-même. Il se racle la gorge et croise ses gros bras sur son ventre rebondi.

— Je viens d'une famille de marins, objecte-t-il, irrité.

— Pourtant les chats n'aiment pas l'eau, rétorque Joséphine qui essaie de se relever sur ses coussins.

— Une famille de corsaires, pour tout vous dire.

— Police maritime en quelque sorte... Vous avez le sens de la continuité dans votre lignée, dites-moi...

— Jo, intervient Terrence, ahuri par les pitreries de sa compagne.

La situation est dramatique, et elle, elle blague.

Joséphine ne plaisante pas du tout. Elle fait diversion. Elle a enfin réussi à se redresser contre les oreillers. Elle semble avoir vieilli de quinze ans durant la nuit.

— Tu as raison, mon chéri, je suis ridicule. Excusez-moi, commissaire, mais je ne me sens pas bien du tout. À vrai dire, bien pire qu'hier. Et puis le somnifère que m'a administré le docteur Stupetar aurait endormi un cheval, mais je dois me réveiller, n'est-ce pas? Je vous jure que je fais des efforts.

— Je sais ce qui vous est arrivé, dit-il avec un air circonspect, et je ne veux pas vous déranger longtemps, mais je dois corroborer les déclarations de votre mari...

— Mon amant.

Terry lève les yeux au ciel, exaspéré. Il se trouve dans une situation plus que délicate. Homicide involontaire, c'est pas de la rigolade.

— Je vous écoute, poursuit Joséphine, redevenue sérieuse. Je répondrai au mieux.

L'homme tire une chaise à son chevet et enclenche l'enregistreur vocal de son téléphone portable.

— Racontez-moi ce qui s'est passé. Tout ce dont vous vous souvenez, en tout cas.

Joséphine grimace. Son souffle est court, ses poumons sifflent à chaque respiration et une affreuse migraine enserre ses tempes comme le feraient les tenailles d'Héphaïstos. Bientôt, elle le sent, si on ne lui donne rien à boire ni à manger, ce sera la masse du dieu forgeron qui martèlera son pauvre crâne. C'est ce qu'elle commence par annoncer, demandant à Terry d'aller lui chercher un petit déjeuner copieux.

— Pas question, s'impatiente l'officier de police. Lui, il ne bouge pas d'ici. Mais un de mes gars va vous apporter ça.

Une équipe complète s'affaire en effet dans la chambre, mains gantées, prenant des photos, des mesures, prélevant des empreintes et plaçant des objets dans des sacs hermétiques. Comme dans une série policière à la télé. Six hommes qui vont et viennent dans leur chambre, devenue aussi intime qu'un hall de gare. La situation de Joséphine, couchée à moitié nue dans le lit, n'en semble que plus incongrue. Du quai parvient un vacarme. Réveillé par le hurlement d'Andros suivi de celui de Terry, le voisinage est immédiatement accouru, Maro et Yerina en tête. Il est 7 heures à présent, et une bonne partie du village se trouve massée sous leur fenêtre. Choqués, les insulaires répondent aux questions des policiers, fument ou commentent entre eux. Leurs éclats de voix autant que les bouffées de leurs cigarettes remontent jusqu'à Joséphine. Elle aussi s'est réveillée, bien sûr, malgré le sédatif. Le cri d'Andros aurait réveillé un mort.

C'est un autre qui maintenant s'élève, plus fort que la clameur de la foule. Yerina ne se calme pas. Voilà trois heures qu'elle vocifère « *Kuku meni kuku meni kuku meni*[15] » en une plainte continue, stridente, qui doit étonner ceux qui l'entourent en plus de leur donner la chair de poule. Joséphine, elle, sait. *Héra, folle, échevelée, gémissante, à jamais déboussolée...* C'est en l'écoutant mugir que lui sont revenues les strophes du poème sur la mort allégorique de Zeus. Mourir, Zeus, l'Immortel parmi les Immortels ? Impensable. C'est donc qu'il s'agissait d'un faux Zeus. D'une fausse Héra, bien

---

15. « Malheur à moi. »

que véritable veuve désormais. Les paroles de Stjepan lui reviennent en mémoire : « Mes parents vivent au premier degré... Ils s'aiment comme des fous. » Cette passion fatale, ce simulacre mortifère, Andros l'a payé au prix fort.

Mais Joséphine, que va-t-elle pouvoir dire à présent ? Tout ? Ou rien ? Révéler ce qu'elle sait, parler de l'agence de GPA, de la femme dans le souterrain, avouer ses découvertes, trahir Ksenia et Stjepan ? Son fiancé, par sa faute, est accusé de meurtre. Laisser tomber Terry, impossible, évidemment. Et Stjepan qu'elle a envoyé à Hvar, qui ne sait pas que son père est mort, et dont l'absence va forcément paraître suspecte ? Et Maro, alors ? Si tout venait à se savoir, il tomberait de haut, lui aussi, comme Andros. Yerina est décidément une femme fatale. Et Ksenia, pauvre petite, où est-elle en ce moment ? Elle ne peut pas ne pas avoir appris la nouvelle qui s'est répandue à travers le village comme un orage d'été. Somme toute, en quoi ces turpitudes, ces jeux de dupes et ces trafics odieux la concernent-ils ? L'occasion est bienvenue, et les faits assez graves, pour qu'elle en profite afin de dire ce qu'elle sait, remette le tout entre les mains de la police et poursuive tranquillement sa vie avec son amoureux. Mais non. Non. Car si elle disait tout, elle ne saurait jamais ce qui se trame dans ce souterrain. À présent qu'elle a envoyé l'échantillon de sang trouvé à son collègue de Sarajevo, elle ne peut pas reculer. Elle veut comprendre par elle-même ; or, si la police s'en mêlait, elle lui couperait l'herbe sous le pied. Et Joséphine en aiderait d'autant plus Terry à se tirer d'affaire.

— Nous devons prendre le bateau pour Hvar, dit-elle finalement au commissaire Gatin qui, assis auprès d'elle, attend ses confidences.

— C'est hors de question ! explose celui-ci. Un homme est mort, madame, vous ne semblez pas bien saisir. Je sais que vous êtes sonnée, mais là... D'ailleurs, il paraît que vous avez failli vous noyer, hier ? Racontez-moi ce qu'il en est exactement.

— Je commence par où ?

— Par où vous voulez. J'ai tout mon temps, pensez donc...

Terry intervient, soucieux :

— Raconte ton accident d'abord, ma chérie...

— Monsieur Mead, coupe le policier. J'aimerais que vous sortiez d'ici. Je veux parler seul à seul avec madame.

Et voilà. C'était couru d'avance. Elle ne pourra pas se concerter avec Terry. Elle se résout à parler comme on amorce une partie de poker.

Plongeant son regard bleu dans celui, sombre, du commissaire, elle affirme ne rien savoir. Il est exact qu'elle a survécu à un grave accident de plongée. Son tuyau d'oxygène s'est décroché. Le jeune moniteur l'a sauvée in extremis. Oui, Maro et Terrence sont venus les chercher. Maro est rentré seul, et Stjepan, avec eux. Ils l'ont laissé sur le parking, à l'entrée du village. Au départ, elle ne savait pas qu'il était le fils du mort. Elle les a vus ensemble une seule fois, le jour de la régate de planche à voile. Mais ça ne l'étonne pas qu'il fût son fils, car Andros semblait préoccupé de lui puis fier de sa victoire. Oui, Stjepan lui a dit qu'il était son fils, mais plus tard, pendant qu'ils roulaient vers le site de plongée. Pourquoi là, elle n'en sait rien, elle ne connaît pas la région, voyons. C'est lui qui a choisi l'emplacement, après s'être assuré qu'elle était une plongeuse expérimentée. Ils sont allés dans des grottes sous-marines, ça a été un moment fabuleux. Elle ne le regrette pas. Elle est vivante, alors, tout va bien, elle va finir par se remettre, mais oui, le médecin l'a prévenue qu'elle devait être vigilante et faire des examens. Elle raconte ce qui était prévu avec la polyclinique de Hvar. Eh bien, tant pis, ils iront à Hvar lorsqu'ils le pourront. En attendant, elle fera une prise de sang à Korčula, ce sera toujours ça. Non, elle ne connaissait pas du tout la Croatie, elle doit faire une expertise à Hvar, et, bien sûr, son chef de l'Unesco, monsieur Charles Trubert, pourra le confirmer. Pourquoi cela lui aurait-il paru bizarre que Stjepan s'en aille ? La veille au soir, ils se sont quittés en bons termes, absolument, et chacun est parti de son côté. Non, elle ne veut pas porter plainte contre Stjepan. Ah ? Terry veut le faire ? Bien, mais c'est elle qui a plongé, alors il ne peut porter plainte à sa place, de toute façon. Et elle ne portera pas plainte, refus catégorique. Elle veut juste partir le plus tôt possible pour Hvar, se soigner, récupérer, faire son travail et rentrer chez elle, à Montréal. À Montréal, oui, elle va lui donner ses coordonnées professionnelles. Oui, titulaire de la chaire d'archéologie de l'Université McGill, il pourra vérifier sans problème. De nationalité française et britannique, exactement, mais elle vit à Montréal depuis quatre ans. Non, Terry, lui, habite New York et il enseigne au département de littérature de l'Université Columbia. Terry, violent? Comment ça, violent? Jamais de la vie! Au contraire, c'est plutôt elle, l'énervée du couple! Et comment est arrivé ce tragique accident, elle ne le sait pas. Mais ce ne peut être qu'un accident. Cette fois, elle n'a pas besoin d'omettre des pans entiers de ce qu'elle a découvert au cours des derniers jours, car elle dormait vraiment quand Andros est entré par effraction dans leur chambre. Elle ignore véritablement pourquoi l'homme a voulu s'y introduire pendant leur sommeil. Pour voler sans doute. Il était richissime, d'accord. Ça paraît donc farfelu qu'il ait voulu les voler, mais pourquoi alors? Elle ne sait pas. Andros a retourné toutes leurs affaires, voyez vous-même, montre-t-elle. Bon, au moins il a laissé ses empreintes partout. Un pot? Non, elle n'a rien senti. Elle a été arrachée à son sommeil par l'horrible cri d'Andros suivi de celui de Terrence. Évidemment que son fiancé est choqué, on le serait à moins! Il a dû vouloir se défendre, la défendre, les défendre, voilà, c'est certain, il veut toujours la protéger. Elle ne voit aucune autre raison pour qu'il ait poussé l'échelle. Il n'a jamais voulu tuer Andros, elle en mettrait sa main à couper. Il a juste voulu défendre leur vie. Ah, c'est ce qu'il a dit lui-même? Eh bien, vous voyez, commissaire, s'il l'a dit, c'est que c'est ça. Légitime défense, bien sûr, sans l'ombre d'un doute. Vous réagiriez comment si un agresseur rentrait chez vous par la fenêtre? Ça n'a aucun sens, voyons! Comment Terrence aurait-il pu vouloir tuer le père du guide qui a failli noyer Jo? Ce n'est pas lui qui s'est introduit chez Andros, mais l'inverse, c'est Andros l'agresseur et eux les agressés, quelqu'un en douterait-il? Andros Teokarides? Ah bon, il s'appelait ainsi? Teokarides, «à la grâce de Dieu», joli nom. Pas mal pour quelqu'un qui se prenait pour Zeus, pense-t-elle aussitôt. Quoi? Il a cherché à les droguer en plus? Le pot contenait de la drogue, le contenu a déjà été analysé? Quelle drogue? Ah bon, c'est une substance connue par ici... Un puissant concentré d'herbes locales analgésiques mélangées à du formol, utilisé pour éloigner les *poskok*, ces redoutables serpents à damier gris et noirs qui vivent dans les arbres et sautent au cou de leurs victimes, terrorisant cette côte adriatique depuis toujours, car leur poison fulgurant paralyse et provoque un arrêt cardiaque en moins d'une demi-heure... *Poskok*? Elle retiendra ce nom. Mais pourquoi les droguer avec cette substance?

Elle ne dit pas, évidemment, que cette même substance l'a déjà intoxiquée dans l'église Saint-Pierre... La même substance, elle le comprend soudain, évidemment sans rien en dire au policier, qui a corrodé la peau fragile de ses mains. Il y a donc du venin dans le liquide sanguinolent du tonneau dans le souterrain, à côté de la cellule de la Pythie, laquelle Pythie, dans l'Antiquité, buvait un liquide hallucinogène qui modifiait son état de conscience et la rendait clairvoyante. Tiens donc...

Andros aurait-il introduit un *poskok* dans leur chambre? Fiou, heureusement que non! Pas de serpent mais un répulsif à serpents toxique. Pourquoi, elle ne le sait pas, mais ce n'est franchement pas banal comme séjour touristique. Ça pourrait nuire gravement à l'attrait de Korčula, si ça venait à s'ébruiter.

À elle de poser une question. Combien de temps seront-ils confinés dans l'île? Deux ou trois jours encore? Elle espère que les analyses prendront moins de temps. Et non, encore une fois, elle ne sait pas où est Stjepan. Il est l'unique héritier d'Andros? D'accord, c'est logique puisqu'il est son fils, mais comment pourrait-elle savoir où il est parti? La mère de Stjepan est morte et son père ne s'est jamais marié? D'accord, mais en quoi cela certifierait-il qu'il est son seul enfant? Sans doute Stjepan reviendra-t-il, il est forcément dans le coin, une petite amie peut-être? Quant à Terrence, il est en fâcheuse posture, c'est certain, mais de là à appeler le consulat des États-Unis, c'est à lui de prendre cette décision. Pourra-t-elle voir son fiancé avant qu'il ne l'emmène au poste de police? Non. Soit. C'est pour une déposition, c'est la procédure habituelle, parfait. Le commissaire Gatin se montre vraiment compréhensif, elle le remercie. Terrence la rejoindra peut-être plus tard, selon la décision du juge, parfait. Bien sûr, le policier peut prendre son cellulaire et le faire analyser. Elle tient vraiment à lui répéter combien elle est désolée, et choquée, mais elle n'en sait pas plus.

Comme le commissaire Gatin fait mine de se lever, Joséphine ajoute:

— Je suis désolée pour les habitants de Korčula. Ça doit être horrible pour vous tous.

Le commissaire Gatin se lève sans réagir comme s'il ne l'avait pas entendue. Il ne paraît pas affecté. Au mieux, il semble indifférent. Au pire, soulagé.

Terrence ne revient pas avant la nuit. Après une déposition au poste de police, il a comparu devant le juge de l'île de Korčula, répétant inlassablement son histoire. Preuve incontestable de leur solidarité, Terrence et Joséphine ont chacun livré une version similaire de l'événement sans s'être concertés. De toute façon, lui ne sait véritablement rien de ce qui est arrivé avant ni pendant la plongée. Il ne sait toujours rien des relations entre Ksenia et Andros, rien du trafic d'enfants nés de mères porteuses préparées dans le souterrain de la maison de Marco Polo, fécondées rituellement dans l'église Saint-Pierre le 15 novembre, puis violées et gardées sur l'île de Mljet jusqu'à leur accouchement sous X le 15 août. Mais il était dans le souterrain avec sa fiancée. Il aurait pu révéler ce qu'il y a vu et entendu. Il aurait pu raconter que sa fiancée a organisé la fuite de Stjepan vers Hvar, bien qu'il ne sache pas que le jeune homme a voulu la tuer. Il en sait trop ou pas assez, et à cause de qui ? À cause de l'aventureuse Joséphine Watson-Finn qui les entraînés dans cette situation rocambolesque. Il est furieux, évidemment, mais à ce stade, il se sait acculé à s'enfoncer un peu plus dans le mensonge par omission. Tout dire aurait équivalu à trahir Joséphine, voire tout bonnement à l'accuser de complicité. Du coup, en ne révélant rien, il est devenu complice à son tour. Mais avait-il le choix ?

Au cours du long interrogatoire, Terrence s'est donc concentré sur l'agression de la nuit, d'autant qu'il était seul à pouvoir en raconter les détails : il a raconté l'intrusion d'Andros par la fenêtre, la fouille, bruyante, de leurs affaires – fouille qui n'aurait pas manqué de réveiller Jo si elle n'avait été artificiellement endormie. Il a expliqué comment il s'était résolu, par prudence, à ne pas bouger et à attendre que l'agresseur reparte comme il était venu, résolution intenable dès lors que l'intrus a jeté le pot de substance toxique dans la pièce. Mû par un réflexe de protection, Terry a bondi hors du lit. Au commissaire Gatin puis à la juge, il a dit ce que Joséphine évidemment ne savait pas : qu'Andros, le voyant surgir et jeter le pot par la fenêtre, a rebroussé chemin, hors de lui, remontant à toute allure les barreaux pour s'en prendre à lui. C'est à ce moment-là que l'instinct de survie lui a dicté de réagir en poussant l'échelle, entraînant la chute mortelle d'Andros. « L'enquête en cours confirmera sans doute vos dires, lui a laissé entendre la juge, mais cela prendra quelques jours, pendant lesquels je vous demande de rester à notre disposition, madame Watson-Finn et vous. » Et puis elle lui a proposé d'appeler le consulat des États-Unis, comme elle est tenue de le faire, mais Terrence a décliné l'offre. Il est suspect mais pas encore accusé. Il n'a donc pas besoin d'avocat, pour l'instant du moins.

Dans leur chambre, il constate que Joséphine dort, branchée à la bouteille d'oxygène, le souffle court sous les draps frais. Dans la pénombre éclairée par la lune presque pleine, elle semble si frêle, vaincue par l'épuisement, les mains de nouveau bandées. Le désordre laissé par l'intervention policière a été rangé, par Maro sans doute. Ni Jo ni Terry ne veulent plus avoir affaire à Yerina, pas même de loin, encore moins de près. Tout en se déshabillant, il constate à quel point l'anxiété l'a raidi. Il se sent perclus de douleurs diffuses qui assaillent ses muscles et ses articulations. Dire qu'une semaine auparavant, lui et Joséphine débarquaient en Dalmatie pour se reposer, éblouis par le bleu indéfinissable de l'Adriatique et la beauté incomparable des îles et des vestiges historiques... Les voici à présent lessivés, en plus de se trouver coincés au cœur d'un drame aussi sûrement qu'une souris imprudente dans un piège insoupçonné. Seul dans la nuit, Terrence tente de retrouver son calme, relâchant la tension accumulée. Il lui semble que chaque centimètre carré des murs de la chambre, sinon de la maison, est tapissé de dangers. Chaque seconde qui passe pourrait voir des fantômes surgir de la pierre et se jeter sur lui. Un policier se trouve désormais posté devant la maison de leurs hôtes, Maro et Yerina Arkulin, mais cela ne le rassure qu'à moitié. Puisqu'ils sont contraints d'attendre les conclusions de l'enquête, Terrence décide qu'ils déménageront dès le lendemain au Grand Hôtel de Korčula, là où ils auraient dû s'installer dès le premier jour. Si Joséphine, une fois de plus, n'avait jugé « si charmant et romantique de descendre dans cette maison centenaire attenante à celle de Marco Polo », eh bien... peut-être que rien ne serait arrivé.

Il se glisse sous les draps et se blottit contre sa mie. La chaleur de son corps la réveille.

— Je t'attendais, murmure-t-elle en serrant fort sa main contre son ventre, je me suis endormie malgré moi. Alors c'est fini ?

— Presque. Il nous faut rester ici jusqu'aux résultats de l'enquête, nous ne pouvons pas partir pour Hvar tout de suite.

— Je le sais.

— Mais on va s'en aller d'ici.

— On va aller à l'hôtel, n'est-ce pas ? Tu as raison. C'est la meilleure chose à faire.

Terry lâche sa main, exaspéré.

— Tu te fous de ma gueule, là.

— Mon amour, je suis vraiment désolée, murmure Jo.

— Tu nous as fichus dans la merde, Joséphine ! Quelle propension à s'attirer des ennuis, c'est insensé ! Est-ce que tu comprends que nous sommes complices ? Complices ! Ça te dit quelque chose ?

— Je sais... Mais je n'ai pas choisi de faire advenir tous ces événements.

— Mais tu as choisi de t'impliquer. Et moi, comme le roi des imbéciles, je t'ai suivie. Je n'ai rien dit, évidemment, et puis je ne sais rien, en vérité ! Tu ne m'as rien expliqué, je te rappelle. Tu me prends vraiment pour une marionnette. Veux-tu que je te dise ? Tu ne vaux pas mieux que Yerina, en fait...

Joséphine se redresse sous l'attaque, grimaçant pour parvenir à s'asseoir dans le lit. Terry a raison. Elle doit tout lui dire. Tout ou presque. Dans la nuit épaisse et silencieuse comme une boule de coton asphyxiante, elle se met à parler. Posément et dans l'ordre, elle raconte tout ce qu'elle sait. Tout, sauf une chose qu'elle sait ne pas pouvoir faire avaler à son fiancé : le fait que Stjepan ait cherché à la tuer dans l'eau. Terrence, assis à ses côtés dans le lit, l'écoute, abasourdi.

— J'ai toujours été révulsé par la gestation pour autrui, tu le sais. On a beau m'expliquer, je n'y parviens pas, c'est ainsi, on a tous nos limites. Mais là, dans ces conditions-ci, c'est... c'est... immonde.

— Bof..., soupire Joséphine non sans cynisme. Tu parles de limites, mais veux-tu me dire où sont les limites dans le monde actuel ? Trafics d'êtres humains, d'organes, de fœtus, de bébés, de prostitués, d'esclaves autant que trafics de stupéfiants et d'armes, j'en passe et des meilleurs. Bouffées délirantes religieuses, détournements des principes fondateurs de la démocratie, hypocrisie planétaire. Les glaciers fondent, les têtes volent, près de vingt pour cent de la planète meurt de faim et de pollution, tandis que les autres meurent d'obésité tout en cultivant des toits verts... Je ne sais pas si c'est l'âge, mais jamais de ma vie je n'ai été aussi désespérée par l'état du monde. Alors, un trafic de nourrissons nés de mères porteuses vierges, maltraitées mais bien payées... Bof, c'est presque banal.

— Ne dis pas ça ! Voyons ! Est-ce que l'argent peut tout payer ?

— Terry ? Sors de tes livres, mon bel amour. *Wall Street : l'argent ne dort jamais*. L'argent paie tout, depuis toujours. Le pire et le meilleur. Je suis bien payée pour le savoir et l'enseigner, justement.

— Mais là, reprend-il en soupirant à son tour, si je comprends bien, Yerina a perdu son amant et partenaire de ce trafic ?

— Oui. Et je ne crois pas qu'elle soit étrangère à l'agression de cette nuit.

— Oui, eh bien... c'est pire que ce que tu penses.

Joséphine se tourne vers lui, les yeux écarquillés. C'est au tour de Terry de faire des révélations.

— Pendant que j'étais au poste, un policier est entré pour dire quelque chose d'urgent au commissaire Gatin. Il est sorti précipitamment et quand il est revenu, une heure après, il m'a dit textuellement : « Ça va mal pour Maro Arkulin, son assistante a été retrouvé noyée. Son corps a été rejeté sur la plage près du quai où a eu lieu la course. »

— Ksenia ? s'écrit Joséphine qui porte aussitôt les mains à sa bouche.

Elle se recroqueville dans le lit comme si elle venait de recevoir un coup au bas-ventre. Ils se taisent pendant un long moment, conscients d'être désormais mêlés à deux meurtres, dont ce dernier par omission. Que Yerina ne puisse être étrangère à ces histoires, ils n'en doutent ni l'un ni l'autre.

— Et Stjepan est revenu, annonce Terrence. Il est au poste de police en ce moment.

Joséphine accuse le coup et se tourne lentement vers son fiancé, l'effort lui arrachant d'involontaires grimaces.

— Il dit avoir entendu la nouvelle à la télévision ce matin, explique Terry. Il était descendu à l'hôtel Palace de Hvar, d'après ce que j'ai compris.

— Ça lui fait un alibi pour les deux morts, murmure Jo, c'est au moins ça. Mais a-t-il dit que c'est nous qui l'avions conduit au bateau de Vela Luka ?

— Comment pourrais-je le savoir ? Je ne lui ai pas parlé, tu penses bien... Mais pourquoi veux-tu couvrir ce garçon ? Andros et Ksenia morts, tout revient à Yerina et à son fils secret, il me semble.

— Il n'a rien à voir avec tout ça, dit Jo en secouant la tête. Tu vois bien ? Ksenia est morte quand ?

— Hier après-midi apparemment.

— Donc pendant que Stjepan et moi faisions de la plongée. Et il était à Hvar pendant que son père s'est attaqué à nous. Ça le met hors de cause.

— Mais il pourrait en profiter pour tout raconter à la police maintenant. Il n'y a que lui qui puisse le faire. Ça ferait notre affaire.

— Il ne sait rien à propos du souterrain. Enfin, je ne crois pas...

— Qu'est-ce que tu en sais ? S'il avoue tout, ça le disculpe, mais s'il ne dit rien, c'est qu'il veut protéger sa mère et reprendre le commerce de bébés avec elle. Et la Pythie, en plus ? Qu'est-ce qu'elle fait là ? Non. Jo, non ! Je ne veux plus cautionner tout ça. Il faut appeler Gatin et tout lui dire. Maintenant.

Joséphine l'entend mais ne réagit pas. Elle se rend compte qu'ils ne peuvent plus se sortir de cette histoire, faute de l'avoir fait plus tôt. Que n'a-t-elle été directement à la police ? Si elle l'avait fait, au lieu de vouloir mener l'enquête seule, la naïade blonde serait encore en vie.

— Terry, annonce-t-elle, j'ai envoyé ton tee-shirt avec le sang trouvé près du tonneau d'or.

— Quoi ? Et tu comptais me le dire quand, au juste ?

— Maintenant. Je te le dis maintenant. Je voulais le faire avant, mais ça n'a pas été possible.

— Tu l'as envoyé à qui ?

— Eh bien, justement, j'allais te le dire. Je l'ai expédié hier matin à un collègue de l'Université de Sarajevo pour qu'il le fasse analyser. Je voulais comprendre par moi-même. Alors, tu vois, maintenant, on est cuits. On ne peut plus faire marche arrière.

Disant cela, elle se cale à grand peine contre les coussins trop mous. Une infirmière est venue dans l'après-midi prendre des échantillons de sang et d'urine, puis le médecin est repassé, pour vérifier sa tension et l'examiner. Elle va mieux, cliniquement parlant, pourtant elle se sent comme si on l'avait rouée de coups. Sa poitrine en particulier ne lui laisse pas de répit. Sans les analgésiques, la douleur lancinante serait insupportable. Rien de cela n'est comparable, cependant, à l'hébétement douloureux dans lequel elle se sent progressivement plonger depuis qu'elle a appris la mort de Ksenia. Un meurtre, sans doute, pour l'empêcher d'en révéler davantage encore. Le beau visage de la jeune femme, son corps élancé, son regard vert pailleté d'or dansent devant ses yeux. Joséphine se sent atrocement coupable. Si elle ne s'était pas précipitée dans ce souterrain, compromettant au passage la jeune fille, celle-ci serait encore en vie. Mais qui a bien pu la tuer ? Andros, dans un geste ultime de sacrifice concédé à Yerina, ou bien Yerina elle-même ?

À ses côtés, Terrence est livide.

— Tu dis que je vis dans les livres, Joséphine, mais toi, tu vis dans un monde mythique. Qu'est-ce que tu cherches à faire au juste ? On est dans la mouise jusqu'au cou.

— Ksenia morte, dit Joséphine comme si elle ne l'avait pas entendu, je suis extrêmement inquiète pour Stjepan. Quoi qu'il arrive, il ne faut pas laisser ce garçon seul.

Cette fois, Terrence rejette les draps avec fureur et se lève.

— Écoute-moi bien, Watson-Finn, ça va faire maintenant, vu ? J'espère vraiment beaucoup que ce Stjepan va parler et tout dire à la police, que sa folle de mère va être arrêtée, le souterrain, ouvert et vidé, et que nous n'allons plus jamais, jamais entendre parler de l'île de Korčula.

Terrence se laisse tomber dans son fauteuil, le regard perdu par la fenêtre entrouverte.

— Yerina n'est pas femme à jouer la mère consolatrice ni la veuve éplorée, dit-elle enfin, après un long silence. D'ailleurs, Héra n'a jamais protégé ses enfants. Pas plus Héphaïstos qu'Arès, et de surcroît elle a impitoyablement cherché à tuer les enfants illégitimes de son époux infidèle. Exactement comme Yerina a détruit Stjepan et obligé Andros à convaincre Ksenia de donner leur enfant. À part qu'ici, c'est elle l'infidèle mais infidèle à qui au juste ? Stjepan est né avant qu'elle ne rencontre Maro, c'est donc comme si son mariage officiel n'était qu'une couverture. Peut-être qu'elle aimait vraiment deux hommes. Peut-être qu'elle a trouvé un équilibre ainsi. Peut-être qu'elle voulait posséder un domaine et y vivre avec Andros puis qu'elle a changé d'avis en cours de route. En tout cas, elle a imposé à Andros de la partager avec Maro. Seulement, Andros est vraiment tombé amoureux à son tour. En bonne Héra, elle n'a pas supporté de perdre le contrôle. Ksenia en a payé le prix.

— OK, professeur Watson-Finn, vous me donnez un cours de mythologie ? C'est passionnant, mais je m'en fous !

Jo ne relève pas. Elle continue, imperturbable, entraînée par sa réflexion :

— Elle aurait dû se souvenir qu'Héra ne parvient jamais à ses fins. Héra incarne la figure, très complexe, de l'épouse bafouée et frustrée. Fille mère, elle trouve sa légitimité dans son mariage avec son frère Zeus. Lui aussi a besoin d'un statut pour pouvoir mener à sa guise sa vie personnelle, égoïste et dissolue.

Renfrogné, Terrence l'écoute quand même. Jo veut en venir quelque part, alors, une fois encore, il la suit.

— Les mâles grecs vivaient ainsi, non ? remarque-t-il. Leurs femmes n'étaient en fait que des utérus, mais leurs préférences amoureuses et sexuelles allaient aux jeunes éphèbes, je me trompe ?

— Tu ne te trompes pas. Mais Héra est androgyne. On l'a toujours représentée grande, masculine, musclée, sans seins. Le couple olympien formé par Zeus et Héra représente le couple parental modèle, mais c'est une façade destinée à sauver les apparences auprès de la bonne société bourgeoise incarnée par les habitants de l'Olympe. Zeus et Héra s'érigent en parangon du couple bien sous tous rapports dont les drames, l'infidélité, les dissimulations, la rivalité et les vengeances constituent pourtant la seule vérité, secrète et fatale pour les autres. Le modèle de la famille centrale de l'Olympe n'est qu'ambiguïté et faux-semblants, c'est cela que les Grecs anciens, qui avaient créé les dieux à leur image, nous ont légué comme référence, et celle-ci imprègne inexorablement notre inconscient collectif, malgré les beaux discours et les institutions, notamment celles du mariage et de la famille, que nous avons établies comme autant de garde-fous. Il y a une terrible hypocrisie là-dedans, et encore plus maintenant que l'Occident, depuis la fin du XIXᵉ siècle, glorifie le mariage par amour. Une mystification supplémentaire. Jamais auparavant dans l'histoire de l'humanité, le contrat social et financier qu'est le mariage et l'amour n'avaient été confondus. Les sociétés occidentales sont les seules à entretenir cette idée. Nos mythes fondateurs, eux, disent exactement l'inverse. Héra forme avec Zeus une famille recomposée d'ailleurs, la première du genre.

— Ah oui ?

— Mais oui. Lorsqu'ils se marient, Zeus et Héra ont chacun un enfant : Héra a son fils Héphaïstos dont on ne connaît pas le géniteur, et Zeus, sa fille Athéna, dont il a avalé la mère, Métis, dès qu'il a su qu'elle était enceinte. Il l'a littéralement gobée comme une mouche, avec l'idée de mettre un terme à cette grossesse imprévue. C'est raconté dans les écrits d'Eschyle. Mais Athéna grandit dans sa tête et Zeus est enceint du crâne, ce qui explique que neuf mois plus tard, il « accouche » d'elle par la tête, d'où elle sort casquée. Enfin bref... Pauvre Athéna, et pauvre Héphaïstos. Zeus a tellement d'autres enfants hors mariage, qu'il dissimule pour que sa respectabilité ne soit jamais remise en question. Héra, elle, devient une mégère acariâtre, aveuglément jalouse et vengeresse, une vraie caricature imaginée par la gent de la Grèce antique. Le seul enfant qu'Héra et Zeus auront ensemble est Arès, censé asseoir leur mariage. Ils l'instrumentalisent en réalité.

— Fiou... C'est décoiffant, marmonne Terry. On devrait nous apprendre ça à l'école plutôt que de nous raconter des fadaises sur les dieux, et présenter les mythes comme de petites histoires sans importance.

Jo réfléchit. Enseigne-t-elle la mythologie comme d'insignifiantes historiettes ? Certainement pas. Mais ses élèves sont au deuxième ou troisième cycle à l'université. Ils sont prêts à entendre toutes les dimensions cachées des mythes et leurs échos profonds. Ce n'est pas du tout le cas du grand public, qui n'en voit pas l'intérêt. Une fois de plus, elle en tire une de ses conclusions favorites :

— Les gens préfèrent croire que savoir. C'est tellement plus facile d'acquiescer à ce qu'on dit plutôt que de s'informer et réfléchir. Le problème, c'est que partout, depuis toujours et, je dirais, de plus en plus, ceux qui savent en profitent pour exercer leur pouvoir et en tirer profit, poussant les ignorants dans leur besoin de croyance.

Terrence, lèvres pincées, approuve. Il suffit, hélas, de regarder un journal télévisé pour le constater.

— Toujours est-il, poursuit Joséphine, désormais en forme, car dans son élément, que Héra personnifie la figure de la fille mère fautive que son frère magnanime, dieu des dieux puissant et grand seigneur, sauve de l'infamie, bien qu'en vérité il enferme Héphaïstos sous la terre, dans un volcan, pour que nul ne sache qu'il est le beau-père d'un bâtard, difforme qui plus est. Héra incarne aussi la figure de la mauvaise mère, négligeant son fils légitime Arès, et de la mauvaise épouse, jalouse, méchante, ourdissant sans relâche ses basses vengeances, inefficaces parce qu'Aphrodite, indifférente à ces duperies, en profite pour la ridiculiser, s'amuse beaucoup à la faire enrager et à contrer ses plans... Bref, une Héra pathétique et impuissante, qui se croit puissante. Voilà le modèle de la belle et grande famille selon les Grecs anciens.

Est-ce pour cela que Joséphine refuse de l'épouser ? Et fait-elle allusion, à travers son analyse détournée, à la famille établie qu'il formait avec Lucy ? Terry préfère éluder ces questions.

— Et les Romains alors ?

— Hum, c'est pas exactement la même chose, répond Jo. Les Romains sont beaucoup plus normatifs, il n'y a pas de correspondance exacte entre les panthéons grec et romain, mais c'est une autre histoire...

— En tout cas, si je comprends bien, les Grecs avaient mis en scène les drames obscurs dont la famille est le théâtre ?

— Exactement. Ce ne sont pas les Grecs d'ailleurs, puisque leur panthéon vient du panthéon mésopotamien, mais, bref, je veux en venir à ce qui s'est joué ici. Yerina, telle Héra, forme un couple parfaitement respectable avec un homme honnête dont elle a deux enfants légitimes, ce qui constitue une impeccable façade pour la société grégaire et catholique de cette île...

— Fermée sur elle-même pour ne pas dire xénophobe...

— Bien sûr, ça va de soi. Mais Yerina a également conclu une sorte de mariage morganatique avec Andros, union secrète et enténébrée par les circonstances dans lesquelles elle s'est formée il y a plus de vingt ans, autant que par les affaires lucratives mais occultes et glauques qu'ils conduisent ensemble depuis lors. Andros et Yerina ont un fils en commun, Stjepan, qu'ils instrumentalisent autant que Zeus et Héra, Arès. Jusqu'à récemment, c'est Héra qui menait le jeu quand tout à coup, patatras! Zeus-Andros tombe amoureux, vraiment amoureux, au point de remettre en question son union avec Yerina et leur projet de fuite. Il veut refaire sa vie avec Ksenia et leur enfant, un comble! C'est comme si Zeus tombait amoureux d'une nymphe, une naïade de son frère Poséidon, et qu'il abandonnait Héra et l'Olympe pour refaire sa vie. Impossible à accepter par Héra-Yerina. En fait, Andros s'est offert un *bis repetita* avec Ksenia: il s'est vu revivre exactement la même histoire d'amour que jadis avec Yerina, c'est comme s'il redevenait jeune tout à coup. Alors Yerina, conformément à Héra, s'est vengée, exigeant réparation, rupture avec Ksenia, abandon de l'enfant, retour aux fondamentaux de leur union secrète. Tout ça va immanquablement lui retomber dessus. Une seule personne ici est au courant de ce couple secret ainsi que pour Ksenia et le domaine de Paros: Stjepan. Andros et Ksenia morts, Yerina va chercher à éliminer Stjepan, ça me semble logique. Sans compter qu'il sait peut-être pour le trafic d'enfants et la Pythie.

— Mais que fait cette femme dans ce souterrain, à la fin?

— Elle s'entretient avec Apollon.

— J'ai compris ça, mais ça n'a aucun sens!

— Sans doute que si, bien que nous ignorions lequel... Andros et Yerina ne jouaient pas à Zeus et Héra juste comme ça, pour le plaisir, je ne crois pas. Je suis certaine qu'ils ne pouvaient pas non plus mener un tel trafic tous seuls. Yerina était responsable des recrutements des mères porteuses, et Andros de leur surveillance dans l'île. Mais ça ne peut pas s'arrêter là. Il y a forcément autre chose, après. Où vont ces bébés? Qui s'en occupe et comment? Ksenia m'a répété ce que la mère porteuse lui a révélé dans l'île de Mljet : ils étaient treize officiants dans l'église Saint-Pierre. Eh bien, ils sont au moins treize, quinze avec Yerina et Andros, à être impliqués dans ce trafic... Mais ils sont forcément beaucoup plus nombreux.

— Beaucoup plus nombreux à faire quoi ?

Joséphine hausse les épaules pour indiquer qu'elle ne sait pas. Pas encore. Le silence retombe entre eux.

— Nous en saurons peut-être plus, reprend Joséphine, avec les résultats des analyses du liquide trouvé dans le tonneau. C'est une des clés. Le *pizdoun* est venu chercher l'échantillon dans notre chambre, j'en suis certaine.

— Je le pense aussi. J'y ai pensé toute la journée. Une fois que nous sommes sortis du souterrain, lui et Yerina ont dû remarquer que quelqu'un avait épongé le sang à côté du tonneau. Je ne sais pas comment, mais ils semblent avoir conclu que c'était nous. Et qui a tué Ksenia ?

— Andros ou Yerina, lâche-t-elle dans un souffle. Ou les deux. Qui d'autre aurait eu intérêt à l'empêcher de parler et de faire des révélations supplémentaires ? Ça me fait tellement de peine, Terry, je me sens si coupable...

— C'est Ksenia qui est venue vers toi, pas l'inverse... Mais c'est terrible, bien sûr.

— La conclusion est simple, tu vois, reprend Joséphine après un temps de réflexion. Yerina, sinistre Héra, n'a plus qu'une carte à jouer. Elle va immanquablement s'assurer que Stjepan ne représente pas un danger lui aussi. Et puis... Le policier t'a-t-il dit que le produit qu'Andros a jeté dans la chambre est un poison local utilisé pour repousser le *poskok*, le serpent venimeux de l'île ?

— Non.

— C'est le même que celui qui m'a intoxiquée à l'église. J'en sens encore l'odeur ici, et je l'ai sentie dans le souterrain près du tonneau et de l'escalier qui conduit à l'intérieur de l'église. Je suis donc sûre que ce poison se trouvait dans le sang qu'on a ramassé. C'est logique, car la Pythie en buvait à Delphes pour traduire les oracles d'Apollon.

— C'est une histoire de fous! murmure Terry. Tes mains, ça va? Tu n'en as pas parlé au médecin, en plus.

— Je n'avais pas fait le rapprochement.

— Mais c'est peut-être un produit dangereux.

— C'est fini maintenant. Trop d'heures sont passées.

— *Holy smokes!* lâche Terry. On sait tous que la mythologie est un bain de sang, mais là...

— Mais là, conclut Jo, ce n'est pas de la littérature. C'est réel. C'est ce qui arrive lorsque les humains se prennent pour des dieux.

Terrence s'est calmé, mais l'inquiétude en revanche n'a fait que croître au fur et à mesure qu'il écoutait Joséphine. Dans la pénombre, il la fixe longuement puis se lève pour l'aider à s'allonger plus confortablement. Il semble écrit que dans cette île maudite, cette noire île natale de Marco Polo, ils ne peuvent pas s'endormir avant le milieu de la nuit.

— Comment as-tu fait pour que Stjepan te confie tout ça?

Joséphine s'attendait à la question.

— Il s'est senti coupable d'avoir failli me noyer. Je pense d'ailleurs que son inattention vient du fait qu'il est profondément perturbé par tout ça. Je lui ai dit que je savais qu'Andros et Yerina étaient liés, j'y suis allée au culot, tu vois, et lui, il m'a tout raconté, comme s'il n'attendait que l'occasion de pouvoir le faire.

Elle prend la main de son fiancé et y dépose un petit baiser.

— Terry, excuse-moi, veux-tu? Je suis désolée, mais on ne peut pas reculer maintenant, on verra bien ce que diront les résultats des analyses.

— C'est ça, maugrée-t-il, on ne perd rien pour attendre.

— C'est trop tard pour Ksenia, mais j'aimerais réussir à sauver Stjepan. Ce garçon en vaut la peine, Terry. J'en suis sûre.

15

— Je suis trop sentimental. C'est terrible de constater qu'à soixante ans, je tombe encore dans ce piège. Je me pense à l'abri. Je crois encore que mon intelligence et mon expérience me protégeront, mais ce n'est pas vrai. Je me fais avoir, encore ! Et c'est toi qui vas en payer le prix.

Yerina ne bronche pas. Il lui semble être revenue un quart de siècle en arrière. Entièrement nue, chevilles enchaînées et poignets ligotés dans le dos, elle raidit le dos et rentre le ventre pour ne pas s'effondrer sous les regards dardés sur elle comme autant de flèches empoisonnées. Ils ne la violeront pas aujourd'hui. D'ailleurs en ont-ils encore la vigueur ? Comment savoir, d'ailleurs, si les douze silhouettes debout sous chacune des statues des apôtres, cagoulées de rouge et portant un tablier à damier blanc et noir estampillé d'une tour, sont celles des frères qui l'ont engrossée jadis, alors que les vestales la maintenaient fermement sur l'autel ? Selon toute vraisemblance, c'est une nouvelle génération de géniteurs qui s'acquitte à présent de ce rituel. C'est plus sûr, en vue du résultat escompté. Mais comment le savoir ? Pas plus aujourd'hui que jadis, elle ne verra leurs visages. Pas plus aujourd'hui qu'alors elle ne compte sur leur clémence. D'autant que Cronos siège parmi eux. Lui, elle le connaît, elle connaît sa voix, entendue à de si nombreuses reprises depuis des années. Elle sait très bien qui il est bien qu'elle n'ait jamais vu son visage. Ne le verra sans doute jamais. Cronos, le treizième apôtre, père de Zeus. Cronos, le Grand Maître, fondateur et dirigeant de la confrérie des Treize qui a réuni ce tribunal extraordinaire dans le secret de l'église Saint-Pierre pour la juger. La condamner. À mort, bien entendu, mais quelle mort? Telle est la question, la seule en vérité. Elle va mourir à son tour, elle le sait, elle ignore juste quel supplice lui sera infligé.

— Inexorablement, tu as entraîné mon fils vers le néant, reprend Cronos d'une voix cassée par une émotion audible. J'aurais dû le savoir. Tu n'es qu'une sombre Héra, vaniteuse et envieuse, assoiffée de pouvoir mais dénuée de l'envergure nécessaire. Tu es plus dangereuse que le plus venimeux des *poskok*. Et c'est par lui que tu périras. Mais pas comme ça, non, ce serait trop simple, trop glorieux pour toi. Mourir d'une morsure de serpent apporte la sagesse, c'est une mort digne des sages et des divinités. Digne de la grande Cléopâtre. Toi, tu n'es ni une déesse ni une reine. Tu n'as que la vile prétention de l'être alors que tu n'es qu'un hologramme scintillant d'orgueil. Tu n'as même pas idée de ce qui va t'arriver.

Mû par la rage, il se lève brusquement de son trône posé devant l'autel. Il est grand. La carrure athlétique que l'on devine sous la longue tunique rouge sang brodée de fil d'or. En trois pas, il contourne Yerina, saisit une barre de fer et d'un revers, à deux mains, frappe un grand coup au creux de ses reins. Malgré elle, Yerina laisse échapper un cri, tombe à genoux puis, perdant l'équilibre, heurte violemment la pierre du front, pieds et mains dressés comme un vulgaire poulet prêt à être rôti. Cronos attrape ses longs cheveux noirs et tirant dessus de toutes ses forces, l'oblige à se relever. Une rigole de sang s'écoule du haut de son crâne à son menton puis le long de sa maigre poitrine. Mais elle ne ferme pas les yeux. Résignée à mourir, certes, elle l'est depuis qu'elle a vu Andros sans vie sur le quai et qu'elle a appris que Ksenia était morte. « Je m'en occupe, a promis Andros lors de leur dernier rendez-vous, je vais arranger ça. » Il a donc tué Ksenia, c'est certain. C'est ce que voulait dans le fond Yerina, mais comment aurait-elle pu imaginer qu'Andros périrait lui aussi?

Cronos la frappe de nouveau dans le bas du dos, mais cette fois elle retient son cri, serrant les mâchoires à s'en briser les molaires. Il peut bien la supplicier, elle ne se soumettra pas. Elle ne détourne pas le regard. Le regard fait tout. Soufflant par le nez pour dégager le sang de ses narines, elle plante ses yeux d'encre dans ceux de Cronos, fixés sur elle au travers des deux trous de la cagoule. Son iris droit est viride, le gauche, noisette. Andros le lui avait dit, mais à présent, elle le voit. Cette hétérochromie distingue le Grand Maître de leur confrérie comme elle distingua, en son temps, le grand Alexandre. Enfant, sans doute Cronos en fut-il complexé. Jusqu'au jour où il la revendiqua comme un signe de supériorité. Car il est difficile de le regarder dans les yeux. Pas impossible mais intimidant. Ne sachant à quel œil se raccrocher, l'interlocuteur finit par baisser le regard, quand il ne courbe pas l'échine, comme instinctivement les canidés devant le mâle dominant. Yerina, elle, ne se couche pas. Lèvres pincées, elle soutient le trouble que la bichromie, doublée de la lueur d'exaltation impétueuse qui fait pareillement briller les deux pupilles, provoque au plus profond de son être. Sous ce regard, sa nudité n'est pas que physique. Elle se sent reculer jusqu'à la moelle de ses os, son dernier retranchement, alors que, sanglante sur la pierre blanche centenaire de l'église, elle se sent dépouillée au point de croire son ombre disparue.

Cronos, de sa main gauche gantée, empoigne de nouveau sa chevelure. Sa main droite, coutelas au clair, s'abat net au ras de la nuque. Il vient de couper ses cheveux. Il brandit la longue toison sombre puis la jette au sol. C'est l'humiliation imposée à Samson par Dalila. À Vercingétorix, comme à tous les chefs celtes vaincus, à Jeanne d'Arc devant le bûcher de Rouen, à Marie-Antoinette au pied de l'échafaud de la place de la Révolution. Aux esclaves avant d'être vendus, aux salopes qui couchèrent avec les Allemands. Couper ainsi les cheveux, c'est imposer une blessure narcissique, une sentence de soumission sans appel.

Galvanisée, l'assistance applaudit le verdict ainsi rendu par le treizième et plus important d'entre eux. Celui sans lequel ils ne seraient pas là. Yerina, le cheveu désormais court, sent le feu de la honte incendier ses tempes. Mais ne baisse toujours pas le regard.

— Lorsque mon fils m'a annoncé, il y a vingt-cinq ans, que vous étiez amoureux et qu'il souhaitait faire sa vie à tes côtés, avoir un enfant de toi, se plier, même, à ton misérable simulacre d'épouse respectable, j'ai bien tenté de l'en dissuader, mais il a juré ne pas pouvoir renoncer à toi, à votre fils. J'ai bien tenté de le mettre en garde, mais je suis trop sentimental. J'ai connu, moi aussi, dans ma jeunesse, une grande passion, alors, voilà, je me suis laissé attendrir. Avais-je d'ailleurs le pouvoir de l'empêcher de vivre cette folie ? Non, car le rôle parental touchait là ses limites. Il était majeur et vacciné, je l'ai prévenu, mais au-delà, mon ticket de père n'était plus valable. Hélas ! nous ne pouvons pas éternellement sauver nos enfants. Nous ne pouvons que les aimer. Et j'aimais mon fils, tu sais ça ? Je l'aimais plus que tout. Pauvre Zeus ! Il a endossé tous les risques, il s'est plié à toutes tes exigences. Et quand il a proposé de diriger avec toi la succursale dalmate de notre organisation, une fois de plus j'ai été contraint d'acquiescer.

Il va et vient autour de Yerina, se retenant visiblement de ne pas la frapper de nouveau.

— Mais j'ai toujours tout orchestré parfaitement, ose Yerina sans quitter le Grand Maître des yeux. J'ai fait tout ce que vous demandiez, exactement comme vous le demandiez. Je me suis parfaitement acquittée de ma tâche. Je n'ai commis aucune erreur.

— C'est vrai ! s'écrie Cronos en claquant des mains. Je ne peux pas dire le contraire. En ce sens, tu as toujours été une Héra parfaitè, mis à part l'inversion des rôles. C'est Zeus qui était à ton service, alors que logiquement ça aurait dû être l'inverse. C'est lui que j'ai adopté, c'est à lui que j'ai confié cette succursale, il aurait pu... faire tellement de choses ! De bien plus grandes choses, si seulement il n'avait pas croisé ton chemin, toi, oiseau de malheur.

Bras au ciel, il dessine un monde, vaste, immense, dans les airs.

— Il en avait le potentiel. Il possédait cette vastitude. C'est lui qui a tout organisé ici. Lui qui a eu l'idée d'amener sa vieille nourrice aveugle pour en faire notre Pythie. C'était une idée de génie ! De génie !

Dans l'église éclairée par de hauts candélabres, sa silhouette s'agite en ombre chinoise. Un brouhaha d'approbation parcourt l'assistance qui boit ses paroles.

— Quiconque intègre la confrérie, dit-il, jambes écartées et bras croisés, doit renoncer à l'amour, à la famille, aux petits plaisirs ordinaires. Nous sommes promis à une autre destinée. Nous sommes plus que l'Olympe, nous sommes une Olympe mondiale. Nous ne pouvons pas nous prendre les pieds dans de sordides arrangements de mortels. Tout cela, je le savais, mais voilà, il y a eu toi, un insignifiant grain de sable qui a finalement grippé le fonctionnement de mon organisation. Ma mère, Gaïa, avait raison. J'aurais dû t'éliminer dès le début. Zeus aurait pleuré puis se serait consolé, et aujourd'hui nous n'en serions pas là. Au lieu de ça, je t'ai fait confiance. Et tu as obtenu ce que tu voulais, pas vrai ? De l'argent, du pouvoir, un domaine à perte de vue pour toi seule...

Yerina écoute sans broncher. Comment lui dire que de tout cela, elle n'en a plus envie ? Qu'elle se fout du domaine, de l'argent, du pouvoir, que depuis des mois déjà, elle ne savait comment annoncer à Andros qu'elle ne le suivrait pas sur l'île de Paros parce que la perspective de quitter Maro et leurs fils pour disparaître, s'isoler à jamais avec Andros lui était devenue insupportable ? Elle avait prévu de persuader son amant de passer la main et partir sans elle. Elle pensait qu'il ne l'accepterait jamais, quand, tout à coup, il a rencontré cette Ksenia et a lui aussi tout remis en cause de son côté. Yerina aurait quitté Andros, l'aurait volontiers libéré, mais qu'Andros la quitte, ça, elle ne pouvait l'accepter.

— C'est votre fils qui a commis l'erreur, dit-elle à Cronos. Vous le savez très bien d'ailleurs. Il s'est amouraché de cette jeune fille blonde. Il m'a abandonnée pour vivre avec elle. Il lui a fait un enfant et il a eu l'incroyable imprudence de la loger sur l'île de Mljet, tout à côté des mères porteuses. Si je n'étais pas intervenue pour lui faire entendre raison, il aurait tout bazardé, même détruit la succursale, pour refaire sa vie avec elle. Il a fini par renoncer à elle, mais là il a commis une autre erreur. Il l'a persuadée d'accoucher sous X en même temps que les autres mères porteuses, alors que vous avez toujours interdit que celles-ci soient choisies dans la région, pour éviter les plaintes. Et ce qui devait arriver arriva : une des mères porteuses a fini par tout raconter à la jeune amoureuse de votre fils. Elle savait tout. Ce n'est pas juste moi qui étais alors en danger mais toute notre confrérie. Si je n'étais pas intervenue, nous ne serions même pas ici aujourd'hui. Vous devriez me remercier.

Ses mots achèvent d'exaspérer Cronos. Il enfonce la pointe de la barre de fer dans le flanc de Yerina. Son hurlement strident envahit l'église. Même les douze officiants en ont la chair de poule.

— Je t'interdis de reporter la faute sur lui! grogne Cronos, ivre de rage. Il est mort! Tu l'as tué! Je savais qu'il était amoureux, j'en étais vraiment heureux pour lui d'ailleurs. Enfin une femme qui l'aimait vraiment et lui était dévouée! Enfin, après vingt-cinq ans d'humiliations et de frustrations subies à cause de toi! Il m'a écrit pour me parler de la belle Ksenia, figure-toi. Il m'a expliqué qu'il n'en pouvait plus de toi, qu'il devait renoncer à son amour et à son bébé pour le bien de notre organisation, mais il n'avait pas l'intention de rompre avec Ksenia pour toujours. Il me demandait de l'aider, pour qu'en un an nous lui choisissions un remplaçant à la tête de la succursale de Korčula. Et pour te remplacer, toi! Pauvre imbécile, tes jours étaient comptés, tu ne t'en doutais même pas! Je lui avais dit que je le comprenais et que je m'en occuperais, oui, j'allais le faire.

Yerina se recroqueville au sol. La douleur de sa blessure au flanc n'égale pas celle provoquée par ce qu'elle vient d'apprendre. Andros aimait vraiment Ksenia, elle s'en doutait, mais elle ignorait qu'il n'avait pas renoncé à elle. Son allégeance n'était qu'un stratagème destiné à l'endormir, elle, à l'amadouer, pour mieux l'éliminer. Il l'aurait supprimée au bout du compte. Et son désir, leurs jeux sexuels, tout cela n'était-il que mensonge et stratégie? Comment a-t-elle pu être si bête? Elle pensait avoir le contrôle alors que le père et le fils complotaient pour l'entortiller dans leurs filets, la jeter à la mer comme un insignifiant poisson aux chairs flétries par les années. Elle ne servait plus à rien, elle avait déjà rempli son rôle, il suffisait de s'en débarrasser.

— Eh bien, dit-elle dans une ultime bravade, je suis fière de ne pas m'être laissée faire.

— Mais mon fils était un homme intègre! crie Cronos. Il voulait tout te laisser, à toi! Il t'aurait bien vue à la tête de la succursale, justement parce que tu sais tout et que tu as toujours fait les choses avec application. Il voulait tout laisser à toi et votre fils. En contrepartie de sa liberté. Tu comprends, maintenant, pourquoi tu m'écœures tant? Tu comprends? Ma haine est désormais sans limites. Parce que je ne sais pas ce qui est arrivé, je ne sais pas comment la situation a pu à ce point se renverser. Tu as tué Ksenia. Car c'est toi, j'en suis sûr.

— Non, dit fermement Yerina, en secouant la tête. Ce n'est pas moi. Regardez, croyez-moi ou pas, mais je vous le jure sur la grande Astarté, ce n'est pas moi. D'ailleurs, ce jour-là j'étais avec mon mari en train de nettoyer la maison de Marco Polo. Ksenia n'était pas là, elle est partie à 15 heures cet après-midi-là, elle a prétexté un rendez-vous médical.

— Cette jeune femme ne savait pas que tu étais avec mon fils?

— Non, elle ne le savait pas.

— Alors qui l'a tuée?

Yerina hésite puis décide d'en finir:

— C'est lui. Votre fils. Il m'a dit qu'il allait tout arranger. Je sais maintenant ce que cela voulait dire. Il a tué Ksenia, et il a voulu récupérer les preuves que l'archéologue et son fiancé ont trouvées dans le souterrain.

C'est au tour de Cronos d'être abasourdi. De quoi parle cette femme?

— Comment a-t-il pu en arriver à tuer son amour, la femme avec laquelle il voulait refaire sa vie et fonder une famille? Dis-moi tout ce que tu sais.

Yerina n'a plus rien à perdre, elle a déjà tout perdu. Elle raconte.

— Tout s'est enchaîné à partir de l'arrivée de l'archéologue chez nous...

Cronos s'accroupit à ses côtés.

— Quelle archéologue?

— Joséphine Watson-Finn.

Le Grand Maître laisse lourdement retomber sa tête sur le côté, manquant de perdre l'équilibre.

— Sais-tu qui est Joséphine Watson-Finn? demande-t-il d'une voix blanche.

Yerina secoue la tête.

— Eh bien, fait Cronos. Moi, je le sais. Qu'est-ce qu'elle fait là?

— Mais... bafouille Yerina. Je ne sais pas. Son fiancé a participé à la course de planche à voile qu'a remportée mon fils Stjepan. Ils devaient partir pour Hvar, parce qu'elle doit inspecter la plaine grecque pour l'Unesco.

— À la bonne heure ! s'exclame Cronos, les yeux écarquillés. La plaine grecque, hein ? Et puis ? Pourquoi est-elle restée à Korčula ?

— Plusieurs incidents se sont succédés, dit Yerina.

Elle avoue tout. En détail. L'évanouissement de Joséphine dans cette même église, son parfum dans le souterrain, le sang épongé, l'accident de plongée, le médecin, et enfin, la mort d'Andros.

— C'est And... enfin Zeus, qui a voulu réparer toutes ces erreurs apparemment. Il ne m'a rien dit. Moi, je me trouvais avec mon mari chez moi, le médecin s'occupait de cette Joséphine après son accident. C'était grave, elle a failli se noyer. Ksenia était déjà morte à ce moment-là, mais on ne le savait pas encore. C'est cette même nuit que Zeus a tenté de pénétrer dans la chambre, sans doute pour récupérer l'échantillon prélevé près du tonneau dans le souterrain. Ça a mal tourné. Terrence Mead, le fiancé de l'archéologue, l'a intercepté. C'est lui qui a poussé l'échelle.

Toute l'assemblée l'écoute religieusement. Tous comprennent qu'ils ont failli être démasqués, leur organisation, mise au jour.

— C'est tout ce que je sais, dit Yerina. Tuez-moi, je ne peux rien vous dire de plus.

Un lourd silence retombe sur les frères cagoulés.

— Les femmes, décidément, viennent toujours mettre du désordre, articule enfin Cronos, la gorge serrée par une émotion audible. Et mon fils était blessé, en plus. Il paraît que son corps était martyrisé, lacéré de partout ? Quelle Gorgone t'a donc inspirée ?

— C'était un jeu entre nous..., murmure Yerina.

— Un jeu ? Tu as anéanti Zeus, comprends-tu ? Tu as tué mon fils. Ne t'en fais pas, tu le rejoindras bientôt par-delà le Styx. Je déciderai des conditions de ta liquidation après la cérémonie. Car, avec tout ça, notre cérémonie annuelle ne peut plus avoir lieu, bien entendu.

Il dodeline un moment de la tête, sonné par ce qu'il vient d'apprendre.

— Quel jour sommes-nous ?

— Le 9 septembre, répond un des officiants cagoulés.

— Et quand doit avoir lieu la cérémonie des oracles cette année ?

— Le 15 septembre, reprend l'homme, comme chaque année.

— Erreur ! Le 15 septembre, *idéalement* ! Le grand Marco Polo est né à cette date-là. C'est notre façon de lui rendre hommage alors qu'il nous accueille ici, dans cette église qui fut la sienne, comme il a en son temps accueilli nos nobles frères templiers. Le 15 septembre est donc la date idéale, bien sûr, mais ce n'est pas possible. Nous n'avons plus le temps d'organiser la cérémonie. À la place, trois fois hélas !, c'est mon pauvre fils qui sera incinéré ce jour-là. Quel malheur, mes frères, quel malheur... Je suis dévasté.

La tête entre les mains, il réfléchit un long moment.

— Héra, il te revient de tout prendre en charge désormais. Débrouille-toi, toi qui es si maligne. Le 16 septembre, après la crémation à laquelle je ne peux même pas assister, tu m'apporteras les cendres de Zeus dans une urne de marbre. Puis tu t'occuperas de préparer la cérémonie des oracles sur la plaine de Stari Grad, à Hvar. Ça signifie que tu dois désormais nourrir notre Pythie chaque matin à la place de Zeus. Et ne l'informe pas de sa mort, elle en serait trop perturbée. Dis-lui plutôt qu'il est malade, qu'il viendra plus tard. Fais bien attention à elle, tu dois la laver, la préparer, la masser, coiffer ses cheveux et la revêtir de ses habits d'or pour le soir prévu. Hermès ici présent t'aidera à la transporter en bateau, la nuit venue, jusqu'à Hvar.

— Oui, Cronos, père de tous les dieux, acquiesce aussitôt avec déférence l'un des hommes cagoulés.

— Héra, tu présideras à la cérémonie des oracles, comme tous les ans. Cette année, la cérémonie aura lieu dans un mois. Hadès, heureusement, a eu une bonne idée pour tirer avantage de ce désastre. Explique donc, mon bon Hadès !

Un autre des frères s'avance au milieu de l'église et expose son plan.

— Le 8 octobre prochain, dit-il, se produira une éclipse totale de lune. C'est une occasion de clairvoyance décuplée. Les oracles d'Apollon ne seront que plus pertinents, plus forts, et la Pythie plus inspirée. La cérémonie des oracles aura donc lieu cette nuit-là, dans notre temple millénaire de la plaine grecque de Stari Grad.

— Voilà. Vois-tu, Héra, les efforts que nous devons fournir pour réparer tes dégâts ? Heureusement, cette année, nous avons fait un très bon travail de recrutement, et nous avons réussi à doubler le nombre des participants. Deux cents de nos adeptes se sont déjà annoncés pour cette nuit exceptionnelle.

Yerina ne peut s'empêcher de faire mentalement le calcul. Deux cents fois 55 000 dollars... Une crispation jubilatoire saisit instantanément son bas-ventre.

— Mais tu n'auras rien, toi, sois-en sûre, tranche Cronos comme s'il lisait en elle. Toi, tu perdras la tête. Et les membres.

— Écartelons-la ! s'écrie l'un des frères.

— Nous verrons, dit Cronos d'un geste brusque de la main.

Il se tourne vers elle.

— Et surtout, surtout, ne t'approche pas de mon petit-fils. N'imagine pas te venger sur lui. Tu mourrais sur-le-champ. Il ne me reste que Stjepan à présent. De ce qui était à Andros ainsi que de tout ce qui devait te revenir, il hérite en totalité. D'ailleurs, tu n'es pas sa mère. Tu n'as jamais voulu l'être. S'il n'était que de toi, Stjepan serait déjà mort, lui aussi. Au fond, tu n'as jamais été bonne qu'à être un vulgaire utérus, et une impie mortifère. Alors que mon fils, lui, s'est toujours occupé de cet enfant. C'est pour ne pas le délaisser qu'il a vécu cette vie triste et frustrante sous ta loi. Car, je le maintiens. Ce que tu nous as raconté, si c'est vrai, ne fait que confirmer ce que je pense depuis le début : ce qui est arrivé n'est que la conséquence sinistre de la vie ignoble que tu as imposée à mon fils et à mon petit-fils depuis vingt-cinq ans. Tu as refusé de renoncer à lui. Tu as voulu exercer le pouvoir jusqu'à la fin. Mon fils a dû mourir pour parvenir à t'échapper. Et il a entraîné l'amour de sa vie avec lui dans la mort. J'espère, oui, je prie pour qu'ils soient enfin réunis, libres et heureux là où ils sont désormais...

Pour la première fois, Yerina baisse les yeux.

— Stjepan ne sait rien de vous, murmure-t-elle.

— Mais il va le savoir, crois-moi ! Je vais le rencontrer bientôt. Mon avocat a déjà pris contact avec la police d'ici. Le commissaire nous a révélé qu'il était très intrigué par les nombreuses blessures et marques de fouet sur le corps de mon fils. Lorsque l'enquête sera finie et Andros incinéré le 15 septembre, mon avocat s'occupera de la succession, qui représente une immense fortune.

Yerina comprend. Andros mort, Cronos voudra que Stjepan prenne sa place à la tête de la succursale de la confrérie des Treize dans l'Adriatique et la mer Égée.

— C'est injuste...

À ces mots, des protestations s'élèvent. Cronos calme l'assistance.

— Injuste, dis-tu ? Quoi donc ?

— Tout est de sa faute. Stjepan devait tuer l'archéologue et il ne l'a pas fait. Il a échoué. Zeus lui en a donné l'ordre lui-même, mais il a failli à sa tâche. C'est à cause de lui que tout a basculé.

Cronos semble déconcerté. Les bras ballants, il réfléchit un long moment.

— Vous avez voulu tuer Joséphine Watson-Finn ? Tu es infiniment plus stupide que je ne le croyais..., grince-t-il en lui crachant à la figure.

Mais son pouls s'est accéléré, il en a presque le tournis.

— C'est Zeus qui en a décidé ainsi. Et il a chargé Stjepan de le faire.

— Je croyais que tu ne savais rien !

— Ça, je le savais, Zeus me l'a dit, mais le reste, non. Je savais que Stjepan devait éliminer la Canadienne pour qu'elle cesse de se mêler de nos affaires.

Bouche bée, Cronos peine à reprendre son souffle. Puis, soudain, il éclate d'un rire sonore. Imprévu et puissant comme une avalanche.

— Tu pensais tromper Joséphine Watson-Finn ? s'écrit-il, soudain ravi, ou hystérique, ou les deux. Mais c'est une sommité mondiale, pauvre vache ! Et elle est française et britannique, et non canadienne. Elle enseigne à Montréal. Mais avant tout, elle est Aphrodite, assurément ! Inaccessible et inaltérable.

Et s'adressant à l'assemblée :

— Frères, voyez comme l'ignorance et la fatuité perdent l'humanité ! Tu n'es pas un *poskok*, Yerina, car les serpents sont sages, ils sont les dépositaires des secrets chthoniens. Toi, tu n'es pas même un cancrelat. Tu t'es toujours cru irrésistible, et plus maligne que les autres, tu pensais tromper tout le monde et voilà le résultat.

Faisant de nouveau face à Yerina, il s'approche d'elle et demande d'une voix teintée d'inquiétude :

— Où est-elle à présent ?

— L'archéologue ? répond Yerina en déglutissant. Elle va mieux. De toute façon, son compagnon et elle ont quitté ma maison il y a quelques jours, ils ont préféré s'installer au Grand Hôtel.

— Ah ben, voilà ! s'écrie Cronos en envoyant une forte tape derrière la tête de Yerina. Elle se doute de quelque chose, c'est certain...

Yerina hausse les épaules.

— Je ne crois pas. Ils ont pris le bateau pour Hvar cet après-midi. Maro leur a réservé une cabine et les a accompagnés à l'embarcadère.

Cronos demeure un long moment planté devant elle, le regard fixe, sans mot dire. Parmi la confrérie, nul n'émet le moindre son. C'est à peine si chacun ose respirer.

Le Grand Maître fait enfin volte-face, revient lentement à son trône et s'y laisse lourdement tomber. S'il n'était cagoulé, toute la confrérie constaterait son trouble. Comme si Gaïa elle-même avait tremblé.

L'audience est finie. Les vestales voilées de blanc aident Yerina à se relever. Couvrant son corps supplicié et sa chevelure sacrifiée, elles l'emportent vers la crypte qui conduit au souterrain sous la maison de Marco Polo. Pendant ce temps, un à un, les douze autres membres de la confrérie viennent s'agenouiller devant le trône de leur chef. Nuque ployée, chacun d'eux fait allégeance en embrassant la grosse pierre de lapis-lazuli sertie d'or que le Grand Maître porte au majeur droit, puis repart avec une bénédiction, toujours la même, même si aujourd'hui Cronos la prononce sans conviction, presque distraitement : « Va en paix, mon frère. Louange à la grande Gaïa. »

Gaïa, sa mère, attend avec impatience son retour à Istanbul, dans le palais byzantin que le Grand Maître a fait restaurer pour qu'elle puisse y vivre une retraite paisible, tout en dirigeant la confrérie avec lui. Voici plus d'un quart de siècle qu'ensemble, mère et fils, Gaïa et Cronos, ont fondé leur multinationale, la Gaïa Inc. Pour être occulte, la multinationale n'en est pas moins structurée sur le modèle d'autres grandes entreprises internationales qui ont pignon sur rue et affichent leur commerce à coups de publicité. Pour être secrète, la Gaïa Inc. n'en est pas moins lucrative, et ce n'est pas parce que ses clients, des adhérents cooptés par un membre impliqué dans l'organisation depuis trois ans au moins, que les affaires n'ont pas connu une croissance fulgurante. Tout au contraire, les profits de la Gaïa Inc. ont suivi une courbe annuelle de plus de vingt pour cent. Les membres forment un club mondial secret. Ils bénéficient de services, et la confrérie empoche les bénéfices, autant que les dirigeants de chacune des succursales, après paiement du personnel. La succursale dalmate, sise à Korčula depuis vingt ans, a été l'une des premières à fonctionner. Cronos l'a confiée à son fils adoptif, Zeus, lequel a décidé, quelques années plus tard, de s'adjoindre les services de son amante, logiquement rebaptisée Héra. D'autres succursales ont progressivement été implantées autour du monde : en Mongolie, en Iran, en Inde, en Chine, au Japon, en Égypte, au Pérou, en France, en Israël et, bien sûr, en Turquie, à Istanbul, ancienne Constantinople, berceau du monde occidental et désormais base de Gaïa. D'autres succursales viendront peut-être s'ajouter à ce réseau tentaculaire dont le siège social demeure à New York, tant que Cronos se partage entre ces métropoles américaine et turque.

Originairement fondée grâce à la fortune de sa mère, unique héritière d'un groupe de cosmétiques américain, la multinationale vit désormais de ses seuls profits, partiellement réinvestis d'une année sur l'autre. Elle bénéficie ainsi de fonds propres qui ont rapidement assuré bien plus que le retour sur investissement espéré. C'est que l'idée fondatrice de la Gaïa Inc. est tout simplement géniale. Chaque succursale est placée sous le haut patronage d'une figure historique tutélaire et offre à ses membres privilégiés une série de rituels traditionnels du lieu d'implantation. Les membres de chacune des succursales sont triés sur le volet et choisis sur recommandation. Toute succursale est régie par un conseil d'administration particulier, présidé par le Grand Maître. Ainsi, par exemple, la confrérie des Treize gère-t-elle la succursale de l'Adriatique. Mais un grand conseil d'administration central chapeauté par Gaïa et dont lui, Cronos, est le vice-président, commande la multinationale dans son entièreté. Une redoutable organisation globale, scrupuleusement compartimentée. Ainsi, si une des succursales, pour une raison ou pour une autre, venait à péricliter, voire à disparaître, aucune autre n'en serait affectée. Seul le conseil d'administration central connaît et contrôle toutes les succursales.

Il fallait y penser. Gaïa, sa mère, l'a fait. Prête à tout pour sauver son fils de la dépression qui menaçait de l'emporter, elle l'a entraîné dans ce commerce florissant. Sans ses connaissances à lui et son sens des affaires à elle, rien n'aurait été possible. La multinationale qui les occupe ainsi que les équipes dirigeantes, et ce, à plein temps, à des dates symboliques de l'année, remporte un succès qui mérite bien quelques sacrifices. Voire quelques impairs. Mais cette fois, il s'agit d'une catastrophe. Un cataclysme qui menace de détruire la succursale de Korčula, la première de toutes et la préférée de Cronos. Tout ça à cause de l'effet toujours néfaste de la combinaison de l'amour et de la jalousie.

Son fils adoptif est mort, et Cronos exige vengeance et réparation. Il veut la tête de la pernicieuse Héra dont il s'est toujours méfié et qui a fini par détruire Zeus. Il faut aussi sauver la succursale adriatique, et pour cela, trouver le plus vite possible un digne remplaçant à son ancien et fidèle dirigeant.

Comme si cela ne suffisait pas, voici que le hasard a abattu ses cartes. Le sort, mauvais, a jeté les dés pour lui. Cronos aurait tout imaginé sauf ce qui vient d'arriver. Il décide de ne pas en parler à Gaïa, redoutant le choc que la nouvelle produirait sur sa mère.

— Te voilà donc de retour, Jo, murmure-t-il pour lui-même. Tu en auras mis du temps...

Seconde partie

Île de Hvar

16

Accoudée entre les créneaux de la citadelle de Napoléon qui surplombe le port de Hvar, Joséphine s'emplit de la magnificence qui s'étend à perte de vue. Les dieux, sans conteste, ont élu cette île parmi les quelque mille deux cents qui jalonnent l'Adriatique, anciennement mer de Cronos, de Venise à la mer Égée.

Il est des lieux bénis, elle le sait. Elle a eu le privilège d'en découvrir plusieurs depuis son enfance, dans le sillage averti de ses parents. D'abord, celui de son ethnologue et lord de père qui, très tôt, l'a entraînée dans ses voyages, déroulant devant l'enfant qu'elle était le tapis rouge vers les civilisations et cultures lointaines qui depuis lors n'ont cessé de la fasciner, affûtant sa curiosité autant que son respect. Mais aussi, quand bien même répugne-t-elle à l'admettre, sur les traces de sa mère, la Parisienne fière de l'être grâce à laquelle elle a maintes fois parcouru la France de part en part, de la Côte d'Opale à la Côte d'Azur, de Saint-Jean-de-Luz à Ouistreham, de la presqu'île de Crozon à celles d'Arvert et de Giens, d'Eygalières à Fourmies, de Strasbourg à Queyrac, des remparts de Carcassonne à ceux de Saint-Malo, des neiges des Alpes à celles des Pyrénées, des bocages normands aux plaines de Camargue, de l'île de Ré aux falaises de Bonifacio...

« Que vas-tu chercher si loin que tu n'aies à tes pieds ? », n'a cessé de répéter Anne-Marie, sa mère, à Lawrence, son père.

« J'aime les voyages, et toi, les déplacements », rétorquait celui-ci, énonçant l'antagonisme de leurs conceptions. « On ne va pas voir plus loin tant qu'on ne connaît pas sur le bout des doigts, du cœur aussi, ce dont on dispose chez soi. » Cette vision du monde, Anne-Marie l'a transmise à sa fille, lui offrant de connaître si bien le moindre recoin de France, ou d'en avoir l'impression, que la quitter ne produisît pas un sentiment de perte mais plutôt une espèce de libération, aiguisée par la sensation de transporter la France partout avec soi, de pouvoir l'évoquer dans son souvenir, la convoquer à tout instant devant ses yeux et dans ses pores, intacte comme une référence inamovible. La France en soi, pour pouvoir avec elle se mouvoir partout, comme l'escargot se déplace avec sa coquille. Joséphine ne vit plus en France depuis longtemps, mais c'est ainsi qu'elle se sent néanmoins.

C'est également ainsi que s'est toujours senti Lawrence. Quoi qu'en pensât Anne-Marie, il connaissait lui aussi intimement l'Angleterre, et même toute l'insularité britannique, assez pour se jeter hors d'elle, certain de la porter toujours en lui où qu'il s'égarât, se désespérât ou s'émerveillât dans le monde.

Aujourd'hui, les parents de Joséphine, vieillis et, contre toute attente, assagis, ne bougent plus guère. Chacun, à bout de voyages ou de déplacements, est revenu chez lui, Lawrence dans son manoir du Berkshire, un peu en retrait de Londres, Anne-Marie dans son petit appartement du Marais, au cœur battant de la capitale française. À leur enfant unique, ils n'auront donc pas transmis d'antagonisme mais bien une complémentarité. Posséder tout à la fois la France et l'Angleterre, et, de là, briguer l'horizon, toujours plus loin, avec désir et confiance. « Reviendrai-je chez moi, moi aussi, au soir de ma vie ? », se prend à s'interroger Joséphine, de plus en plus souvent en vérité, alors qu'elle vit en ce Nouveau Monde qu'elle a choisi sans doute par amour pour Terrence mais aussi parce qu'il est, précisément, un monde nouveau. « Rentrer chez soi... » Une idée presque mythique. Lorsqu'elle le fera, repartira-t-elle vers la France ou l'Angleterre ? Et avec ou sans Terry ? D'un revers mental, elle chasse ces questions certes cruciales mais prématurées. Pour le moment, Joséphine Watson-Finn est toujours en chemin. Et elle avance.

Sur les routes. *Like a rolling stone.* Joséphine, d'aussi loin qu'elle s'en souvienne, pourrait résumer le legs majeur de son enfance en ces quelques mots, en français ou en anglais. Les deux langues lui ont été données dès l'origine pour parler, réfléchir, imaginer, rêver, rouspéter aussi, souvent. Des langues surtout qui, puisqu'elles lui ont été présentées comme égales dans leur cohabitation, différentes mais complémentaires, lui ont fait comprendre, dans la pratique, que le repli sur une seule, comme dans une gangue protectrice et identitaire, ne pouvait constituer à terme qu'un leurre, sinon, fatalement, une perte. Elle sait que, pour vivre, une langue a besoin d'air, de vents contraires, voire de houles menaçantes, et d'invasions barbares pour ourdir sa résistance au travers des influences et des migrations, au rythme chaotique des accents qui s'accrochent aux mots pour mieux les transmettre, les pousser plus loin, vivaces et signifiants.

Alors, elle en a appris d'autres. Des langues mortes, asséchées autour de leur idéal puriste, et des langues vivantes, mobiles et sans cesse renouvelées. Bien entendu, il y a autant de versions de la langue anglaise en Angleterre, et ailleurs en anglophonie, qu'il y en a du français non seulement en France mais dans toute la francophonie. C'est bien parce qu'elle le sait et l'apprécie depuis toujours que Joséphine a aimé apprendre d'autres langues. L'espagnol au gré de ses métissages, l'italien du nord au sud, l'arabe d'un bout à l'autre de la Méditerranée, le grec par-delà les millénaires... C'est un des nombreux points communs qu'elle partage avec son fiancé, lequel, États-Unien atypique – «Mais il est new-yorkais, aime-t-elle à rappeler, New York n'est pas les États-Unis pas plus que Paris, la France, Londres, l'Angleterre, ou Montréal, le Québec...» –, parle parfaitement non seulement le français et l'anglais mais plusieurs langues asiatiques sibyllines pour Jo. Si, à sa retraite du département d'archéologie de l'Université McGill, elle retournait vivre en Europe, Terrence la suivrait-il? Lui, évidemment, prendrait sa retraite dix ans après elle... Elle serait alors une belle, indigne, rigolote, charmante, irrésistible vieille dame... mais vieille avant tout.

La pensée de Jo se grippe. Si elle n'a pas de réponse, c'est que la question, à ce moment, s'avère incongrue. Pourquoi donc penser à tout cela et risquer d'assombrir son humeur, alors que la lumière, en cette fin d'après-midi du 19 septembre, pare l'île de Hvar d'une robe solaire aux mille nuances mordorées ? Sur ce lieu se sont penchés les dieux. Hélios et Zéphyr, évocations respectives du soleil radieux et fécondant et du mistral rasséréné, chasseur de nuages et de canicule, pourvoyeur de clapotis berçants, caresseur de vagues iridescentes, libres de toute pollution à des centaines de kilomètres à la ronde. Dionysos aussi, couvrant l'île de vignobles réputés, côtoyant des champs de lavande à perte de vue. Déméter même, dans une variante apaisée d'elle-même, généreuse en plaines fertiles, en sources intarissables, en arbres fruitiers de toutes sortes. Jusqu'à l'impétueux Neptune qui semble avoir fait des eaux de Hvar un territoire de trêve en même temps que de villégiature, avec ses fonds marins translucides exempts de grottes dangereuses. Hvar la Blanche, Korčula la Noire. Hvar la Lumineuse, Korčula la Ténébreuse. Pour manichéenne qu'elle puisse sembler, cette réalité s'est immédiatement imposée à Jo et Terry dès qu'ils ont accosté dans la ville de Hvar dix jours auparavant. À peine avaient-ils débarqué du *Liburnija* que la douceur de vivre a balayé l'intranquillité chronique de Korčula, percluse d'harassants fantômes. Sans parler des vents mauvais qui, entre Charybde et Scylla, comme le disait Stjepan, s'en donnent à cœur joie pour étioler le fragile équilibre émotif et mental de ceux qui s'obstinent à vivre sur leurs rives. Des *bura*, des *yugo*, des tramontanes furieux qui effacent les sourires aussi sûrement qu'ils balaient le pas des portes. «*Bura*», disent les habitants de Korčula d'un air bourru. «*Maestral*», répondent ceux de Hvar, insistant sur la première syllabe, avec un sourire jusqu'aux oreilles.

Trois heures de bateau ont suffi à desserrer l'étau d'obscurité, les douleurs, les angoisses, les répulsions, l'accumulation d'événements plus funestes les uns que les autres. Korčula la Noire a la beauté sombre d'une Médée, si tristement semblable, sur tous les plans, à la sinistre Yerina. Hvar par contraste s'offre gorge déployée, bras ouverts, atours brodés et sertis de pierreries chamarrées, chaussures élégantes et ombrelles de dentelle, comme une ensorceleuse à l'abondante crinière d'un incomparable blond cuivré. À Korčula, on admire la dextérité des danseurs armés de la *moreška*. À Hvar, la sérénade est plutôt de rigueur. Autant que les lustres de l'impératrice Sissi, les quais de marbre bicolore, la plus grande *piazza* de la côte adriatique, l'arsenal, la cathédrale byzantino-gothique, le monastère franciscain qui offrit une halte à saint François d'Assise lui-même comme plus tard au Tintoret, le couvent des bénédictines qui, cloîtrées avec leurs trésors, ne laissent toujours paraître d'elles que les précieuses broderies en fil d'agave qui font leur réputation et leur mystère. À Hvar se trouve aussi le premier théâtre municipal d'Europe – un bijou daté du tout début du XVIIe siècle, la référence du théâtre à l'italienne.

La belle Hvar se gagne. Surpeuplée durant l'été, envahie par les jet-setteurs, les touristes et les yachts qui, du début juillet à la fin août, cachent de leur immensité la mer alentour, saturée de bars et de restaurants, elle coûte cher. Trop cher. Un point noir qui ne semble pas décourager les touristes, apparemment heureux de jouer les pigeons plumés pendant leur séjour, jamais très long cependant. Puis ils désertent tous aux derniers jours d'août, comme sur un coup de sifflet. Successivement grecque, romaine, vénitienne, française, autrichienne, yougoslave puis croate mais toujours pleinement européenne, ce que l'intégration de la Croatie dans l'Union européenne en juillet 2013 est venue confirmer, Hvar, dès septembre, redevient un lieu privilégié. Ensoleillé, étreint de mistral et alangui par l'odeur des figues et des grenades enfin mûres. Plus encore qu'à Korčula, les strates historiques et culturelles sont manifestes, accompagnant les pas de ceux qui sillonnent ses ruelles, érigées en redoutables escaliers, étroits, sinueux ou en coudes, aux marches très hautes, qui montent en à-pic jusqu'aux contreforts de la colline que surplombe la citadelle de Napoléon. La dénivellation est impressionnante. Joséphine, à plusieurs reprises, s'est demandée comment les habitants âgés s'en sortent. «Une marche égale une seconde de vie supplémentaire», lui a-t-on dit dans une boulangerie. Jo en a conclu que les Hvarois, comme leurs pierres, sont éternels. Increvables.

À leur arrivée, elle et Terrence se sont installés à l'hôtel Palace. Luxe discret et chambre spacieuse donnant directement sur le *mandra*, petit port intérieur traditionnel des côtes méditerranéennes, et sur la grande *piazza* où il fait bon se prélasser face au théâtre.

Joséphine a progressivement lâché prise. Concassée par les atteintes physiques subies à Korčula, intimement ébranlée par les révélations qui se sont succédées, hantée, jusque dans ses rêves, par des images de fœtus, de pythons auxquelles se superposent les visages de Ksenia, de Yerina, d'Andros et de Stjepan. Terrence a posé un ultimatum. Sur le bateau, il lui a fait promettre de marquer une pause, un temps de latence. N'a-t-il pas, pour la première fois de sa vie professionnelle, envoyé une ordonnance médicale pour justifier qu'il ne reprendrait ses cours qu'à la fin octobre? S'il l'a fait, c'est pour s'assurer que sa fiancée se reposerait vraiment. Alors, débarquant à Hvar, Joséphine a tenu parole. Elle n'a rien d'autre à faire, de toute façon, qu'à attendre qu'on la rappelle. Stjepan, après l'incinération de son père. Son collègue, le docteur Zimamović, lorsqu'il aura obtenu les conclusions du laboratoire de l'Université de Sarajevo. Andréanne, son assistante, qui doit lui communiquer les résultats de ses recherches sur Marco Polo. Le commissaire Gatin dans le cas où il aurait du nouveau. Charles Trubert, aussi, car immanquablement il attend le rapport d'expertise qu'il lui a commandé. Mais est-elle tout à fait remise? Suivant les recommandations du docteur Stupetar, elle s'est soumise à un bilan complet à la polyclinique de Hvar. Elle va bien, lui a-t-on assuré. Elle est fatiguée, mais elle va bien. Dix jours de vrai repos auprès de son amoureux constituent le meilleur remède.

Le matin, petit déjeuner typiquement vénitien en main – cappuccino et brioches fourrées à la crème –, ils rejoignent le quai et les petites barques à moteur qui attendent leurs clients. Pour les conduire, les *barcarioli*. Ceux-ci doivent leur nom aux barques autant qu'aux barcarolles, chant rythmiquement uniforme, cher aux gondoliers vénitiens, évoquant le mouvement lent d'une barque dans la lagune. Ils ne chantent plus pourtant, et l'Adriatique est infiniment plus vivace et houleuse que les eaux vertes et croupies des canaux de Venise, mais le nom demeure. Chaque jour ils déposent leurs clients sur l'un des sept îlots au large de la ville de Hvar, les bien nommés Pakleni Otoci, les îles Infernales, où, nus sur les grands rochers plats d'un blanc irradiant, seuls entre mer et ciel dans le stridulement des cigales saturées de chaleur, ils grillent littéralement entre deux longues séances de baignade dans l'eau fraîche et claire. Au-dessus, rien que le bleu absolu. Rien à perte de vue, sinon le bleu irréductible qui miraculeusement, si on le suit à la trace, conduit jusqu'à la côte est de l'Italie, à Ancône en l'occurrence, située exactement en face de Hvar, tout comme Bari fait face à Dubrovnik, plus au sud. Rien que le plaisir de sentir vivre son corps dans la beauté intimidante de la nature dalmate. Et puis, il y a les autres bateaux de croisière, plus petits et en bois, qui proposent aux touristes de revivre l'odyssée d'Ulysse en une semaine, d'une île dalmate à l'autre. Ce qui fait sourire Joséphine.

Les Pakleni Otoci sont devenues leur nouveau sanctuaire amoureux. Comme affamés l'un de l'autre, ils y font l'amour tous les jours, soudés par la sueur dans la brûlure du soleil et sous sa bénédiction, célébrant rituellement sa course au fil des heures et des jours. La nuit étant jalouse, ils réitèrent leurs célébrations sous la lune décroissante, entre les draps imbibés de lavande de leur chambre d'hôtel. Et puis, entre les jours et les nuits, s'égrènent des heures de délices gastronomiques. Ils partent chaque soir à la découverte d'un nouveau restaurant face à la mer, d'un nouveau concert dans l'enceinte du monastère franciscain, dans la cathédrale ou au théâtre. Ces plaisirs raffinés se prolongent par des promenades qui finissent devant des cocktails ou des vins qu'ils adorent déguster dans des caves peuplées de connaisseurs. Les vins de Hvar s'avèrent tanniques, déployant leurs accords de fruits rouges et d'épices recuites, véhiculant le goût de la rocaille sèche balayée par les vents salins. Des vacances comme depuis longtemps ils n'en avaient prises, de très belles vacances.

Cet après-midi, après la baignade et les agapes amoureuses, ils ont grimpé, lentement, car le chemin est rude et long, jusqu'au fort de Napoléon, ravis de pouvoir embrasser du regard toute la beauté au sein de laquelle ils s'ébattent depuis dix jours.

— Je me sens parfaitement bien maintenant, dit Joséphine en se tournant vers son amoureux.

Il le sait. Il le voit. Lovant étroitement les hanches de sa compagne contre les siennes, il l'entoure de ses bras et plonge le visage dans ses boucles rousses. Leurs corps sont reposés, déliés. Leur peau a pris une improbable couleur de cacao caramélisé.

— Je suis heureux. Cet endroit est magique.

Main dans la main, ils redescendent lentement vers la *piazza* centrale, dans les reflets dorés de l'après-midi qui décline. Leur projet est de prendre un grand verre de *bevanda*[16] avant de piquer une tête. 18 heures : n'est-ce pas l'heure idéale pour nager puis laisser son corps sécher dans les derniers rayons du soleil ?

Une demi-heure plus tard, attablés l'un en face de l'autre, ils se sourient comme des adolescents nouvellement épris. Le téléphone cellulaire de Joséphine se met à chanter *I'm So Excited*. Elle répond aussitôt, défiant les regards goguenards des convives alentour.

— Hello, Charlie !

— Bonjour, mon ange. Comment vas-tu ?

Charles Trubert a appelé tous les jours depuis son accident de plongée. C'est en ami qu'il prend de ses nouvelles, et non en tant que patron.

— Ça va bien, mon Charlie, divinement bien même, minaude Jo. J'ai le meilleur infirmier qui soit.

Elle décoche un clin d'œil à sa « Terry-ble bête de sexe » qui lui sourit, prend sa main et pose tendrement son visage dans sa paume. Un geste de remerciement en même temps que de soumission, qui n'échapperait pas à un spécialiste du langage non verbal.

— Tu dois te reposer, insiste Charles.

Il sait que Terrence ne laissera pas sa dulcinée se fatiguer outre mesure, mais il sait aussi qu'il est difficile de tenir Joséphine immobilisée bien longtemps.

— La paresse me gagne, admet-elle. Il faut bien dire qu'ici tout y contribue. Tu dois venir, Charlie, tu pourrais visiter quelques-uns de tes sites classés, ça ne t'est pas interdit, que je sache.

— Je suis en train d'organiser une conférence internationale, mon ange. Quel chantier, si tu savais !... Je préférerais franchement venir vous voir. Et je n'aurais pas à évoquer un prétexte professionnel pour le faire, si seulement mes vacances n'étaient pas finies.

---

16. Boisson typique de Dalmatie : vin blanc local additionné d'eau gazeuse glacée.

Il n'a pas besoin de préciser qu'il a passé ses congés dans la campagne non loin de Bourdeilles sur la Dronne, en plein Périgord, où il possède un moulin retapé qui jouxte une fermette du Moyen Âge, restaurée elle aussi. Jo adore s'y rendre pour cuisiner avec lui, ou plutôt, puisqu'elle ne cuisine pas vraiment, pour le regarder préparer un confit, juchée sur un tabouret à côté de la grande cheminée de pierre, un verre de vieux cognac à la main. Généralement, ils y vont à Pâques, en tête-à-tête, célébrant année après année leur couple amical.

— Est-ce que Marguerite va bien ?

Évitant le sujet épineux du petit ami de Charles, elle préfère rester en terrain neutre.

— Oh oui, répond Charles avec un sourire dans la voix, heureux que Jo prenne des nouvelles de la gouvernante qui veille sur son domaine et aime à rappeler que Bourdeilles fut la première des quatre baronnies du Périgord. Tu sais, c'est la saison des truffes, alors elle passe ses journées dans la truffière, ravie comme un enfant devant un sapin de Noël. J'y retournerai pour les fêtes de fin d'année, comme d'habitude, mais ça me semble si loin.

— Tu n'y descends pas pour le week-end ?

— Si, mais ce n'est pas pareil. À peine arrivé, je dors et je repars...

— Autant venir ici deux jours, alors...

— Tu sais que j'ai horreur de me bousculer.

— Mais c'est à une heure d'avion de Paris, allons !

Charles réfléchit à un nouvel argument.

— Je pourrais trouver ça trop beau, je ne voudrais plus rentrer...

— Surtout que les Dalmates, mon vieux... Ils valent sacrément le détour.

— Ce sont de gros machos homophobes !

— Ouais... C'est ce qu'ils prétendent.

Elle badine. Elle ne peut pas lui dire qu'il se passe de drôles de choses dans les sites classés dont il est responsable. Par ailleurs, les monuments de Korčula concernés ne figurent pas au classement et ne relèvent donc pas de sa mission. Elle ne lui a encore rien raconté. Que penser des événements qui se sont succédés sur l'île natale de Marco Polo ? Les conclusions de Jo ne sont pas définitives.

— Ne t'en fais pas, Charlie. Nous allons louer une voiture bientôt. Je vais faire mon travail, inspecter la plaine grecque de Stari Grad et te remettre mon rapport. La semaine prochaine, d'accord ?

— Il n'y a aucune espèce d'urgence, s'empresse de dire Charles, bien trop vite pour que Jo le croie.

Tel qu'elle le connaît, il doit s'être mis la rate au court-bouillon. Son amie a failli se noyer. Et puis, les célébrations auront lieu dans deux ans, autrement dit demain matin en termes de calendrier de préparation d'un anniversaire aussi important que les deux mille quatre cents ans de la première colonisation grecque de l'île de Hvar. En chef de section responsable, Charles doit déjà avoir en tête un collègue qui pourrait s'acquitter de la mission dans l'éventualité où Joséphine devrait y renoncer. S'il la remplaçait, elle le comprendrait parfaitement. Mais pour le moment, elle se sent bien et se réjouit d'aller expertiser le système agraire de la plaine de Stari Grad. Une fois cela effectué, elle aura bien le temps de repartir en quête de ce qui se trame dans le souterrain secret de Korčula.

— Je te rappelle demain de toute façon, conclut-il, avant d'envoyer des bises sonores dans le combiné.

Terrence est parfaitement tranquille, enfoncé dans le fauteuil en osier, le regard perdu vers le quai où les bateaux rentrent un à un pour la nuit qui s'annonce. Son polo sable à col en V fait ressortir sa peau couleur terre-de-Sienne foncée. Chaque fois qu'elle le regarde ainsi, à son insu, Jo n'en revient pas d'être avec un mec pareil. Mais à peine a-t-elle repris son verre de *bevanda* que le signal d'un texto se fait entendre.

Bonsoir chère collègue, j'ai reçu les conclusions de l'analyse que vous m'aviez confiée. Je suis stupéfait. Il nous faut en parler dès que possible. Voici mon numéro de cellulaire personnel. J'attends votre appel dans les meilleurs délais. Votre dévoué, Safet Zimamović.

Joséphine se redresse dans son fauteuil, éberluée comme si elle venait de recevoir un seau d'eau sur la tête. Devant l'excitation manifeste de sa compagne, Terry esquisse un geste de dépit.

— C'est mon collègue de Sarajevo.

— Ah oui ? fait Terry, une pointe de déception dans la voix.

— Il a reçu les résultats.

Non pas que cette nouvelle ne l'intéresse pas, mais il préférerait aller nager d'abord. Et même courir jusqu'à la plage avant de se jeter à l'eau.

— Tu sais quoi, mon Terry terrible ? Je crois que tu devrais y aller seul, pendant que je rentre à l'hôtel, suggère-t-elle, mordillant sa lèvre inférieure comme une enfant prise en faute. Ça semble urgent.

Terry bascule la tête en arrière. Les yeux au ciel, il soupire longuement. Une pause de dix jours était inespérée. Mais la trêve a pris fin.

17

Le dos droit, une fesse posée sur l'accoudoir du fauteuil devant la fenêtre ouverte de leur chambre, Joséphine écoute, le téléphone à l'oreille. Sous le choc de la révélation, elle bascule brusquement dans le fond du siège et, immédiatement, tâtonne vers son sac, à la recherche de ses cigarettes.

— Vous en êtes sûr ?

— Absolument, confirme Safet Zimamović. J'ai même fait refaire l'analyse. Vous imaginez bien que je n'allais pas rendre un tel résultat à la légère.

Quinze jours pour effectuer une analyse, ça lui a semblé long, en effet. Jo a attribué le délai à la désinvolture de la poste ajoutée aux habituelles lourdeurs de l'administration universitaire, en plus du délai de l'analyse sanguine. Or, son collègue vient de lui apprendre qu'il ne se trouve pas dans son département à Sarajevo. Retraité depuis peu, il vit désormais dans une propriété située dans la campagne de Stari Grad. Étonnante coïncidence.

« J'ai toujours adoré la Riviera dalmate, lui dit l'archéologue bosniaque. Comme beaucoup d'anciens Yougoslaves, j'y passais mes vacances parmi les hordes de touristes déjà dans les années 1970. Puis j'y ai acquis une maison. Maintenant, je vis en vacancier perpétuel. » Toutefois, lorsque l'échantillon expédié par Jo est parvenu au département d'archéologie, le professeur en a été prévenu et a ordonné l'expertise. Stupéfait par les résultats, il a demandé une contre-analyse. Au vu de toutes ces circonstances, le délai de deux semaines s'avère plutôt court.

— Je ne sais trop quoi en penser, dit le professeur Zimamović. J'espère que vous allez m'expliquer...

Sa voix profonde, avec quelque chose de chantant sur les finales même lorsqu'il parle en anglais, restitue à Joséphine le souvenir de cet homme séduisant à l'imposante chevelure poivre et sel, aux grands yeux bruns ourlés de douceur, au poitrail large et au sourire enjôleur. Il nourrit le plus grand respect pour sa collègue mais n'ira pas pour autant couvrir un tel secret. Du moins, pas indéfiniment.

Car les résultats des analyses ne laissent place à aucun doute. Ils démontrent clairement que sous l'ancienne maison de Marco Polo ne se trament pas seulement des enlèvements et des viols rituels, un trafic d'enfants et la séquestration d'une Pythie contemporaine. Les résultats sanguins prouvent qu'il y a pire encore. Aussi odieux que soient ces crimes, ils semblent éclipsés, ou tout au moins amoindris, par l'analyse du contenu du tonneau d'or trouvé dans le souterrain. Joséphine est atterrée.

— Je vous expliquerai, bien sûr, balbutie-t-elle d'une voix sourde. J'en sais encore peu moi-même, cependant...

Depuis le début de cette histoire, elle louvoie entre les demi-vérités et les confidences partielles, slalomant, selon ses interlocuteurs, entre ce qu'elle voudrait dire sans le pouvoir et ce qu'elle pourrait avouer tout en se refusant à le faire. À aucun d'eux elle n'a confié l'entièreté de ce qu'elle sait ni de ce qu'elle soupçonne.

— Dans ce cas, reprend le professeur Zimamović, je pourrais peut-être vous aider. Je vous invite, votre compagnon et vous. Ma femme et moi serions ravis de vous accueillir chez nous. Nous avons de la place, vous pourrez rester aussi longtemps que vous le souhaiterez.

Pourquoi ne ferait-elle pas confiance à cet homme, éminent spécialiste de l'histoire de cette région, ce qu'elle n'est pas ? D'un seul coup de fil à la police, il pourrait faire arrêter Yerina et Stjepan et libérer la Pythie. Et du même coup mettre Joséphine dans l'embarras. Il pourrait en outre, sans prévenir les autorités, faire boucler le périmètre autour de la maison natale de Marco Polo sous le prétexte de fouilles archéologiques. Il possède le pouvoir d'agir et, à bien y réfléchir, il en a aussi la responsabilité. Or, il n'en fait rien. Joséphine est certaine que s'il ne l'a pas déjà trahie, il ne le fera pas de sitôt. Pas avant d'en avoir parlé avec elle. Il témoigne ainsi du prix qu'il accorde à la solidarité entre les universitaires aventuriers et un peu marginaux qu'ils sont tous deux.

— Et dire que je suis venue en Dalmatie pour une simple expertise de la plaine de Stari Grad... En allant chez vous, je m'en rapprocherai.

— Vous ne croyez pas si bien dire, Joséphine! La plaine grecque se déploie devant ma terrasse, à moins de deux kilomètres. Je la contemple tous les jours en prenant mes repas. Et, de toute manière, je connais très bien les lieux. J'ai même écrit un livre sur l'arrivée des Grecs de Paros en 384 avant Jésus-Christ.

— Génial! Vous êtes un cadeau du ciel, Safet. Un séraphin.

Ils éclatent de rire.

— C'est le seul roman que j'ai écrit, dit-il sur le ton d'un homme qui a cédé au péché tant il est vrai que, pour un universitaire de sa trempe, écrire un roman historique constitue une sorte de faiblesse concédée à la facilité et à l'avidité de la populace, ou pire encore, à l'appât du gain. J'ai écrit nombre d'articles et d'essais sur la question, se dépêche-t-il d'ajouter, mais un éditeur m'a commandé un roman vulgarisateur et accessible au grand public, bien que respectant strictement l'état actuel des connaissances. Comme j'étais en fin de carrière, je me suis fait plaisir, j'avoue. *Mea maxima culpa!*

Joséphine, comme d'ailleurs son père, adore les romans historiques. Ce n'est donc pas elle qui se formaliserait de cette entorse, plus ou moins légère selon les points de vue, à l'éthique de leur petit milieu. Si elle en était capable, elle écrirait des romans historiques, elle aussi, mais l'écriture littéraire n'entre pas dans la liste de ses talents.

— Quel est le titre de votre roman?

— *La Faute d'Aphrodite.* Il a été traduit en anglais sous le titre *Aphrodite's Sin.*

— Ne... bredouille-t-elle enfin. Ne le prenez pas mal, mais... ne me dites pas que vous caricaturez Aphrodite, vous aussi?

Sa remarque est accueillie par un nouvel éclat de rire.

— Je sais, Jo, je sais! Je n'ai pas choisi le titre, soyez-en sûre! Mais le contenu du livre est moins... Comment dire? Moins convenu. Je crois avoir réussi le mariage entre histoire et romance. En tout cas, j'aime à le croire. Et il s'est bien vendu. Vous pourriez emprunter la traduction anglaise à la bibliothèque de Hvar, je pense qu'ils l'ont. Je n'ai plus que des exemplaires de l'édition bosniaque chez moi.

— J'irai chercher le livre demain matin. Et j'accepte votre invitation, c'est vraiment adorable de votre part. J'en parle à Terry et je vous rappelle.

Safet durcit soudain la voix:

— J'insiste, chère collègue, vous devrez me fournir une explication.

Jo comprend que son aimable invitation n'en constitue pas moins une espèce de menace. Si elle ne va pas chez lui, ou ne lui confie rien, le professeur bosniaque devra forcément assurer ses arrières en faisant appel aux autorités.

— Faites-moi confiance, Safet, plaide-t-elle avant de raccrocher.

Elle a voulu savoir, maintenant elle sait. Même en poussant son imagination très loin, elle n'aurait osé concevoir pareille atrocité. «L'humanité m'étonnera toujours», pense-t-elle. L'histoire lui a pourtant enseigné que lorsque l'on pense que l'humanité s'est rendue coupable du pire, il advient pis encore.

La faune du soir égrène son brouhaha joyeux autour du *mandra* de Hvar. Accoudée au balcon de sa chambre, Jo la contemple, pensive. Tandis que l'horizon, derrière les bateaux, déploie sa fascinante palette de roses enflammés de pourpre orangé, le clocher de la cathédrale appelle à la messe. Avec une ferveur identique à celle qu'elle avait observée à Korčula, des grappes d'habitants, émergeant des ruelles pentues, pressent le pas pour ne pas rater l'office. Demain matin, à 7 heures, ils feront de même. Deux fois par jour, à exactement douze heures d'intervalle, ils suivent ce qui semble constituer pour eux le rythme du salut. Les humains demeurent profondément païens, cela aussi elle le sait. Athée, Joséphine préfère néanmoins ce type de croyants à d'autres qui, tapis dans l'ombre ou dissimulés sous des cagoules, s'arrogent le droit de vie et de mort sur leurs semblables.

La sonnerie de Skype retentit dans la chambre. Jo se connecte, faisant apparaître son assistante sur l'écran de l'ordinateur. Elle retrouve avec plaisir son visage fin, ses cheveux très blonds coupés au carré, ses lunettes bleues stylisées juchées sur le bout de son nez rond. Mais Andréanne ne sourit pas. Un rictus forcé tente de cacher le chagrin que ses joues creusées et ses prunelles rougies trahissent.

— Comment vas-tu?

Évitant le regard de sa directrice de thèse, la jeune femme pince les lèvres avec un effort évident pour se ressaisir. Tel un bouclier, son front baissé obstrue l'écran.

— J'ai tenté de vous joindre à plusieurs reprises, bégaie-t-elle.

Doctorante sérieuse et douée, Andréanne s'avère la meilleure des assistantes que Jo ait eues de toute sa carrière. Célérité, efficacité et culture vaste, elle s'est vite rendue indispensable. Mais ce n'est pas tout. Depuis deux ans qu'elles travaillent ensemble, un sentiment extra-universitaire s'est développé entre elles. Pas exactement une amitié, ce serait incongru. Plutôt une complicité, l'évidence d'affinités électives auxquelles s'ajoute, de la part de Jo, une espèce de sentiment maternel qu'elle a été étonnée de sentir émerger. Andréanne la touche, en plus de lui rappeler la jeune femme qu'elle était lorsqu'au même âge elle étudiait à Harvard. Mais à cet instant, la blondeur de son assistante lui rappelle instantanément celle de Ksenia.

— Qu'est-ce qui t'arrive?

À cette question, les larmes se remettent à rouler, grossies par le verre de ses lunettes embuées.

— C'est Marc-André. On a rompu.

Si son assistante consacre la moitié de sa vie à son travail à l'université, l'autre est consacrée à son amoureux. Rationnelle et pragmatique en temps ordinaire, Andréanne se montre étonnamment dépendante sur le plan amoureux. Cela inquiète Joséphine depuis longtemps. Sa réponse lui rappelle là encore la naïade de Korčula. Ksenia n'avait-elle pas débuté sa confidence de la même façon? Mais comment ces filles jeunes, belles et intelligentes se laissent-elles dominer ainsi?

— Si tu voulais rompre, répond Jo sur un ton qui se veut déterminé, tu as bien fait.

— C'est lui qui l'a fait. Il est parti en Gaspésie pour une semaine, il déménagera à son retour.

« Je me suis fait jeter », c'est exactement ce qu'avait commencé par dire Ksenia. Le souvenir de la jeune historienne lui serre le cœur. Elle pense à elle tous les jours, en rêve même la nuit, sursautant dans son sommeil entre les bras de Terrence. Au beau milieu de l'après-midi, elle se fige, fixe l'Adriatique, longuement, soudain absente à la réalité alentour. Elle pense aux parents de Ksenia, sans doute foudroyés par la douleur et la culpabilité. Elle se demande si elle devrait les contacter et tout leur dire. Mais Ksenia aimerait-elle que ses parents apprennent tout ? Ne vaut-il pas mieux leur laisser un souvenir exempt de toutes les turpitudes subies par leur fille au cours des dernières semaines ? Ils ont déjà perdu leur enfant unique, à quoi bon leur révéler qu'ils ont aussi perdu une petite-fille ? Joséphine espère que l'enquête à Korčula suit son cours. Mais, le probable assassin étant mort lui aussi, qui d'autre pourrait être accusé désormais ? Yerina, certainement. L'absence de preuves tangibles n'empêche pas Joséphine de la savoir à l'origine de l'enchaînement d'événements ayant entraîné la mort des deux amants, Andros et Ksenia. Comment Yerina parvient-elle à poursuivre sa route ? Y parvient-elle seulement ? Jo en doute.

— Écoute, Andréanne, dit-elle, essaie de ne pas tourner en rond en espérant qu'il te revienne. Dans la vie, dans tous les domaines, mais surtout dans le domaine sentimental, il faut se faire désirer. Je te l'ai déjà dit.

Voilà qu'elle parle comme sa mère, maintenant. Mais, derrière l'écran, Andréanne a déjà relevé la tête.

— J'ai effectué les recherches sur la famille de Marco Polo.

— Ah oui, Marco Polo, je l'oubliais presque...

L'esprit accaparé par le souvenir de Ksenia et par les révélations du laboratoire de Sarajevo, Jo préférerait presque reporter. Mais le tonneau et son contenu, ainsi que les événements qui l'entourent, ont pour épicentre la maison des Diepolo. Ce que s'apprête à lui apprendre son assistante lui permettra-t-il enfin d'établir un lien entre les faits et le lieu où ils se déroulent ?

— Je t'écoute, dit-elle, stylo en main, prête à noter.

— Tout débute avec le grand-père, commence-t-elle, reprenant contenance. En 1224. L'île de Korčula est passée sous la régence de la République de Venise en 1125. Avant, elle s'appelait Korkyra, de son nom grec.

— Korkyra Melaina, l'île noire, oui, je sais. Mais je croyais que la Dalmatie était devenue vénitienne en 1420 ?

— En 1420, elle le deviendra en continu jusqu'à l'annexion napoléonienne de 1799. Mais dès l'an 1000 déjà, les Vénitiens paient tribut au premier roi croate, Tomislav, puis à ceux qui lui succèdent, afin de pouvoir emprunter l'Adriatique et accéder ainsi à l'Égée puis à la Méditerranée.

— *Navigare necesse est*, rappelle Joséphine. C'est la devise des marins dalmates. Sans navigation, pas de survie, bien évidemment. Sans l'Adriatique, Venise ne serait jamais devenue Venise. C'est donc dans ce contexte que le grand-père de Marco Polo s'installe à Korčula en 1224. Mais quelles sont tes sources, Andréanne ?

— Essentiellement les archives de la British Library.

Andréanne sait que sa directrice aime beaucoup cette bibliothèque.

— Les Diepolo sont de très riches négociants. Le père de Marco, Niccolo, et son frère Maffeo reprennent le négoce de leur propre père et le développent. Sur une carte du XIIIe siècle, on constate que la famille possédait plus du tiers du village de Korčula, à l'intérieur des remparts.

Jo se doutait déjà que les Diepolo étaient en quelque sorte les seigneurs de Korčula. Au XIIIe siècle, leur domaine devait englober tout le périmètre autour de leur demeure, et s'étendre sans doute jusqu'au quai au bord duquel se trouve aujourd'hui la pension de Maro et Yerina. Il n'en reste donc désormais que le pigeonnier et l'église Saint-Pierre.

— Les Diepolo faisaient commerce avec l'Orient, poursuit Andréanne. Blé, fourrures et esclaves.

— Comme toute la région, en somme. Raguse, actuelle Dubrovnik, était la plaque tournante de la vente d'esclaves. S'installer au milieu de l'Adriatique permettait de gagner plusieurs jours de navigation par rapport à Venise.

— Il semble que les Diepolo aient profité de la destruction de Constantinople par la quatrième croisade, celle de 1204.

— Mais bien sûr !... Comment n'y ai-je pas pensé plus tôt ? réplique Jo en se frappant le front.

La mémoire lui revient et elle entreprend le récit de cet épisode funeste de la grande Constantinople. En 1204, les Croisés sont parvenus à la prendre et la détruire, ce qu'ils ambitionnaient depuis plusieurs siècles. Enfin, pas tout à fait, puisque l'empire byzantin a perduré jusqu'en 1453... En 1204 néanmoins, les Croisés ont réussi à chasser l'empereur byzantin qui s'est replié sur la rive orientale de son empire, à Nicée. Les Croisés ont été excommuniés par le pape pour cette exaction contre leurs frères chrétiens, mais ils n'en avaient cure puisque ça leur a permis de récupérer le commerce de la Méditerranée, chasse gardée des Byzantins depuis le IVe siècle. Je comprends désormais : les Diepolo se sont installés sur Korčula pour se rapprocher d'une part de Raguse, épicentre du commerce d'esclaves, et d'autre part de Constantinople, porte ouverte sur le négoce en Méditerranée.

— Le père et l'oncle de Marco Polo ont en effet ouvert une succursale à Constantinople.

— C'est logique. Et le jeune Marco, là-dedans ?

— Marco Polo naît à Korčula le 15 septembre 1254. Il est Vénitien de souche puisque Korčula est bien sous régence vénitienne à cette époque.

— Andréanne, dit-elle, les sourcils froncés, c'est une manie chez toi, on dirait ! Tu sais très bien ce que je pense de l'appellation « de souche »...

Le visage de la jeune femme vire immédiatement au rouge pompier. Le professeur Watson-Finn, en bonne archéologue, fustige quiconque ose réduire autrui à ses origines. « "De souche" est une appellation d'origine incontrôlable, martèle-t-elle dans ses cours. L'histoire de l'humanité n'est que migrations et métissages, l'ignorer conduit tout droit à la xénophobie, et à pis encore. L'unique "souche originelle" de l'humanité est l'Afrique de l'Est. C'est de là que nous venons. Et encore, même à l'époque de Lucy, notre ancêtre à tous, prévalaient les migrations et donc les croisements entre les populations migratoires. » Andréanne s'en veut de s'être laissé prendre en faute.

— Je dis ça uniquement parce que les Vénitiens revendiquent Marco Polo comme un des leurs... se sent-elle obligée de préciser.

— Et à raison ! s'énerve Joséphine. Toute l'Adriatique était vénitienne alors, tu viens de me l'expliquer. C'est à juste titre que les Vénitiens ont longtemps mis son effigie sur leurs billets de banque. Mais les Croates le considèrent également comme un des leurs, et ils ont aussi raison.

La jeune femme baisse le nez vers ses papiers, reprenant son exposé :

— Les affaires du père et de l'oncle de Marco Polo vont très bien jusqu'en 1261. Puis semblent péricliter.

— C'est simple à comprendre, tranche abruptement sa directrice. Les Latins, autrement dit les Croisés venus de France et d'Italie, ont profité de la prise de Constantinople entre 1204 et 1261, date à laquelle l'empereur byzantin y revient et chasse ces usurpateurs. C'est sans doute la raison pour laquelle le père et l'oncle de Marco Polo, comme les autres négociants latins, ont vu leurs affaires décliner. Et je te parie qu'ils se sont alors rabattus sur la mer Noire, non ? demande Joséphine, un sourire malicieux aux lèvres.

— En effet. En 1263, ils ouvrent des comptoirs en Crimée. Puis ils se lancent en 1265 dans un grand voyage vers l'Asie centrale. Ils se rendent jusqu'en Mongolie et y rencontrent Kubilaï Khan, petit-fils et successeur de Gengis Khan.

— Ah, les invincibles Mongols... Qui sont chrétiens à cette époque-là, si je ne m'abuse ?

— Pas vraiment, dit son assistante, bien que certains soient mariés à des princesses nestoriennes[17]...

— Mais oui, c'est ça. C'est l'époque où, depuis Rome, le pape tente de contrer la montée fulgurante de l'islam. Terrorisé par la propagation de cette nouvelle religion très prosélytique, le pape, tout comme plus tard Louis IX, le bon saint Louis, a voulu s'allier aux Mongols pour tenter d'endiguer ce fléau. Donc, le père et l'oncle de Marco Polo se sont rendus en Mongolie afin de rencontrer

---

17. Nestorianisme : hérésie chrétienne apparue au IVe siècle selon laquelle le Christ recèle deux natures, l'une humaine et l'autre divine.

Kubilaï Khan. Officiellement pour des motifs religieux, mais dans les faits, cela leur a permis de sauver leur négoce.

— Peut-être leurs intentions religieuses étaient-elles réelles ? ose Andréanne.

— Abrège, Andréanne, s'il te plaît. Ils avaient forcément la foi, les Diepolo. Néanmoins, a-t-on déjà vu religion et richesse faire mauvais ménage ? Non. Bon. Alors poursuivons. Donc, pendant que son père et son oncle voyagent, Marco grandit à Korčula, c'est bien ça ?

— Auprès de son grand-père, oui. Pendant ce temps, Kubilaï Khan offre à son père, Niccolo Diepolo, l'exclusivité du commerce entre la chrétienté latine et son empire, lequel inclut la Chine, la Russie, l'Ukraine et la Perse. Il leur confie une lettre qui confirme son allégeance au pape en échange de la venue d'artistes et de savants chez lui en Mongolie, parce qu'il veut montrer à sa cour ce qu'est la grande culture chrétienne. En conséquence, après 1266, les affaires des Diepolo s'améliorent.

— Et Marco est élevé par son grand-père. Et par sa mère, j'imagine ?

— On n'en parle nulle part.

— Je n'en ai pas trouvé trace non plus dans la maison des Diepolo, confirme Jo. De toute façon, l'histoire parle rarement, ou trop négligemment, des mères, des épouses, des sœurs... Sauf si d'exceptionnelles circonstances amènent celles-ci à prendre le pouvoir, forcément par le complot et la violence puisqu'il n'y avait pas d'autre possibilité pour une femme de se hisser à un poste suprême. Mais lorsque d'aventure elles parvenaient au pouvoir, et contrairement à ce que propage une idée convenue, elles s'avéraient souvent pires, plus déterminées, plus malignes, plus sanguinaires et plus impitoyables que ne l'étaient les hommes dans cette position. C'est ainsi : quand quelque chose ne vous est pas reconnu, vous surenchérissez. J'en conclus que la mère de Marco Polo n'avait aucun pouvoir ni aucune prétention au pouvoir. Elle est donc passée à la trappe de l'histoire. Cependant l'histoire oublie rarement les maîtresses, qui jouissent généralement de davantage de pouvoir. Tu vois, je te l'ai dit : reste une maîtresse, ma petite. Et fais-toi donc désirer.

Disant cela, elle ne peut s'empêcher de penser que Ksenia fut la nouvelle maîtresse d'Andros, ce que Yerina n'a pu tolérer, que cette même Ksenia est morte d'avoir refusé de subir plus long-temps l'odieux de sa situation, et ce, en se confiant à Joséphine, pensant ainsi reprendre le contrôle. À l'extérieur de la chambre, la nuit a étendu son manteau d'ombre qui fait miroiter les lumières sur la *piazza* de Hvar. Les éclats de voix d'une foule de plus en plus nombreuse, massée aux terrasses des cafés ou à la recherche d'un restaurant, remontent jusqu'à elle. Il est presque 20 heures, et Terry n'est toujours pas rentré. Il n'aime pourtant pas nager dans l'eau sombre.

Joséphine repense au pigeonnier de Korčula où elle a vu, dis-tinctement vu, le jeune Marco, assis seul à scruter l'horizon, battu par les vents omniprésents de l'île encaissée, tourmentée, de Korčula. Coincé entre Charybde et Scylla, il appelait l'ailleurs de toute sa foi. Peut-être cet enfant solitaire, élevé par un grand-père vieillissant et une mère apparemment insignifiante, attendait-il simplement le retour de son père.

— Marco Polo, reprend Andréanne dont la voix ramène Jo à l'écran, a quinze ans lorsque son père et son oncle reviennent à Korčula en 1269. Trois ans plus tard, il se prépare à les accompa-gner en Extrême-Orient quand le pape Grégoire X, nouvellement élu, les convoque dès son élection et leur confie la mission de re-tourner auprès de Kubilaï Khan afin de le convertir à la foi chré-tienne. En 1272, Niccolo, Maffeo et Marco se mettent donc en route, accompagnés par deux moines franciscains. C'est ainsi qu'ils se rendent d'abord en Mongolie avant de poursuivre jusqu'en Chine.

C'est là un des détails que Joséphine attendait. Son hypothèse : les Diepolo ne sont sans doute pas partis uniquement en compa-gnie de moines missionnaires. Ils ont probablement été escortés par ceux que l'on nomme les gendarmes, ou les gardes du corps, des pèlerins : les Templiers, chevaliers du Christ soumis à la règle de saint Benoît, dont l'ordre secret fut canonisé par le pape en 1139, et qui avaient pour mission de protéger les Croisés en route vers la Terre sainte. Leur blason, gravé dans le souterrain où est enfermée la Pythie, atteste de leur présence auprès des Diepolo.

— En Chine, poursuit Andréanne, Marco Polo apprend une des langues locales, probablement le ouïghour, et effectue des missions pour le compte de Kubilaï Khan, ouvrant ainsi la première route de la soie jusqu'à l'océan Indien, et même probablement jusqu'au Japon. Vers 1291, à la fin du règne de Kubilaï Khan, il est autorisé à retourner chez lui en passant d'abord par Sumatra, puis par l'Iran et la Turquie. Il s'embarque à Trébizonde, possession des Génois, ennemis des Vénitiens, qui le dépouillent en partie de ses richesses. Ironie du sort, après le départ de Mongolie de Marco Polo, la majorité des Mongols se convertissent à l'islam plutôt qu'au christianisme.

— Ainsi donc, raille Jo, il manque à la mission évangélisatrice confiée par le pape mais s'enrichit. Puis se fait dépouiller. Pour une aventure, c'en est une ! Revient-il néanmoins à Korčula ?

— Oui, en 1295, confirme Andréanne. Avec le reste de sa fortune en pierres précieuses. Il fait armer une galère pourvue d'une catapulte franque pour lutter contre les Génois. Sur ce point existent deux versions antagoniques. Une source dit qu'il participe à une escarmouche contre les Génois en 1296 au large de la Turquie, dans le golfe d'Alexandrette. Une autre situe cette bataille navale en septembre 1298 au large de Korčula. Quoi qu'il en soit, les Génois gagnent, et Marco Polo est emprisonné à Gênes. C'est de sa prison génoise qu'il dicte son livre, *Le Devisement du monde*.

— On dirait aujourd'hui « l'explication du monde »... Tu l'as lu ?

— Pas encore...

— Alors lis-le. Peut-être y trouvera-t-on d'autres détails.

Andréanne esquisse une sorte de grimace indéchiffrable.

— Marco Polo est libéré de sa prison génoise en 1299, contre une forte rançon payée par le pape Boniface VIII.

— Le pape se sent peut-être coupable, bien que j'en doute. C'est plutôt qu'en payant cette rançon, il fait de Marco Polo son obligé. Il le fait libérer et, en contrepartie, lui demande de créer l'évêché de Korčula et de bâtir la cathédrale Saint-Marc. Ça concorde parfaitement. En 1299, libération ; en 1300, fondation de l'évêché ; en 1301, édification de la cathédrale. C'est expliqué dans la cathédrale de Korčula qui vient d'être restaurée.

— Je continue ?

— Bien sûr, lui dit Joséphine qui s'efforce de ne pas laisser paraître combien son esprit est occupé par les révélations de Safet Zimamović.

— Alors, après sa libération, Marco Polo épouse Donata Badoer, dont il aura trois filles.

— Badoer... Un nom croate. Ce qui confirme que Marco Polo est bien revenu à Korčula. D'ailleurs, plusieurs églises de l'île datant du XIIIe siècle sont ornées de roues bouddhistes... Qui aurait pu introduire ce symbole totalement étranger à cette région sinon Marco Polo après son voyage en Chine et au Japon ?

— Oui, mais il quitte quand même Korčula à la fin de sa vie. En 1308, il décide de s'installer à Venise, à la Casa Polo, la maison familiale ancestrale située dans le quartier de Cannaregio. Elle n'existe plus, elle a brûlé. Marco Polo meurt à Venise en 1324, à soixante-dix ans, conclut Andréanne. Il est enterré, comme son père, en l'église San Lorenzo, mais sa tombe a disparu du fait des différentes restaurations de l'édifice.

— Plutôt à cause d'un tremblement de terre, non ?

— Dans les documents de la British Library, on parle de restaurations.

— Peu importe !

Nous voilà bien ! ironise Joséphine. Est-ce que restaurer la maison signifie la faire disparaître ? C'est gros quand même. Marco Polo est vénitien, mais il n'y a pas trace de lui à Venise. Comme c'est bizarre... Rien à Venise mais pléthore de traces à Korčula. Chacun se fera son idée.

— Je dois vous faire part d'une ultime information qui me paraît curieuse...

— Curieuse dans quel sens ?

— Comme patricien membre du Grand Conseil de Venise, Marco Polo a créé le Conseil des dix en 1310.

— Tiens ? Jamais entendu parler...

— Il s'agirait d'une institution secrète au fonctionnement calqué sur celui du Tchoû-mi-Yuan, le conseil de sécurité de Kubilaï.

— Le Conseil des dix... Est-ce une sorte de confrérie secrète ?

— Pour l'instant, je n'en sais pas plus.

Le dix est le nombre de la complétude dans la tradition chinoise, tout comme le douze dans la chrétienne.

Les questions affluent à son esprit. Pourquoi le fonctionnement du groupe occulte auquel appartenaient Andros et Yerina, et dont les activités se tiennent principalement sous la maison et l'église de Marco Polo, serait-il copié sur le modèle de ce Conseil des dix, lui-même calqué sur le conseil de Kubilaï Khan ? Et pour quelle raison les membres portent-ils des noms de dieux grecs, tandis qu'une Pythie parle au nom d'Apollon ?

Joséphine réfléchit. Bien évidemment, les cultes monothéistes ont récupéré les rituels païens. Les figures sacrées du christianisme sont des prolongements des dieux anciens. En matière de croyances, rien ne se perd tout se recycle. Elle comprend donc bien que les figures des apôtres viennent se superposer à celles des dieux païens. Mais tout se passe pourtant comme si cette superposition de figures sacrées, la présence incongrue de la Pythie, l'agence de gestation pour autrui et le macabre contenu du tonneau d'or ne parvenaient pas à former un tout. Elle se sent comme devant une vitre sale : le paysage est là, juste derrière, mais elle ne parvient pas à le percevoir nettement. Qu'est-ce qui l'en empêche ? Il lui manque un élément, mais lequel ?

Il était essentiel, cependant, qu'elle connaisse l'histoire complète de la famille de Marco Polo, autant que les motivations de leur voyage grandiose jusqu'aux confins de l'Orient. De ce que lui a appris Andréanne, elle retient le rôle fondamental du pape, l'accompagnement des Templiers, l'histoire commerciale de Venise et donc celle de la Dalmatie en tant que protectorat de la Sérénissime. Et puis surtout, cet occulte Conseil des dix inspiré à Marco Polo par Kubilaï Khan, dont elle n'avait jamais entendu parler. Son savoir historique, associé à son intuition, lui envoie des signaux sans qu'elle ne parvienne à les décoder clairement. La voix de son assistante la tire de sa réflexion.

— L'actuelle côte dalmate était anciennement la côte illyrienne, dit-elle, avant l'arrivée de Grecs de l'île de Paros...

— Bien entendu...

— ... alors j'ai aussi fait des recherches sur les Illyriens. Voulez-vous que je vous en parle maintenant ?

— Oh non, Andréanne, pas maintenant. Merci de l'avoir fait, mais j'en ai largement assez pour aujourd'hui. Et puis Terry va rentrer. Juste une dernière chose...

Avec une moue espiègle, elle sourit à son assistante. Elle veut clore leur conversation sur une note détendue.

— Tu sais où se trouve ma réserve de whisky ?

— Dans le placard de votre bureau, je crois...

— Tu sais qu'elle est là. Alors, bois une bonne rasade à ma santé, tu veux bien ? Et Marathon ? Il va bien ?

Marathon est son chat roux et blanc à poil long, qu'elle confie à Andréanne lors de ses voyages ou de ses week-ends à New York chez son amoureux. Pour la première fois depuis le début de leur échange, un vrai grand sourire illumine le visage encore rond d'enfance de la jeune femme.

— Très bien. Il est vraiment *cute*.

— Andréanne, ma petite... C'est ce que tu as de mieux à faire pour le moment. Roule-toi en boule avec Marathon et prends un scotch. Essaie de mettre l'autre rastaquouère de côté, si tu peux. Tu sauras bientôt dans quel sens tourne le vent. Te faire du mauvais sang en attendant ne sert donc à rien. Je te rappelle très bientôt.

Dix minutes plus tard, Terrence la trouve affalée plus qu'allongée sur la chaise longue de la terrasse, le regard fixé sur un point dans la pénombre, ne semblant même pas le remarquer. « Ça y est, se dit-il, elle est repartie dans son mystère... » La serviette de bain autour du cou, il s'agenouille à ses côtés, posant doucement ses lèvres sur le bout de ses doigts. Joséphine tourne lentement la tête vers lui.

— Terry, le liquide dans le tonneau...

Elle s'interrompt, comme si elle refusait d'y croire tout à fait, comme si prononcer les mots allait définitivement matérialiser l'horreur.

— C'est bien du sang humain. Ou plutôt un mélange de sang humain et de poison de *poskok*.

— *What the fuck ?* s'exclame son fiancé qui se laisse rarement aller à ce genre de langage.

— Et pas n'importe quel sang...

Mâchoires crispées, il s'arc-boute comme lorsqu'une vague inattendue menace de renverser sa planche.

— C'est du sang de fœtus, murmure Joséphine. Des bébés, Terry, des bébés...

18

— Tout te revient à présent.

Sous ses lunettes opaques, Stjepan suit du regard le geste panoramique de l'homme qui, debout à ses côtés, lui présente son domaine.

— Tout ceci t'appartient...

Des hauteurs de la colline couverte de garrigue et de pins, qui se dresse à quelque sept cents mètres, à la plage de sable blond dont l'étendue étincelle à perte de vue sous le soleil de midi, des vignes et des oliveraies dont il ne cerne pas les limites à la zone d'habitation – presque un village en vérité –, cette immensité dont, une semaine auparavant, il ignorait l'existence, s'avère donc être sa propriété. Tombée de ce ciel d'une imperturbable perfection bleu poudre et d'une transparence pareille à celle de la mer Égée, elle est un cadeau que Gaïa elle-même vient de lui offrir. Pas gratuitement, cependant. Pour l'obtenir, il lui a fallu payer le prix fort, celui de la mort de son père. Depuis l'accident d'Andros, le monde semble s'être retourné sur lui-même. À peine remis du choc violent que lui a porté la brutale disparition paternelle, Stjepan a découvert qu'il était un héritier, encore plus riche qu'il ne le pensait. Et, surtout, qu'il avait un grand-père. La nouvelle n'a pas été sans le terrasser. Andros ne lui en avait jamais parlé, mettant plutôt en avant sa condition d'orphelin.

Lorsque l'avocat de son grand-père l'a contacté par l'intermédiaire du commissaire Gatin, l'invitant à rejoindre son aïeul sur l'île de Paros, dans les Cyclades, pour répandre en sa compagnie les cendres de son père sur la plage du domaine qu'il y avait édifié, ses jambes ont failli se dérober sous lui. Le commissaire a constaté son ébahissement, ce qui n'a fait qu'augmenter sa suspicion. Bizarre histoire en effet que cet accident d'Andros. Aucun argument logique n'a encore expliqué qu'il ait pénétré dans la chambre de Jo et Terry en pleine nuit pour les cambrioler et les empoisonner, alors qu'absolument rien – vu sa condition, sa richesse, son statut dans l'île de Korčula – ne pouvait justifier une telle démarche, au péril de sa vie de surcroît. Après de longues heures d'interrogatoire, le commissaire a fini par admettre, n'ayant pas d'autre choix, que le fils d'Andros ne savait rien. Rien des raisons cachées d'Andros, rien de son passé véritable, rien de sa filiation secrète, rien non plus de ce domaine, acquis puis édifié comme un véritable fief sur l'île de sa jeunesse grecque. Rien, non plus, des circonstances de la noyade de Ksenia. «Une championne de water-polo, a commenté le commissaire Gatin, et un jour de calme plat. C'est insensé.» Pourtant, la blonde naïade est bien morte asphyxiée, l'autopsie l'a confirmé. Aucune trace de choc ni de lutte. Elle aurait simplement coulé à pic. Stjepan plongeait avec Joséphine à ce moment-là, de même qu'il se trouvait à l'hôtel Palace de Hvar quand son père est mort. Il est donc disculpé. Mais pas pour autant lavé de tout soupçon. Gatin le suspecte d'en savoir beaucoup plus qu'il n'en dit. La noyade de Ksenia l'a profondément bouleversé, ça s'est vu. Et il a longuement pleuré la mort d'Andros, mais ça, personne ne s'en est étonné.

Dès qu'il a appris la nouvelle, il a pensé à sa mère, Yerina, n'osant pas la contacter, pas plus que Joséphine, pourtant la seule personne à laquelle il aurait ardemment souhaité parler. Lorsqu'un avocat s'est présenté au nom de son client Leonard Irons, Stjepan et le commissaire de Korčula en sont restés pareillement déconcertés. Leonard Irons? Un Américain, historien et psychiatre, spécialiste des mythes et des symboles, ancien professeur à Harvard? Était-ce une blague? Si oui, elle était de mauvais goût. Stjepan n'avait jamais entendu parler de lui. Prenant connaissance des documents présentés par l'avocat, il n'a pu s'empêcher de fondre de nouveau en larmes, brisé par la survenue de trop d'absurdités en si peu de temps. Gatin lui-même, tout courroucé et suspicieux qu'il était, en a été ému.

Deux jours plus tard, muni d'un billet d'avion et de l'urne contenant les cendres d'Andros, le jeune homme a pris l'avion à Dubrovnik pour Athènes, puis de là le ferry pour Parikia, le chef-lieu de l'île de Paros. Dans son port l'accueillirent le moulin à vent, emblème de cet endroit, et cet homme, Leonard Irons, à la stature et au maintien intimidants, qui le serra dans ses bras à sa descente du bateau. La situation semblait aussi insensée que celle qui avait précipité Andros dans le royaume d'Hadès.

— Impressionnant, n'est-ce pas ? dit Leonard Irons qui lui présente son héritage. La dernière fois que ton père m'a fait visiter le site, il n'y avait presque rien, mais là, franchement... La seule chose qui me console, murmure-t-il, c'est de te rencontrer enfin. Depuis le temps qu'Andros me parlait de toi.

Stjepan ne peut pas en dire autant. Il ne parvient pas à comprendre pourquoi ce dernier ne lui a jamais parlé de son père adoptif. Si cet événement malheureux n'était advenu, l'aurait-il rencontré ? La mer Égée, d'un bleu transparent, lui rappelle la couleur des yeux de son père. Tout est blanc et bleu dans ce lieu. On a beau s'y attendre en arrivant sur une île grecque, se retrouver au cœur de cette bichromie reste saisissant.

Dans un silence gênant caressé par la main légère d'Eurus, fils d'Éole dont on peut craindre les sautes d'humeur mais qui, en cet après-midi de la fin septembre, s'avère clément, Stjepan est impressionné par la majesté qui se déploie devant lui. Des paysages et des édifices stupéfiants de beauté, ce n'est pourtant pas ce qui manque à sa vie. Depuis toujours, ils constituent son décor quotidien. Mais comparée à la splendeur altière et brute de la Dalmatie, toujours inquiétante parce que faite de lignes brisées, de hauteurs vertigineuses, de pics hypnotiques et de dentelles de pierres acérées, habitée par une faune et une flore aussi rares que sauvages, celle de l'île de Paros s'avère plus domestique, invitante comme une femme mûrie au soleil et polie par le massage incessant du sable et du sel, dont les chairs offertes invitent à l'abandon, au renoncement, même, au temps et à l'espace. La Dalmatie, dans ses atours, est indéniablement masculine, anguleuse, puissante, tapissée d'érections architecturales millénaires qui imposent autorité et admiration. La Dalmatie commande de marcher droit, de se bien tenir, le port de tête calqué sur les clochers des églises, de se montrer à la hauteur du lieu. Les îles grecques en revanche, dans leur modestie, dégagent une profonde empathie, une indulgence, une féminité nourricière moins flamboyante mais tellement plus rassurante.

Le domaine bâti par Andros est tout en courbes lui aussi. Les angles des bâtiments ont été arrondis, enduits de chaux étincelante, coiffés de coupelles d'un bleu azur profond, justement nommé bleu grec, celui des îles mais aussi celui du drapeau national, alors que, paradoxalement, le mot bleu n'existe pas dans la langue grecque. Le domaine, qui comprend une dizaine de bâtiments, communiquant les uns avec les autres à l'intérieur d'une enceinte recouverte de bougainvilliers en pâmoison, dont l'éclat rose orangé fait ressortir encore plus la brillance aveuglante du blanc alentour, ce domaine rappelle les seins des femmes. Des gros à côté de plus petits, plus en poire ou plus affaissés, les coupelles qui les dominent dardées comme des mamelons. Stjepan en est profondément troublé. Son père a bâti tout cela pour sa mère. À son image ou à l'image de son fantasme, car Yerina, plutôt maigrichonne, arbore une poitrine presque indistincte. Voir ainsi devant lui ces maisons courbes, autant de hanches galbées, de cuisses ouvertes, de pubis rebondis, d'épaules rondes, de reins cambrés et de fesses pleines, lui offre une autre vision de sa génitrice. Mais un doute s'immisce en lui: est-ce vraiment Yerina qui a inspiré Andros, et uniquement elle? Ces pleins, ces déliés, ces creux n'évoquent-ils pas plutôt le corps de Ksenia? Stjepan se sent d'autant plus mal à l'aise qu'il ne peut détacher son regard de l'ensemble. Sous ses yeux s'étale le vertige érotique qui a emporté son père dans ses replis dévorants. Le domaine est à l'image de l'amour fou qu'Andros a voué à sa mère puis à sa jeune maîtresse, à l'image surtout de la propension à l'amour absolu qui l'aura finalement englouti dans son sillage. Il sait en être le fruit, bien qu'il se soit toujours senti exclu de la relation morganatique de ses parents. S'il a beaucoup souffert de cette relégation, celle-ci l'aura en définitive sauvé. À présent, de quoi au juste hérite-t-il ? D'un domaine fabuleux ou d'une aliénation fatale ? Et n'hérite-t-on pas surtout de ce que l'on ne veut pas ?

C'est Leonard Irons qui apporte la réponse :

— Tu hérites d'un temple, tu ne trouves pas ?

Un temple, érigé par Zeus pour Héra, sa sœur et son épouse, ou pour une nymphe marine qui l'avait récemment ensorcelé. Un temple devenu autel mortuaire pour avoir perpétuellement été en quête d'amour, lui, Andros, l'orphelin privé des sucs maternels et du désir partagé, auxquels tout nourrisson devrait avoir droit à l'âge approprié pour pouvoir s'en détacher adulte. Yerina et Ksenia n'avaient rien à voir, peut-être, avec ce qu'Andros avait besoin de projeter en elles. Il a plié la pierre à son idée alors qu'il n'avait jamais réussi à plier ni Yerina ni Ksenia à ses volontés.

Stjepan a lui aussi manqué d'enveloppe maternelle. Il se méfie de cette île autant que de ce domaine trop ouvertement féminin, comme il se méfie des femmes, leur préférant les aspérités dalmates et les dauphins. Figé sur le seuil du domaine, il hésite à en franchir le porche. Qui sait s'il ne conduit pas dans un labyrinthe sans fin, un gouffre peut-être, où vivent les Amazones autour de Penthésilée, leur reine ? Héraclès ne vint-il pas à Paros pour y combattre les farouches guerrières, complices adoratrices de la surpuissante Aphrodite ?

— Ce temple est à toi maintenant, reprend Leonard. Tu n'as rien à craindre ici. Tu peux tout détruire, si tu veux, ou tout refaire, tout transformer.

N'est pas psychiatre de renom international qui ne sait saisir la pensée d'autrui, l'analyser et employer les mots justes pour l'orienter. Leonard Irons a toujours excellé dans son métier. Il sait que Stjepan n'est que douleur et méfiance, qu'il est recroquevillé sur son cœur comme une huître perlière sur son trésor fragile. S'il veut réussir à le convertir à sa cause, il doit d'abord lui donner l'impression de le laisser totalement libre de prendre quelle que décision que ce soit, même celle de tourner les talons et de fuir ce lieu sans se retourner.

— N'octroie à personne le droit de te dire ce que tu dois faire, renchérit-il en posant sa main sur le coude du jeune homme. Toi seul peux décréter le maintien de ce domaine ou sa vente, et cela vaut également pour Athenais, l'huilerie de ton père. Mais quoi que tu décides, tu dois le faire en connaissance de cause.

La logique désintéressée de ses paroles réconforte Stjepan, qui finit par aligner ses pas sur ceux de son grand-père. S'habituera-t-il un jour à le voir ainsi ? Ils pénètrent ensemble dans l'enceinte. Leo sourit. Il a marqué un demi-point.

Devant eux se déploient d'autres courbes, des trouées d'ombres, des feuillages et des fleurs emmêlées comme des chevelures indomptées, enivrantes d'odeurs sucrées, jetant des taches rouges sur les murs immaculés.

— Plus qu'un temple, c'est une ode... dit Leo.

Ce qui l'unissait à son fils adoptif, par-delà la succursale dalmate qu'ils ont structurée ensemble, était leur amour pour une femme, à la vie à la mort. Une femme fatale. Andros, lui, a pensé se libérer de cet amour aliénant en en aimant une autre. Leonard Irons savait qu'il commettait là une erreur et il a joué son rôle de père en prévenant son fils. Celui-ci ne l'a pas écouté. Il repense au corps martyrisé d'Andros, scarifié par une indélébile folie amoureuse que lui-même peut très bien comprendre. Car, pour n'être pas apparentes, les marques de son enchaînement et de son supplice n'en existent pas moins. Elles n'en sont au contraire que plus profondes. Son fils est allé loin au nom de ses passions féminines. Mais ce n'est rien comparé à ce que lui, Leo, est capable de faire.

Le domaine est immense. Les bâtiments qui le composent encerclent une cour intérieure en marbre très blanc d'une incroyable luisance. Une pierre luxueuse, dont les Parossiens font commerce depuis des millénaires. Leo émet un sifflement continu tandis que Stjepan détourne les yeux pour éviter d'être ébloui.

— Drôle de choix, marmonne-t-il. Le marbre ne va pas du tout avec l'ensemble. De grosses pierres plates aux jointures peintes à la chaux auraient mieux convenu...

— Je suis d'accord, acquiesce Leo, mais ça aussi, tu peux le changer si tu veux.

— Je ne vais tout de même pas casser tout ce marbre. De toute façon, je ne sais pas ce que je vais faire. Pour l'huilerie non plus, je n'ai pas encore pris de décision. C'est trop tôt.

Leo ne relève pas.

— Ton père voulait impressionner ta mère, préfère-t-il dire. Tout ici lui est dédié.

— Mais elle ne viendra pas.

Leo profite de la brèche ouverte par ce commentaire.

— Ah non? Elle n'aimerait pas ce lieu, penses-tu?

— Je ne sais pas... Mais puisque c'est à moi, je peux choisir mes invités, non?

Leo sourit. Stjepan se tourne vers lui, les bras croisés en signe de défense.

— Elle ne veut pas vous voir, vous savez ça, non? Tout comme vous savez qu'elle a une famille. Elle a perdu "l'amour de sa vie", comme elle me l'a affirmé, mais sa vraie famille passe avant tout.

— Je comprends. Tu en veux à ta mère. Tu vivais seul avec ton père, et soudain tu te retrouves avec un grand-père, et même une arrière-grand-mère... Sache que ma mère veut te rencontrer. Encore une fois, rien ne t'y oblige.

— Encore une fois, rétorque Stjepan, agacé, je ne sais pas ce que je vais faire. Je vous l'ai dit. La seule chose qui m'intéresse, c'est de retourner à Split, finir mes études et trouver un moyen d'intégrer une université américaine.

— Mais c'est très bien, ça. C'est comme si c'était fait. Je n'ai qu'à claquer des doigts. Je connais une bonne partie du milieu universitaire américain. Je suis à la retraite, mais je n'ai pas rompu les liens.

— Ça ne se passe pas comme ça, si? Il faut étudier, faire ses preuves et pas juste "claquer des doigts"...

— Évidemment. Mais c'est mieux si, en plus, on a des contacts. Où aimerais-tu aller?

— À UCLA, répond aussitôt Stjepan. Je voudrais y faire mon doctorat en biologie marine.

— *Great!* Je connais très bien Michael, le recteur de l'UCLA. Je peux m'entretenir avec lui dès que tu le souhaiteras.

— Je dois d'abord finir ma maîtrise.

— Je ne ferai aucune démarche avant que tu n'aies ton diplôme, sois-en certain. Je te l'ai dit. C'est un coup de pouce, pas une faveur imméritée.

Stjepan l'observe un moment, le visage tendu derrière ses lunettes opaques.

— On verra ça... répond-il.

« On verra » semble être le leitmotiv du jour.

Les maisons qui constituent le village privé sont achevées, hormis les installations intérieures. L'eau et l'électricité n'ont pas encore été installées, et aucun meuble, aucune décoration n'ont été apportés. L'ensemble rappelle un squelette dont la chair ne se serait pas encore constituée. Stjepan parcourt les pièces une à une, Leo sur ses talons.

— Comment avez-vous décidé d'adopter mon père ?

— J'ai passé un été à l'Université d'Athènes lorsque j'étais étudiant en histoire. Je me suis spécialisé dans les mythes mésopotamiens et grecs. Les mythes et les symboles m'ont conduit à m'intéresser à la psychologie humaine, au point de rentrer aux États-Unis pour faire mes études de médecine et devenir psychiatre. Je me trouvais donc à Athènes au cours de l'été 1971. Les parents d'Andros, tes grands-parents biologiques, Lean et Stavros, étudiaient l'histoire eux aussi, et ils étaient très engagés politiquement. Ils luttaient contre la dictature des colonels. Quelques années plus tard, ça leur a été fatal. Ils ont été arrêtés et sans doute assassinés. Je les aimais beaucoup et je les admirais. Lorsque j'ai su après leur mort qu'ils avaient un enfant, j'ai cherché à le retrouver. Pas tout de suite. Beaucoup plus tard. Lorsque j'ai su que je n'aurais pas d'enfants.

— Pourquoi ça ?

— Oh...

Leo évite son regard, visiblement mal à l'aise.

— L'occasion ne s'est pas présentée, disons ça comme ça... J'ai alors fait un voyage à Paros, où d'anciens amis de tes grands-parents m'avaient dit que vivait Andros avec la nourrice à laquelle ses parents l'avaient confié enfant, pour le mettre à l'abri des risques de leur vie athénienne. Lorsque je l'ai retrouvé, Andros venait d'avoir vingt ans. Il s'est produit entre nous une sorte de reconnaissance immédiate, un déclic instinctif, très fort. Je l'ai reconnu. Il m'a reconnu aussi. Ton père et moi étions très liés, tu sais.

Stjepan ne sait pas s'il doit le croire. Pourquoi, alors, son père ne lui a-t-il jamais parlé de cette relation « si forte » ?

— Il a voulu te protéger peut-être, dit Leo qui a deviné ses pensées. Ta vie était déjà, comment dire au juste ? Assez compliquée, disons...

— Qu'est-il allé faire sur la côte croate ? C'était une idée à vous ?

— Pas du tout ! C'était la sienne. Tu sais qu'une colonie d'environ cinq cents Parossiens s'est installée sur la côte dalmate, en l'occurrence sur l'île de Hvar, en 384 avant Jésus-Christ ?

— Oui, évidemment que je le sais.

— C'était un exploit. Ils ont été les premiers à parvenir à édifier une ville et à défricher la terre sans se faire bouffer par les Illyriens...

— C'est un site classé au patrimoine de l'humanité, je sais. Je connais cette plaine.

Il pense instantanément à Joséphine mais ne dit rien. Leonard Irons pense aussi à elle mais ne dit rien non plus. Aucun d'eux ne soupçonne ce que l'autre sait.

— Alors... poursuit Leo, un été, Andros a participé à l'un de ces voyages à bord d'un trirème identique à celui des anciens Grecs, entre Paros et Hvar.

— Il a fait ça ? Il ne m'en a jamais parlé. Je connais ces expéditions. La prochaine aura lieu dans deux ans.

— Toujours est-il qu'il est revenu de ce voyage subjugué par l'endroit, la Dalmatie, la mer Adriatique, les possibilités qu'il y voyait. Il a voulu y faire sa vie.

— Faut dire qu'il n'y a pas grand-chose à faire ici... dit Stjepan avec un regard circulaire.

— Moins qu'en Dalmatie, c'est certain, admet Leo. Alors, voilà, après l'expédition, ton père est allé à Dubrovnik où il a rencontré Yerina... La suite, tu la connais. C'était au milieu des années 1980. Ton père avait à peu près l'âge que tu as aujourd'hui.

« Si ce n'est pas la vérité, ça y ressemble », se dit Stjepan. Mais une autre question lui brûle les lèvres.

— Mes parents croyaient aux dieux grecs. C'est aussi vous qui avez transmis ça à mon père, je suppose ?

— Ton père connaissait déjà le panthéon grec. Mais c'est sûr que je lui en ai donné une interprétation plus profonde, plus psychologique sans doute. Nous en parlions souvent. J'ai regretté qu'il ne veuille pas faire d'études, mais il a préféré se lancer dans le commerce, gagner de l'argent.

— Pour ma mère...

Leo ne répond pas. Il se contente d'esquisser une moue explicite.

— Entre eux, ils s'appelaient Zeus et Héra, ajoute le jeune homme, guettant la réaction de son interlocuteur. Vous le saviez?

— Hmm, ben oui, admet Leo. Parce que ça, en revanche, ça vient de moi.

La prochaine cérémonie des oracles se tiendra le 8 octobre. L'échéance se rapproche. Il s'agit pour Leo de persuader son petit-fils de prendre la place qu'occupait son père dans l'organigramme de la Gaïa Inc., en tant que dirigeant de la succursale dalmate. C'est dans ce but qu'il a invité Stjepan sur Paros. Le reste, la visite du domaine, et même la dispersion des cendres d'Andros dans le bleu parfait de la mer Égée, auraient pu attendre.

Retirant lentement ses lunettes de soleil, il plonge ses yeux dans ceux de Stjepan. Après un premier mouvement de recul devant ce double regard noisette et émeraude, Stjepan reste interdit. Quand il était petit, et encore plus durant son adolescence, Leo a énormément souffert des moqueries que provoquait cette étrangeté. Lui qui n'a jamais connu son père a dû apprendre à se défendre seul. Comprendre les arcanes de la psyché humaine lui a permis de les tourner à son avantage. Avec les années, grâce à ses connaissances cumulées, grâce aussi aux coups innombrables que la vie s'est acharnée à lui porter, il a appris à en jouer comme d'une arme.

— Tes parents t'ont-ils parlé des cérémonies que j'organise chaque année en septembre sur la plaine grecque de Stari Grad? poursuit-il comme si de rien n'était.

Stjepan secoue la tête.

— Quand je t'ai dit que je maintenais mes contacts dans les universités, c'est qu'en effet, malgré ma retraite, je continue d'organiser des sortes de travaux pratiques l'été pour les doctorants en histoire, en ethnologie, en archéologie mais aussi en psychologie. Avec ton père, nous avons mis en place une sorte de camp d'été où l'on reproduit les oracles de la Pythie d'Apollon à Delphes. Ta mère s'en est mêlée, et elle y participe aussi. Durant la cérémonie, nous prenons des noms de dieux, comme dans un jeu de rôles. C'est tout à fait cela : un jeu de rôles.

Le jeune homme semble soulagé. Enfin une explication rationnelle à ce qu'il pensait être un signe supplémentaire de la folie singulière de ses parents.

— C'est un peu comme produire le spectacle de Waterloo chaque année ?

— Tout à fait ! s'exclame Leo. Très bonne comparaison. Certains refont la bataille de Waterloo, d'autres celles de Bouvines ou de Gettysburg... Nous, on met en scène les oracles de Delphes. Cela permet aux étudiants de comprendre concrètement le déroulement de ces cérémonies et d'interpréter les présages codés qui leur sont délivrés. Les oracles témoignaient du lien indéfectible qui unit les dieux et les hommes et constituaient la pierre d'angle des sociétés antiques. C'est toujours le cas, bien sûr, quand bien même certains s'imaginent être complètement exempts de croyance et se soustraire à toute forme de religion, c'est-à-dire à tout lien avec plus grand que soi. Mais c'est impossible. L'humain est...

— ... un animal croyant, conclut Stjepan, avec un rictus d'impatience. Je sais ça, merci. Mais je ne comprends pas pourquoi vous ne les organisez pas à Delphes ? Pourquoi avoir choisi la côte dalmate ?

— Parce que ton père a découvert la Dalmatie et notamment la plaine grecque de Stari Grad, à Hvar. Il a eu l'idée géniale de tenir ces cérémonies dans ce lieu, chaque année, le 15 septembre.

— Pourquoi le 15 septembre ?

— En hommage à Marco Polo, dont c'est l'anniversaire de naissance. Le grand Marco est comme le dieu de l'île de Korčula, pas vrai ? Cette date est une passerelle entre l'île de Korčula où tes parents vivaient et organisaient la cérémonie des oracles, et l'île de Hvar où elle se tient.

Stjepan est stupéfait. Andros, décidément, lui cachait bien des choses. Il ne peut s'empêcher, malgré sa méfiance, de trouver que cette cérémonie est une foutue bonne idée. Beaucoup d'événements historiques sont ainsi reproduits en Occident, alors pourquoi pas ici, dans ce lieu formé d'innombrables strates d'histoire.

— Malheureusement, reprend Leo, cette année, comme tu le sais, il n'a pas été possible de planifier la cérémonie à la date habituelle. Nous avons décidé de reporter l'événement au 8 octobre. J'espère que tu vas venir. Il nous manque un Zeus désormais.

Sa voix se casse, mais il ne détourne pas le regard.

— Tu connais déjà la mythologie grecque, je suppose, dès lors...

— Que je comprenne bien, l'interrompt Stjepan sur un ton à la fois cynique et agressif, êtes-vous en train de me proposer une promotion ? Vous voulez que je quitte ma triste condition d'Arès pour m'élever au rang de Zeus, c'est bien ça ? Mais... il y a un petit problème, et je m'étonne que cela vous ait échappé : ce n'est pas moi qui ai tué mon père.

Leo le regarde, presque amusé. Ce garçon est vraiment brillant.

— Arès ne tue pas son père que je sache, ajoute Stjepan. Je sais que dans nos mythes fondateurs, les fils tuent leur père pour prendre leur place, mais pas Arès justement. Ni d'ailleurs aucun des fils illégitime de Zeus. Et de toute façon, ça ne m'intéresse pas de participer à ça, ni à quoi que ce soit en compagnie de ma mère.

Cette réaction n'est pas pour déplaire à Leo. Cette première conversation avec son petit-fils ressemble à un jeu d'échecs au cours duquel il avance un pion pour mieux en cacher un autre. Mais la partie s'avère plus difficile qu'il ne l'imaginait.

— Vous savez, poursuit Stjepan dans un murmure, j'aimais mon père. C'est lui qui m'a élevé. Je n'ai donc pas du tout la tête à vos simulacres de cérémonies antiques. Je ne vois pas comment vous-même pouvez vous y consacrer alors que vous venez de perdre votre fils.

— Stjepan ! s'écrie Leo. Je le fais uniquement parce qu'il y a beaucoup d'inscrits, sinon je m'en ficherais, crois-moi ! Mais si tu ne veux pas en être, je comprendrai très bien. Et je respecterai ton choix.

— C'est vraiment gentil ! persifle Stjepan, exaspéré. Je fais comme je veux. Vous me l'avez déjà dit. Comme si Arès avait fait ce qu'il voulait !...

Le fils d'Andros a plus de répartie que Leo ne l'aurait cru. Pourtant il aurait dû s'en douter. Comment aurait-il survécu à la bizarrerie de son existence et à la vie de dissimulation imposée par ses parents s'il n'était pas doué d'une résistance hors du commun ?

Il reprend son plaidoyer :

— Plusieurs de mes collègues, dont des professeurs d'universités américaines, y viennent avec leurs élèves. Participer aux cérémonies te permettrait de les rencontrer. Penses-y, en tout cas.... La balle est désormais dans ton camp.

Stjepan ne répond pas. La proposition est intéressante, forcément. Mais Leonard Irons ne lui en semble pas moins douteux.

Demain, 29 septembre, son grand-père et lui répandront les cendres d'Andros dans la mer Égée. Puis il repartira pour Split. Pas pour Korčula, non. Pour le moment, il a grand besoin de réfléchir, seul, dans le calme de sa chambre d'étudiant. Et peut-être de prendre conseil auprès de la seule personne à ses yeux digne de confiance : Joséphine.

Leo l'observe en coulisse de son regard duel. Il devine les pensées de Stjepan, amusé. Il sait que son petit-fils a failli tuer Jo. Il sait aussi où se rendre pour retrouver celle qui demeure la femme de sa vie. Cette perspective l'excite autant que leur premier rendez-vous intime, vingt-cinq ans auparavant.

Contre toute attente, Stjepan se plante devant lui. Il mesure presque une tête de plus, ce qui oblige Leonard à lever le menton et le place dans une improbable position d'infériorité.

— Je n'ai jamais réussi à tuer mon père comme nous le recommande les psychologues. Je n'ai justement jamais pu me résoudre à le trahir. J'ai toujours fait ce qu'il voulait, vous comprenez, parce que c'était lui l'élément faible du couple. Selon moi, du moins. Longtemps, je me suis demandé comment il parvenait à vivre pareille situation, et puis, un jour, j'ai cessé de me poser des questions. Ça ne me concerne pas. J'ai consulté un psychologue à l'université, figurez-vous, et au bout de deux ans de thérapie, j'en suis parvenu à cette conclusion. Maintenant, mon père est mort. C'est fini. Je veux oublier tout ce qui concerne mes parents et leur étrange histoire. J'ai déjà assez souffert à cause d'eux, vous vous en doutez ?

— Tout à fait, acquiesce aussitôt Leo, tout à fait sincère.

— Alors vous comprendrez que je refuse de m'engager dans vos histoires.

Il redresse son beau visage hâlé, défiant son grand-père de son regard franc.

— Vos cérémonies, vos jeux de rôle, comme vous dites...

Un geste évasif accompagne ses mots.

— Eh bien ? l'encourage Leo.

— Elles sont payantes, ces cérémonies, non ?

— Bien sûr... Peu cher, c'est vrai, mais au fil des années ton père et ta mère ont investi ces revenus-là dans ce domaine. Voilà tout.

Stjepan esquisse une grimace incrédule.

— Vous saviez donc que mes parents voulaient se retirer ici, ensemble, dans un avenir proche d'ailleurs ? Mon père, en tout cas, y a cru, bien que je n'aie personnellement jamais envisagé que ma mère quitte sa famille, sa « vraie famille », comme elle l'appelle. De toute façon, mon père ne le souhaitait plus non plus.

Il fixe Leo dans l'attente d'une réaction qui ne vient pas. Leo se garde bien d'esquisser le moindre mouvement.

— Vous vous prétendez proche de votre fils, n'est-ce pas ? ironise Stjepan. Vous n'ignorez donc pas qu'il était amoureux ? Zeus était amoureux d'une nymphe... Ce n'est pas très original, mais dans la vraie vie, ça a créé pas mal de vagues, si j'ose dire.

Leo pince les lèvres, trahissant malgré lui son trouble. Ce garçon en sait beaucoup trop, il n'y a plus à en douter.

— Je le savais, se dépêche-t-il de dire pour ne pas paraître suspect. Ton père m'a écrit pour me l'annoncer. Je ne savais pas si je pouvais te le dire. Et en effet, ses plans ont changé au cours de la dernière année.

Il avance sa main vers celle de Stjepan qui la retire aussitôt, en reculant brusquement.

— Je t'ai amené ici parce que ton père souhaitait te laisser ce domaine ainsi que la responsabilité des cérémonies qui ont permis de le constituer. Enfin... à toi et à ta mère, en fait.

— À moi et à ma mère, répète Stjepan avec un rictus cynique. À nous, ses héritiers ! Mais bien sûr, voyons, c'est ce qui se fait dans les bonnes familles, n'est-ce pas ? Ce n'est pas que je n'aime pas ma mère. Je préfère juste m'en tenir loin, comme depuis toujours. La mort de mon père ne nous rapprochera pas. Je souhaite au contraire qu'elle nous sépare définitivement.

— Je comprends ton ressentiment, mon garçon. Cet héritage destiné à ta mère et toi était pourtant la volonté d'Andros. Vraiment. Il voulait refaire sa vie avec cette jeune femme. Je pourrais te montrer sa lettre si tu le souhaites.

Cette fois, Stjepan laisse éclater sa colère :

— Cette jeune femme, comme vous dites, s'appelait Ksenia. Elle était une brillante doctorante en histoire antique. Voilà qui devrait vous intéresser, autant que le fait qu'elle travaillait avec le mari de Yerina. Et surtout, surtout, elle était mon amie.

Leonard se raidit, comme s'il venait de recevoir un coup en pleine poitrine. Il pensait tout savoir. Il se trompait.

— Et maintenant, achève Stjepan, Ksenia est morte, elle aussi. Une championne de water-polo, qui savait nager avant même de marcher, noyée près du rivage par une mer d'huile ? Allons ! Personne n'est dupe. Moi, plus j'y pense, moins je crois ma mère innocente. Ça n'a pas pu arriver par hasard.

— Si, hélas. Tout arrive par hasard...

Stjepan sait-il que Ksenia attendait un enfant ? Leo se demande comment parvenir à l'apprendre.

— Je suis vraiment désolé, reprend-il. J'ignorais qu'elle était ton amie et qu'elle étudiait l'histoire. Ton père ne parlait que de sa beauté, de sa jeunesse... Il en était fou.

Le silence se prolonge entre eux, le clapotis de la mer égrenant les minutes pesantes comme des heures vides.

— De toute façon, grommelle Stjepan d'une voix rogue soulignée par un haussement d'épaules fataliste, l'autopsie a conclu à une noyade accidentelle. L'enquête s'arrête là.

Leo fait mine de s'en étonner. Il paie cher pourtant pour s'assurer la complicité de ses contacts au sein de la police de Korčula et de Hvar. Le commissaire Gatin, nouvellement promu à ce poste, demeure incorruptible et cela n'est pas sans l'inquiéter. Les taupes soudoyées par la Gaïa Inc. craignent chaque jour que ce commissaire trop zélé ne découvre leur complicité.

— La seule chose certaine, conclut Stjepan, c'est qu'Andros et Ksenia sont morts tous les deux. Voilà tout.

— Réunis dans la mort...

Mauvaise pioche. Ses paroles produisent l'effet inverse de celui escompté.

— Arrêtez vos fadaises, voulez-vous! hurle Stjepan d'une voix grave dont l'écho se répand comme une onde de choc. Et ils ont traversé le Styx main dans la main, pendant que vous y êtes! Non. Les parents de Ksenia ont récupéré la dépouille de leur fille, et nous, nous allons répandre les cendres de mon père ici, voilà tout. Quant à ma mère... elle a disparu elle aussi.

Leo sait bien où se trouve Yerina mais n'en dira évidemment rien.

— Écoutez, achève Stjepan, nous nous sommes tout dit. Ne comptez pas sur moi. Ce ne sont pas les aspirants dieux qui vont manquer, ça... Vous n'aurez aucun mal à vous trouver un autre Zeus ni même un autre Arès. Moi, je rends mon tablier.

L'un derrière l'autre, ils quittent lentement le domaine. La psalmodie des cigales accompagne leurs pas lourds. Décuplé par la sécheresse de la végétation environnante, leur stridulation retentit comme un roulement de tonnerre. Zeus, le vrai Zeus, tremble de colère. Comment ces vils mortels osent-il usurper son nom, défier sa pantocratie?

Leo garde les yeux au sol. Il produit un immense effort pour ne pas trahir la colère qui l'étreint. Il est d'autant plus vexé que ce jeune homme n'est pas qu'intelligent et cultivé, il est malicieux. Il ne manque pas, Leo l'a compris, de duplicité. Alors pourquoi ne bascule-t-il pas de son côté? Comment ose-t-il se poser ainsi en adversaire, lui résister à lui, Cronos? Il ne laissera pas ce bâtard contrer ses plans.

19

La maison de Safet et Djenana Zimamović se trouve dans les terres de l'île de Hvar, à une dizaine de kilomètres de la ville de Stari Grad. Celle-ci, chef-lieu de l'île, est située sur la côte nord, tandis que la ville de Hvar se dresse sur la partie sud. Jo et Terry ont accepté l'invitation de leurs hôtes. Après avoir quitté l'hôtel Palace, son architecture vénitienne et sa décoration autrichienne, ils ont emprunté la route escarpée – plus encore, leur a-t-il semblé, que celle de l'île de Korčula – qui serpente entre montées abruptes et canyons vertigineux. Sans entrer dans Stari Grad, ils ont roulé en direction de la plaine qui s'étend à perte de vue jusqu'à la mer.

La sourde angoisse qui les tenaille depuis qu'ils savent ce que renferme le tonneau d'or du souterrain de Korčula a envahi l'habitacle de la voiture. Des visions de victimes sanglantes dansent sur le pare-brise.

À quelles fins peut-on, de nos jours, recueillir du sang de cordon ombilical? Joséphine, autant que Terrence avec qui elle en a abondamment débattu, essayant de trouver un début d'explication logique, s'avoue incapable d'élucider ce mystère et de décoder les liens avec la malheureuse Pythie emprisonnée. Terry ne veut plus attendre. Andros et Ksenia décédés, et Yerina mise du même coup hors d'état de nuire, il ne souhaite plus laisser sa fiancée risquer sa vie sous prétexte de percer le secret du souterrain. Que Jo effectue l'expertise qui lui a été confiée afin qu'ils puissent rentrer chez eux, voilà tout ce qu'il souhaite. «Nous avons assez payé de nos personnes, répète-t-il, alors que cela ne nous concerne pas.» Joséphine n'est pas loin de lui donner raison mais refuse de prévenir la police avant d'avoir parlé avec Stjepan. Elle a formulé cette ultime demande, et Terry, bien que mécontent, a fini par y accéder. Mais Stjepan n'appelle pas. Il a pour ainsi dire disparu, conduisant Jo à douter de la probité de son protégé, autant que de la complicité qu'elle croyait pourtant établie entre eux.

Installée sur la vaste terrasse arrière d'où l'on aperçoit la plaine grecque à deux kilomètres, elle observe la maison, une imposante bâtisse du XVIIe siècle aux murs de pierre blanche, que Safet Zimamović et son épouse ont su restaurer avec respect tout en y apportant le confort moderne. La terrasse aménagée, ombragée d'un côté par un store bleu marine, de l'autre par une tonnelle recouverte d'une vigne compacte, ajoute une pièce supplémentaire dont le couple profite d'avril à octobre. À l'intérieur de la maison prévaut une élégance épurée tout orientale. Les murs sont rehaussés de quelques tableaux représentant des formes végétales revisitées, achetés aux nombreux peintres de l'île. Des kilims aux motifs typiquement bosniaques – des losanges de couleur entremêlés – sont jetés à même les planchers de bois sombre, des divans bas sans dossier sont recouverts de coussins soyeux. Quelques meubles de bois lustré ainsi que des poteries incrustées d'empiècements de cuivre, d'inspiration ottomane, complètent le décor. De l'ensemble se dégage une harmonie sobre et accueillante, raffinée sans être ostentatoire, dans laquelle Jo et Terry se sentent immédiatement à leur aise. La maison de plain-pied comprend trois belles chambres, un vaste salon-salle à manger, une bibliothèque-bureau et deux salles de bains, dont l'une réservée aux amis. Rares, d'après leurs hôtes qui disent vivre presque en autarcie depuis qu'ils ont emménagé sur l'île de Hvar. Djenana s'adonne au jardinage, notamment au soin de quelques hectares de vignes ainsi que de l'oliveraie, qui, respectivement, s'étendent de chaque côté de la bâtisse, mais aussi à l'entretien du potager qui suffit quasiment à les nourrir.

— Biologique, mon potager, aime-t-elle préciser avec l'adorable accent qui émaille son anglais. Ici, nous vivons avec la nature comme le faisaient déjà les Grecs et les Romains, et les Illyriens avant eux...

Safet poursuit ses recherches, publie des articles et a même entrepris l'écriture d'un nouveau roman historique.

À l'horizon, le soleil descend sur la plaine millénaire. L'île de Hvar offre ici la version terrienne de sa beauté, même si l'Adriatique n'est pas loin, miroitant à la gauche de la terrasse.

— Nous ne nous bronzons que rarement, a expliqué Djenana, nos peaux sont devenues allergiques au soleil trop puissant de l'été. Mais nous aimons nager à la tombée du jour. Après 17 heures, l'eau est à son meilleur...

Joséphine sourit, languide. « Oui, se dit-elle, un véritable havre de paix que cette maison... » Dans une dizaine d'années, elle se retirera de l'enseignement, et alors, que fera-t-elle ?

Safet rejoint son invitée sur la terrasse, apportant deux verres. Un vin blanc frais pour elle et une eau pétillante citronnée pour lui. La seule boisson qu'elle l'ait vu ingurgiter depuis leur arrivée, trois jours auparavant. Elle en a conclu que son collègue suit les préceptes de sa religion musulmane. Dans son souvenir pourtant, il buvait, et pas mal, lorsqu'ils se sont rencontrés au Caire. Djenana, pour sa part, ne rechigne jamais devant un faros, l'un des bons rouges de l'île, qui compte plusieurs nectars réputés.

— Je vais encore boire seule, dit Joséphine, tendant ainsi une perche pour en savoir un peu plus.

La réponse de Safet ne tarde pas.

— J'ai bu plus que ma part dans cette vie, croyez-moi. Des centaines d'hectares de vignobles, ajoutés à des champs entiers de prunes puisque je buvais aussi de la *sljivovica*. Dès le réveil. *Sljivovica*, vin, et bière parfois, en alternance jusqu'à tomber sur ma couche le soir. Et ainsi chaque jour, des années durant, jusqu'à perdre conscience. Jusqu'à la crise cardiaque, en vérité. C'est cet infarctus qui m'a sauvé la vie, bien que j'aurais préféré mourir pour être franc. Mais... il y a Djenana, je suppose que je devais rester pour elle. Elle a déjà perdu notre fils, je ne pouvais pas être égoïste au point de lui imposer également la disparition de son mari.

Sa confidence s'est faite d'une traite. Les yeux rivés sur le soleil déclinant, il met Jo dans le secret comme d'autres diraient :

« Passe-moi le sel. » Prise de court, celle-ci le fixe, ne sachant quoi répondre. Le silence constitue sans doute la marque de respect la plus appropriée.

— Samir avait vingt-trois ans, continue Safet comme s'il était seul. Pacifiste, il refusait de se battre, jugeant absurde cette guerre fratricide qu'il ne pensait pas pouvoir durer. Il avait déserté l'armée bosniaque pour rejoindre la Croix-Rouge, pas le Croissant-Rouge, voyez-vous, mais bien la Croix-Rouge au sein de laquelle il s'occupait tout particulièrement des enfants. Il faut dire qu'il se destinait à devenir pédiatre... Sa défection a déplu à ses anciens compagnons d'armes. L'un d'eux l'a attendu à la sortie de son travail et l'a abattu. Trois coups de pistolet, bam, bam, bam. Fini.

Joséphine se tasse dans son fauteuil. Si elle pouvait, elle arrêterait de respirer pour ne pas risquer de l'interrompre.

— J'étais lieutenant dans l'armée à ce moment-là, et je n'ai rien pu faire. Je n'ai pas réussi à sauver qui que ce soit dans cette foutue boucherie de guerre. Ni les adultes ni les enfants, pas même mon propre enfant. Au lendemain du meurtre de Samir, j'ai déserté l'armée bosniaque. Djenana, elle, a vécu deux ans dans une cave sans voir le jour. Et ne croyez pas que cette guerre soit finie, loin de là. Il faudra des décennies, voire des siècles, pour que la paix reviennent dans les cœurs et les esprits, si tant est qu'elle y revienne jamais... Je me suis fait violence pour retourner à l'Université de Sarajevo, mais j'ai refusé tous les chantiers de fouilles archéologiques non seulement en Bosnie-Herzégovine mais sur l'ensemble du territoire de l'ex-Yougoslavie. C'est dommage parce que des fouilles sérieuses permettraient de mettre au jour des traces vieilles de plus de dix mille ans avant Jésus-Christ. Ce ne sont pas ces traces-là qui me préoccupent. Ce sont les autres. Les charniers qui apparaîtront sous la surface immédiate. Des charniers de Bosniaques musulmans, de Serbes orthodoxes, de Croates catholiques, aucune communauté n'a été épargnée, bien entendu, en matière d'épuration. En vérité, il ne m'importe pas du tout de savoir qui est qui et à quel dieu il croyait. Dieu, quel que soit le nom qu'on lui donne, s'est désintéressé depuis longtemps déjà de notre minuscule planète qui a perdu la boule...

La nuit étend ses premières ombres sur la campagne. Il semble à Jo que la douceur du soir véhicule soudain l'odeur pestilentielle des dizaines de milliers de morts qui gisent en attendant une exhumation. Immanquablement, l'archéologie met au jour les pires méfaits, les pires horreurs dont l'humanité a ponctué sa «marche civilisatrice». Une marche au pas de charge. Certainement pas un progrès.

— Lorsque les Anciens créaient les dieux à leur image, ils les craignaient en toute humilité. De nos jours, c'est Dieu qui craint les hommes. Ceux qui ignorent tout de lui commettent le pire en son nom.

A-t-il encore la foi? L'a-t-il déjà eue? La question se forme dans l'esprit de Jo, mais elle n'ose pas la lui poser.

— Je ne suis pas croyant, répond Safet, comme par télépathie. Comment le pourrais-je? Je suis archéologue, bon sang. Comme vous. Nous savons que les religions, de tout temps, ont servi de prétexte. Un prétexte qui s'ajoute aux desseins véritables, ou même, je le vois ainsi, les recouvre d'un voile mystificateur. Pouvoir, enrichissement, emprise, tel est, sans conteste dans l'histoire, l'effet recherché par ceux qui ont brandi la religion comme légitimation.

— L'être humain ne peut pas ne croire à rien... ose Joséphine, d'une voix presque inaudible.

Disant cela, elle pense immanquablement à Leo qui fut à la fois son professeur le jour et son amant la nuit, à l'époque où elle poursuivait un post-doctorat à Harvard. Combien d'interminables discussions ont-ils eues à ce sujet?

— La foi doit rester de l'ordre de l'intime et de l'individuel, de l'ordre de l'ineffable, précisément!, s'énerve Safet. Il en va de la sécurité de tous. Les croyants véritables, quelle que soit leur religion, sont des mystiques contemplatifs et secourables, mus par une véritable capacité à comprendre la souffrance de tous les êtres vivants et à entrer en communion avec elle.

— Vous parlez des moines, commente Joséphine. Dans toutes les religions, les problèmes ne viennent pas des moines, ou très rarement...

Elle allume une cigarette et en souffle lentement les volutes dans le soir qui tombe.

— Et vous? reprend Safet, êtes-vous croyante? Enfin, si je puis me permettre de vous le demander?

— Vous pouvez, je n'ai aucune réticence à en parler. Eh bien, j'ai été baptisée catholique, ma mère et sa famille y tenaient.

Lui revient aussitôt la silhouette bien mise de sa grand-mère maternelle, Mathilde Licart, qui ne manquait jamais la messe du dimanche en l'église Saint-Germain-l'Auxerrois, sa mise en pli serrée dans un foulard Hermès.

— Mon père, lui, est anglican, mais il est païen, sans l'ombre d'un doute!

— Sir Watson-Finn, dit Safet, avec respect, une référence pour nous tous.

— Avec son grand ami Joseph Campbell, ils passaient des nuits entières à débattre de la puissance des mythes et des archétypes. Enfant, je refusais d'aller dormir pour les écouter, fascinée.

— Campbell, reprend le professeur Zimamović, le plus grand mythologue et spécialiste des religions comparées de notre temps. Et un mythe lui-même... Autant que ses maîtres, Carl G. Jung, Wilhelm Stekel, Heinrich Zimmer...

— Voilà le monde d'où je viens. Je vis moi aussi avec les mythes et les dieux, mais je ne les prends jamais pour autre chose que ce qu'ils sont: des figures créées par les Anciens à leur image, pour comprendre leur propre psychologie.

Son collègue entérine ses propos avec un sourire.

— Quant à ma foi, poursuit Joséphine, je m'affirme généralement athée, c'est plus simple. Parfois, je me dis agnostique. Mais en vérité, j'avoue être plutôt panthéiste. Et nourrir un rapport quasi mystique à la nature.

— Je comprends ça...

— Et puis je suis très sensible aux chants religieux. Je chante moi-même des mantras à Tara.

— À Tara? Vraiment?

— Oui, Tara la Blanche, bien sûr... Si quelque chose me stresse ou me rend anxieuse, je me mets à chanter: "Oum Tare Tu Tare Ture Shawa Oum Tare Tu Tare Ture Shawa..." Ça me calme.

— Je vous comprends, répète Safet. Les chants des mystiques musulmans du désert me sont chers. Ils produisent le même effet méditatif et apaisant.

— Je connais ces chants, Safet. Quand je vivais au Caire, il m'arrivait de partir avant l'aube pour rejoindre les chameliers au pied des pyramides de Gizeh. Ils entonnaient ces incantations mystiques en hommage au soleil qui, comme un miracle quotidien, allait honorer la terre. Ça me faisait un bien fou. Ça me manque.

— J'en chanterai pour vous, un jour prochain...

Jo plonge ses lèvres dans le vin qui tiédit entre ses paumes. Le silence absolu de la vigne s'étire à leurs pieds.

— Vous n'êtes jamais fatiguée, Joséphine ?

Elle se tourne vers lui, perplexe.

— Je veux dire, vous n'en avez pas assez d'enseigner ? Pour rien ? À des ignares qui vivent à des années-lumière des valeurs que l'on essaie de leur transmettre ?

Il exagère. Ce n'est cependant pas le moment de le lui faire remarquer.

— Je pourrais continuer, vous savez, ajoute-t-il. Je pourrais superviser des séminaires de post-doctorat, donner des conférences dans le monde...

— Je voulais justement vous inviter à McGill. Ce serait un honneur.

— Tout l'honneur sera pour moi, et je viendrai. Je le ferai par amitié pour vous. Parce que je ne crois plus beaucoup à la transmission. C'était pourtant une vocation, voire un sacerdoce. C'est fini. Ma foi fervente en l'éducation a été roulée dans un linceul et enterrée au lever du jour avec Samir, avec toute l'espérance candide que mon bon fils nourrissait envers son prochain. C'est de ma faute. Je lui avais transmis cet idéal de tolérance, d'ouverture, d'amour de l'altérité et du savoir. Je croyais sincèrement qu'ils étaient les boucliers contre la barbarie. Je me suis trompé...

— Mais non, mon ami, ose Jo. Vous avez raison.

— Non, non, j'assume mon erreur. Ces valeurs-là ont-elles encore cours lorsque la colère, la rancune, le refoulement et l'amnésie, ou l'hypermnésie qui est parfois pire encore, s'emparent de certains? Non. Ça conduit à la mort. J'aurais mieux fait d'apprendre à mon fils à se méfier.

Il secoue la tête un moment, en silence.

— Je ne pouvais plus continuer à enseigner, vous comprenez? Je ne pouvais tout de même pas transmettre mon désespoir.

Jo est bouleversée.

— Je vous entends, Safet. Ça ne change rien, mais sachez tout de même que je vous comprends. Même si, pour ma part, je m'obstine à enseigner, à transmettre, à éduquer. Je suis très têtue comme fille, au risque d'être bêtement téméraire. Je crois encore à l'enseignement. Si je devais être la dernière personne à enseigner l'histoire sur cette planète, je le ferais. Pas seulement par fidélité envers mon père, non. Il s'agit d'une vision du monde.

— Surtout n'arrêtez pas, s'il vous plaît, même si moi, je ne crois plus qu'en la littérature, en fin de compte.

— Ah! s'esclaffe Jo, c'est mon Terry qui serait content!

— Je suis sérieux. Contre toute attente, je pourrais prendre goût aux romans historiques...

Ils se taisent pendant un long moment. De la cuisine parviennent les éclats de voix joyeux de Djenana et Terry qui préparent le repas. «Les habitants de cette région ont tous dû faire preuve d'une espèce d'acharnement farouche à vivre», pense Jo. Elle évite le terme galvaudé de «résilience». Trop de gens l'emploient avec une sorte de complaisance docte, se gargarisent de cette notion sans véritablement en connaître le sens subtil ni surtout la portée. Cela l'irrite. Mais des personnes comme Djenana et Safet, Yerina et Maro sont de vrais survivants, eux. La résilience permet de survivre, mais nul ne dit, dans les traités de psychologie populaire, comment l'on y parvient. Certains finissent par pardonner, et même peut-être à véritablement tourner la page en ouvrant leur cœur. D'autres, la majorité sans doute, neutralisent la souffrance en cristallisant la mémoire, ou encore en y inversant les rôles, se décrétant vainqueur pour oublier qu'ils furent vaincus, s'érigeant en bourreaux alors qu'ils furent victimes. Safet appartient à la première catégorie, Yerina, sans doute à la seconde. «Et Leo? se demande-t-elle subitement, nommant de nouveau l'homme qui subrepticement hante son inconscient depuis qu'elle a débarqué en Dalmatie, sans qu'elle puisse exactement se l'expliquer. Quelle sorte de remède Leo a-t-il employé pour survivre ?» Cette pensée la submerge de tristesse.

On n'y voit plus guère sur la terrasse, mais ni elle ni Safet ne se lèvent pour allumer.

— Vous voyez, résonne la voix de Safet dans l'obscurité, c'est exactement ce qui arrive dans l'histoire qui nous occupe...

Jo sursaute. Il parle du contenu du tonneau. Le sang de fœtus mélangé au venin de *poskok*. En bons experts, ils sont tout de suite tombés d'accord sur le fait que cette étrange mixture rappelle les substances hallucinogènes employées par d'innombrables civilisations pour provoquer la médiumnité. Safet a résumé les choses ainsi : «Une Pythie grecque qui parle à Apollon dans sa langue, plus un tonneau, ou n'est-ce pas plutôt une sorte de canope[18], qui contient un liquide dont la toxicité produit un effet de transe, nous connaissons bien cela, n'est-ce pas ?» et Jo l'a approuvé. Elle en était déjà arrivée aux mêmes conclusions de son côté. Il leur reste à comprendre pourquoi. Dans quel but cette substance est-elle employée dans l'île de Marco Polo ?

— Je veux dire, répète son hôte et confrère, qu'il s'agit clairement de rituels antiques, mais lesquels, et pourquoi ?

— Je ne sais pas, avoue Jo.

— Pour que la Pythie communie avec son dieu, comme lorsque l'oracle du dalaï-lama, par exemple, entre en transe pour transmettre ses conseils, elle doit ingurgiter une boisson qui modifie son état de conscience et déclenche la clairvoyance. Autrement dit, une drogue. Dionysos pour les mêmes raisons usait de vin, alors que nous savons qu'à Delphes, la prêtresse d'Apollon avalait des mixtures toxiques.

— Toxique comme l'est le venin de *poskok*...

— Exactement. Mais en petite quantité évidemment, sinon elle en mourrait. En petite quantité, elle attrape la fièvre et lit l'avenir. Les prêtres de Kali en Inde utilisent le venin du cobra, et les Mayas à leur époque, le peyotl sacré, aujourd'hui interdit. Ce procédé n'a donc rien d'exceptionnel. Ce qui l'est en revanche...

---

18. Vase mortuaire égyptien destiné à recevoir les viscères des défunts.

— ... c'est le sang de cordon ombilical.

— Nous y voilà, soupire Safet d'une voix soudain crispée. Là, j'avoue ne pas comprendre.

— Moi non plus. Mis à part le fait que c'est justement en lisant votre roman que j'ai pensé à lier ça, peut-être à tort, aux rituels sanglants des Illyriens.

— Franchement, je ne crois pas. Pas directement en tout cas, car les Illyriens ne sacrifiaient pas de bébés. Nous ne savons pas grand-chose d'eux puisqu'il s'agit d'un peuple protohistorique[19] à part qu'ils étaient assez primitifs. À défaut de posséder quoi que ce soit d'écrit par eux sur eux-mêmes, nous nageons dans l'interprétation. Néanmoins, comme c'est le cas pour d'autres peuples sans écriture – vos ancêtres les Gaulois, par exemple –, ajoute-t-il un rien goguenard, les découvertes archéologiques les ont partiellement fait parler, si je puis dire. On a retrouvé sur l'île de Hvar des tombes illyriennes du XIIIe siècle avant notre ère ainsi que les traces de villes qu'ils ont construites.

— Des villes? Ciel! Voulez-vous dire que les Illyriens n'étaient pas qu'un tas de barbares sacrificateurs qui mangeaient le cœur de leurs prisonniers avant d'offrir ceux-ci à leurs dieux, empalés sur des pieux.

— Les Illyriens n'étaient pas que ça. Il semble néanmoins qu'ils vivaient à l'état sauvage...

— ... jusqu'à ce que la grande civilisation grecque vienne leur apporter la lumière, en l'occurrence, qu'elle les extermine! Ils étaient peut-être tout simplement des écolos avant l'heure, ces Illyriens!

— Écolos, ça, certainement. Pas le choix.

L'atmosphère se détend un peu mais pas pour longtemps.

— Enfin, dit Safet en retrouvant son sérieux, à propos de ce qui se trame dans ce souterrain, les barbares qui organisent ces rituels que j'oserais qualifier de simulacres de rituels gréco-illyriens – nous sommes d'accord, Jo? –, n'ont rien de civilisé. Ils sont au contraire méprisables.

---

19. Peuple sans écriture propre et que l'on ne connaît qu'au travers de ce qui en a été rapporté par d'autres.

272

— Ce sont des criminels.

Le regard errant vers la plaine, elle sirote son vin tiédi. Selon elle, les fœtus proviennent de la pseudo-agence de GPA qui sévissait sous la macabre égide d'Andros, le *pizdoun*. Le visage d'ange de Ksenia vient de nouveau flotter devant ses yeux. Et si le sang de son enfant se trouvait lui aussi dans le tonneau, avec celui des autres bébés nés par césarienne le 15 août dans l'île de Mljet? La terrible Calypso elle-même n'aurait pas osé perpétrer pareil carnage.

— Djenana et vous nous offrez des moments inoubliables. Mais je n'ai toujours pas de nouvelles de Stjepan, le jeune homme dont je vous ai parlé, ça m'inquiète. Et ça impatiente Terry. Je vais devoir me résigner, je crois bien. Donc, dès demain, j'irai inspecter la plaine grecque pour remettre mon rapport. J'espère d'ailleurs que nous pourrons en parler ensemble.

— Avec grand plaisir, acquiesce Safet avec empressement. Mais il n'est pas question que vous laissiez tomber l'affaire comme ça. Je ne peux pas garder pareil secret!

— Je sais bien, soupire Jo, je ne suis ni une enquêtrice ni une justicière, et encore moins une moraliste. Je veux comprendre, mais je suis obligée d'admettre que je ne comprends rien. Alors, avant de partir, je téléphonerai au commissaire Gatin, ne vous en faites pas.

Safet Zimamović hoche la tête. Il n'a rien de mieux à proposer. Le silence s'épaissit, alourdi par l'obscurité de la terrasse qui contraste avec la lumière irradiant de l'intérieur de la maison.

— Joséphine, dit soudain Safet, j'ai un mauvais pressentiment. Je sens que cette affaire est encore plus sordide que ce que nous pouvons imaginer.

Jo serre son verre sans répondre. Combien de fois, sur un chantier, a-t-elle creusé sans savoir ce qu'elle allait déterrer, se fiant plus à son intuition qu'à son savoir? Concernant le secret de l'île noire de Marco Polo, elle se sent précisément dans cette disposition d'esprit.

Il s'agit de sang de fœtus, c'est donc des... Là, son esprit se rebiffe, refusant d'aller plus loin. Dès qu'elle veut formuler le mot, une sorte d'*Air bag* psychologique se déploie pour la protéger contre l'effroi de l'impensable. Elle voudrait encore espérer. Se persuader que le sang trouvé dans le tonneau est extrait des cordons ombilicaux *après* la naissance des bébés par césarienne, ce qui signifierait que ceux-ci sont vivants. Parce qu'une fois né, un bébé n'a plus besoin de son cordon, c'est logique. Alors celui-ci peut être récupéré à diverses fins. Elle s'accroche à cette explication rationnelle, tout comme, sans doute, Terrence et Safet le font de leur côté. Une sorte de prémonition les empêche d'exprimer ouvertement leurs craintes. Et si, avant le prélèvement du sang, les bébés étaient...

La lumière inonde brusquement la terrasse.

— Mais que faites-vous dans le noir ? s'exclame Terry, les bras chargés.

— On vous attendait, répond Jo en clignant des yeux.

— C'est cela, oui, grommelle-t-il avec une moue incrédule.

Il n'ajoute rien, car Djenana les rejoint, posant sur la table une variété de plats typiquement bosniaques qui l'ont tenue aux fourneaux la majeure partie de la journée.

— *Nana moja draga*[20] ! s'écrie aussitôt Safet en bondissant sur ses jambes, l'air joyeux.

Il détaille les plats d'un air gourmand puis, sans crier gare, tire sa femme à lui, l'enveloppant dans une longue étreinte complice. La joue contre le torse de son mari, les bras serrés autour de sa taille, Djenana le presse contre elle, les yeux fermés, comme si elle voulait se fondre en lui. Joséphine les regarde, submergée par une onde de tendresse et de chagrin mêlés. Petite et ronde, jolie malgré ses chairs lourdes et ses cheveux un peu rêches et raréfiés, elle ne boude pas le plaisir d'avoir des invités. Enfin de nouvelles têtes, de nouvelles conversations, des promenades à vélo ou en carriole au milieu des champs de lavande, de nouveaux amis à gâter et régaler ! Enfin un peu de distance entre le chagrin de Safet et le sien, même s'ils s'aiment incommensurablement et ostensiblement, et même si leur chagrin partagé leur a permis de survivre à leur fils unique. Ils ont beau aimer la solitude bienheureuse de cette campagne altière, elle ne doit pas moins être une rude et exigeante compagne.

---

20. « Ma nana chérie ».

274

Jo baisse les yeux. Djenana la touche profondément. Quand elle marche ou même simplement se tient debout, tout son corps penche un peu vers l'avant. Dans ce déséquilibre permanent, et en permanence contrôlé, Jo voit clairement le poids de son fils mort qu'elle porte désormais sur son dos, tout le temps, partout, comme elle l'a porté avant qu'il ne naisse.

— Mangeons, les amis, mangeons, dit Safet qui s'extirpe de l'étreinte de son épouse pour tirer une chaise à lui.

Aux *boureks* s'ajoutent les haricots blancs mijotés dans de la sauce tomate, le caviar d'aubergines, les poivrons rouges, les salades, les croustades piquetées de sésame que l'on trempe dans l'huile d'olive hvaroise, épaisse et fleurant bon les herbes et la rocaille de la garrigue, puis le *ravani* de semoule, les tranches de pastèque confites dans le *šerbet*, sirop de sucre parfumé à l'eau de rose que les sultans appréciaient autant que les *loukoums*, ces bien nommées «douceurs de la gorge». Ces agapes sont arrosées de diverses *rakija*[21] concoctées par la maîtresse de maison: *lozova a* brûlante mais non sucrée à l'opposé de la douceur insidieuse de la *kajsija a*, et de celles, plus redoutables encore, de l'*orahnja a* et de la *višnjeva a*[22]. Safet remplit sans cesse les verres, sauf le sien. C'est une orgie dont demain, peut-être, leur foie et leurs artères se souviendront, mais pour le moment, c'est une fête, une belle fête porteuse d'oubli. Et d'ensommeillement.

La petite brise frisquette de cette fin de septembre souffle dans le cou de Joséphine, juste ce qu'il faut, pour la maintenir éveillée jusqu'à son lit, dans lequel elle finit par s'effondrer, bientôt rejointe par son amoureux. Elle tente de se soulever sur un coude pour l'embrasser puis y renonce. Il dort déjà de toute façon. Il ronfle, ce qui chez lui constitue une preuve irréfutable, bien qu'inutile ce soir-là, d'ivresse.

Est-ce l'effet hallucinogène de l'alcool qui modifie son état de conscience, ou bien son inconscient qui au milieu de la nuit régurgite ses fantômes? Du plus profond de son sommeil, Joséphine pousse soudain un cri. Une longue vocifération remontée des

---

21. Eau-de-vie de jus de fruits fermentée.
22. Variétés d'eaux-de-vie: moût de raisin, abricot, griotte.

entrailles et que rien ne semble pouvoir stopper. Dressé dans le lit à ses côtés, Terry n'a pas assez de mains pour se boucher les oreilles et la tenir en même temps. Il tente de la consoler, mais elle ne se réveille pas et le cri se poursuit. Leurs hôtes cognent à la porte, proposant leur aide, puis Djenana se précipite à la cuisine pour rapporter des serviettes imbibées d'eau qu'elle pose sur le front brûlant de Joséphine. Le contact de l'eau froide la réveille enfin. Saisie, essoufflée, elle relève péniblement son buste et les regarde tour à tour sans paraître les reconnaître. Les larmes ruissellent en silence, creusant des rigoles claires sur ses joues bronzées. Elle se jette dans les bras de Terry et y sanglote longuement sans retenue.

— On a vraiment exagéré, chuchote Djenana, désolée. Je vais vous faire une camomille.

Joséphine secoue la tête. La camomille n'y fera rien, elle le sait. Car il existe, elle en est sûre, elle ne l'a pas rêvé. Cet immense serpent noir qui s'enroulait autour de ses jambes, de ses cuisses, de ses hanches puis de sa taille, l'immobilisant tandis que ses crocs dégoulinants de sang allaient se rabattre sur son mamelon dardé. Au moment où elle a aperçu son regard, une pupille viride et l'autre noisette pailletée d'or, ce regard surgi des tréfonds de sa mémoire, elle a compris qu'elle ne pourrait plus lui échapper. Et elle a hurlé.

20

Pendant la nuit, le ciel s'est couvert. La menace, plus violette que bleue, et festonnée de nuages plus gris que nacrés, pèse ce matin sur la campagne environnante autant que sur l'humeur de Joséphine.

Après son cauchemar, elle a plongé dans un sommeil comateux, saturé d'éclats de voix et de pleurs d'enfants. L'excès d'alcool a grevé ses muscles de courbatures et sa tête de lancinances insistantes. La longue douche chaude et le jus de citron frais ne sont pas tout à fait parvenus à dissiper la nausée qui a remonté son estomac dans sa gorge et parallèlement jeté son moral dans les chaussettes, voire en l'absence de chaussettes, sous la semelle bosselée de ses chaussures de course. Elle se sent littéralement habitée, lestée d'une tristesse gluante parce qu'indicible.

En guise de vacances, le mois écoulé sur cette côte dalmate, malgré des parenthèses de plaisir sans mélange, a été une longue suite de découvertes sordides et d'événements effroyables, dont la gravité, et le dégoût qu'ils lui inspirent, s'avèrent d'autant plus pesants qu'elle n'a pu encore s'en décharger, faute d'interlocuteur auquel confier l'ensemble de ses analyses. Elle n'est pas encore libre. Libre, elle se croit, elle s'affirme, mais c'est faux. Le cauchemar a prouvé que les pyorrhées du passé ne demandent qu'à reprendre, à déverser leur purulence tel un furoncle, certes somnolent mais pas résorbé. Car la liberté ne se donne pas. Portée par un carrosse qui chaque soir à minuit redevient citrouille, la liberté exige de ses prétendants un miracle quotidien. Épuisant.

Vêtue d'un pantalon de toile beige et d'un chandail gris, annonciateurs de l'automne qui inexorablement s'approche à l'orée d'octobre, elle scrute la nature recroquevillée. Sous le soleil brûlant qui a imposé sa loi tout au long du mois précédent, la terre fertile invitait à une béatitude quasi mystique. À présent, ébouriffée par les doigts du vent, le froid *bura* du nord redouté des marins autant que des agriculteurs, nimbée de tons taupe et anthracite, la campagne révèle son caractère brut et insoumis qui ne manquerait pas de poésie s'il n'était simultanément synonyme d'isolement et de repli. Comme souvent sur les îles, les habitants travaillent dans les champs mais vivent sur la côte. En fin de journée, ils rentrent chez eux. Rares sont ceux qui choisissent de vivre dans la grande solitude des plaines intérieures, entourées de collines recouvertes de forêts habitées par des animaux sauvages. De juin à octobre, on s'y réjouit sans doute d'échapper aux hordes de touristes qui infestent les villes, celle de Hvar en particulier. Mais d'octobre à juin, alors que vents et pluies accentuent l'isolement, la désolation y est certainement désespérante. Durant les six mois d'automne et d'hiver, Safet écrit tandis que Djenana prépare confitures, conserves et alcools de fruits après les récoltes d'octobre. Sans doute le souvenir de leur fils accompagne-t-il leurs activités respectives.

Debout sur la terrasse, Joséphine, par la chair plus que par l'intellect, compatit avec cet environnement sans pitié. L'été est un mirage. Un scintillement éphémère. L'hiver venu, il vaut mieux le ventre grouillant et protecteur des grandes villes. Elle a hâte de rejoindre bientôt son appartement montréalais, de s'y tapir avec son chat et ses livres, tandis que la neige tourbillonnera derrière les fenêtres. Elle aime le contraste des saisons. À Montréal, elle préfère d'ailleurs le froid sec et ensoleillé du long hiver aux canicules irrespirables qui se succèdent de juin à septembre.

Terrence s'approche à pas feutrés. Voyant sa fiancée plongée dans la bouderie, il se cale contre son dos, entourant ses épaules de ses grands bras. La chaleur de son corps contre le sien attendrit Joséphine qui se laisse aller contre lui.

— Qu'est-ce qui t'inquiète, mon amour ? se hasarde-t-il après un long silence partagé.

Le soupir empesé de Joséphine en dit long.

— On n'avait pas prévu de rester aussi longtemps... On va finir par se laisser piéger par cet automne sinistre.

Elle exagère, bien entendu. Son humeur morose rend le paysage plus inhospitalier et plus rude qu'il ne l'est en réalité. C'est une vision, comment dire ?... consubstantielle, inhérente à son caractère, que Terry a maintes fois eu l'occasion de constater. Lui qui adore l'automne sur la côte est américaine – celui de la Nouvelle-Angleterre mais aussi, depuis qu'ils l'ont découvert ensemble, celui de Charlevoix, au Québec – n'a jamais compris que sa fiancée, malgré le flamboiement des arbres et la clémence de l'été indien, pique moralement du nez dès les premiers jours d'octobre. « Je suis européenne », lui rappelle-t-elle toujours, n'hésitant pas à se placer sous le haut patronage de Baudelaire et Verlaine pour invoquer à leur suite « le ciel bas et lourd, les sanglots longs, la langueur monotone, la multitude vile... », quand elle n'incrimine pas, comme elle le fait parfois, le fait d'être née à la mi-août. « Les gens nés en plein été sont mélancoliques, soutient-elle alors. Ils ont l'hiver pour perspective... » À chaque anniversaire, elle est d'ailleurs triste. Terrence sait qu'il doit attendre le lendemain pour que Jo retrouve sa bonne humeur. Que se passe-t-il donc, là, à Hvar, alors que s'achève le mois de septembre ? Le rafraîchissement de l'air et la menace de pluie, plutôt bienvenus, ne suffisent pas à expliquer qu'elle soit ainsi bouleversée. Elle semble nager dans des affres qui ne viennent pas de la météo. Ils sont d'une autre nature.

— Appelle-le, suggère-t-il, tu en auras le cœur net. Tu ne vas pas partir sans lui avoir parlé.

— Tu ne comprends pas ou tu ne comprends pas ? s'énerve-t-elle. Je ne peux pas le joindre, je te l'ai dit. Il ne répond pas. Ça m'inquiète, forcément. Que va faire Yerina maintenant que le *pizdoun* est mort ? On est en octobre. Les viols de vierges vont-ils perdurer ? Qui va les perpétrer ? La confrérie de violeurs cagoulés va-t-elle se réunir, ou bien la mort de Zeus a-t-elle signé sa dispersion ?

Terrence éclate à son tour. Agrippant Jo aux épaules, il la retourne brutalement face à lui, plongeant son regard dans le sien. Il la lit à bleu ouvert, comme il aime joliment à le dire, il lui est difficile alors de ne pas remarquer combien son regard s'est assombri. Bleu Klein, dirait Terry s'il n'était furieux.

— Joséphine Watson-Finn, c'est toi qui ne comprends pas ! Ça suffit maintenant, d'accord ? J'en ai assez d'être coincé ici ! Alors, ou tu appelles la police, ou je me casse, point barre !

Il n'ajoute pas que sa fille lui a envoyé un texto rageur, mécontente qu'il prolonge indûment son séjour, ni que l'université s'alarme de son absence prolongée alors que le trimestre d'automne est entamé. C'en est trop pour lui.

— Je pars inspecter le site grec ce matin, dit Jo en évitant le regard de son amoureux. Safet va m'accompagner.

— Enfin une bonne nouvelle !

Elle baisse la tête comme une enfant prise en faute.

— Mais Djenana ne va pas être contente.

— Comment ça ?

— Elle nous a engagés tous les deux comme ouvriers agricoles.

Jo, les sourcils froncés, attend une explication.

— Les olives doivent être cueillies cette semaine, explique Terry, retrouvant un peu son calme. Vers la mi-octobre, de grosses pluies s'abattent durant quinze jours sans discontinuer, et après c'est l'hiver. Enfin, l'hiver... Vingt degrés tout de même.

— Ah non ! infirme Djenana qui arrive sur la terrasse avec du café, des tartines et des confitures. Plutôt treize à quinze degrés.

Derrière elle, Safet porte le pot de miel et la jarre de yaourt maison.

— L'année dernière, ajoute-t-il, on a eu de la neige sur les hauteurs, à huit cents mètres. On n'avait jamais vu ça.

— Les vendanges commencent la semaine prochaine, poursuit Djenana. Ce sont des jeunes d'ici qui les font, Safet et moi n'avons plus le dos pour ça. Mais les olives, ça, il faut le faire tout de suite. Terry a accepté de m'aider.

— Avec plaisir, confirme ce dernier.

— Mais il va pleuvoir... dit Safet en indiquant d'un geste les nuages.

— Raison de plus pour le faire au plus vite. Soixante-sept oliviers dont soixante arbres femelles, qui sont les plus gros et les plus fournis. On en a pour une semaine.

— On commence après le petit déjeuner, dit Terry en se frottant les mains. Je n'ai jamais fait ça.

— Je vais quand même accompagner Joséphine, décrète Safet. Je vais lui montrer les lieux et ensuite je la laisserai finir son rapport seule. À quoi me servirait d'être un expert si je ne l'aide en rien?

— Mais ne me regarde pas comme ça, rétorque Djenana, je n'ai rien contre. Pense juste à rapporter les bâches de chez Gino, on va en avoir besoin.

— Prenons nos voitures respectives, conclut Safet. Je ferai le tour de la plaine avec vous, puis je vous laisserai poursuivre. Il n'y a qu'une route, vous ne pouvez pas vous perdre.

— Me perdre ne m'a jamais fait peur, bredouille Joséphine, le regard de nouveau perdu dans le vide.

Joséphine suit Safet sur le chemin entre les murets de pierres sèches, intimidée par la majesté de la plaine. Le ciel assombri fait ressortir l'éclat immaculé des pierres taillées puis disposées l'une sur l'autre en monticules rectilignes qui délimitent les parcelles agricoles, protégeant ainsi le système d'irrigation qui les alimente depuis plus de deux mille ans. Comment, après tant d'invasions, de destructions, de reconstructions, de flots migratoires de peuples si différents, qui se sont successivement opposés les uns aux autres pour posséder l'île de Hvar – sa localisation parfaite au centre même de l'Adriatique, son exceptionnel ensoleillement, sa terre fertile, l'abondance de ses sources souterraines, sa faune et sa flore devenues rares en Méditerranée –, comment cette plaine, minutieusement organisée par les colons parossiens selon le système agraire qu'ils exploitaient chez eux, dans leur île des Cyclades, est-elle restée intacte? Il y a eu des guerres, mais aussi des foudres, des feux, malheureusement fréquents dans la région, des tremblements de terre... Pourtant, inlassablement, siècle après siècle, quelles que fussent leurs origines respectives, les habitants ont compris le génie de cette parcellisation, son organisation adaptée aux conditions climatologiques autant que sociales. Siècle après siècle, ils l'ont maintenue à l'identique depuis l'origine. Ce souci de conservation et de transmission justifie que la plaine de Stari Grad, la plus fertile des îles adriatiques, fut classée en juillet 2008 au patrimoine matériel de l'Unesco.

— C'est un livre d'histoire à ciel ouvert, dit Safet. Un exemple unique de *chôra*[23] grecque classique.

— Combien de lots y a-t-il?

— Soixante-treize, répartis sur mille trois cent soixante-dix-sept hectares. Il y en avait sans doute plus à l'origine, puisqu'on sait que quelque cent cinquante familles plus des hommes célibataires ont débarqué de Paros et se sont installés ici. Ils ont dû attribuer les parcelles selon les lois démocratiques qui régissaient la cité.

— Les Grecs avaient la démocratie en horreur, nous savons ça, voyons...

Son confrère éclate de rire. Une rafale de vent gonfle soudain sa chemise avant d'ébouriffer les boucles rousses de Jo.

— Bien sûr. Ils préféraient confier la gestion de la *polis* à des oligarques, en particulier aux meilleurs d'entre eux, les aristo-crates. Mais quand ils sont arrivés ici, au terme d'une navigation longue et périlleuse, les colons de Paros avaient autre chose à faire qu'à se battre pour le pouvoir, du moins au début, je suppose. Ils ont dû déboiser, défricher, organiser les parcelles, semer, planter... et à cette fin, faire preuve de solidarité entre eux.

— Pourquoi se sont-ils installés ici, d'ailleurs?

— Regardez, fait Safet en tournant sur lui-même, le bras tendu, jugez par vous-même. La mer là-bas, la colline et sa forêt touf-fue ici.

Il tape le sol du pied.

— Une terre fertile, et puis, surtout, une source d'eau claire, qui coule toujours d'ailleurs, fraîche et limpide comme il y a deux siècles et demi. Pêche, chasse, cueillette, agriculture et irrigation, le tout à l'abri d'une baie qui protège des tempêtes, que pou-vaient-ils trouver de mieux? Ils ont eu raison.

Jo observe les alentours, convaincue. Sauf sur un point.

---

23. Dans la Grèce antique, la *chôra* désignait le territoire de la *polis*. La *polis* se composait de l'*astu*, la ville elle-même, et de la *chôra*. Ces deux zones étaient complémentaires et ne s'opposaient pas comme peuvent s'opposer ville et campagne de nos jours. La *chôra* était néanmoins une zone à dominante rurale, située à proximité de petites villes qui n'avaient pas le statut de cité et qui dépendaient d'une ville plus importante.

— Mais les indigènes, les Illyriens, je veux dire... Ils les ont laissés leur prendre l'un de leurs meilleurs sites ?

— Non. Il y a eu plusieurs grandes batailles... Mais finalement, les Grecs, aidés d'autres Grecs installés sur une île voisine, ont conquis le droit de s'installer.

— Vous racontez ça dans votre roman, je m'en souviens. J'y ai appris beaucoup de choses.

— Les Illyriens ont progressivement disparu au cours des vagues d'installation successives. Vers le III⁰ siècle avant notre ère, les Romains ont exterminé les derniers d'entre eux.

Ils marchent un moment en silence. Jo admire, entre des abris de pierre rêche, le système de collecte d'eau de pluie pour l'irrigation, utilisant des citernes et des rigoles également conservées.

— Le site est inutilisé ? demande Jo.

— Par les agriculteurs d'aujourd'hui ? Assez peu, car ici les gens ont presque tous leurs propres terres. Le site est protégé et entretenu mais plus vraiment à des fins agraires. Il constitue aussi une réserve naturelle de faune et de flore et est donc très peu fréquenté.

— C'est bien ce qui inquiète l'Unesco, je pense, car c'est l'utilisation du site qui a permis de le maintenir intact pendant des millénaires.

— Ces craintes sont injustifiées. L'endroit est comme un musée en plein air. Le tracé antique a été préservé grâce à un entretien rigoureux depuis l'an 384 avant Jésus-Christ par toutes les populations qui l'ont habité tour à tour.

— Et il n'y a pas beaucoup de visiteurs ?

— Les touristes veulent du spectaculaire, Jo! s'exclame son collègue avec un rire moqueur. De l'or, du marbre, des temples, des églises, des peintures, des statues, et ce n'est d'ailleurs pas ce qui manque en Dalmatie. Mais ici, non, pensez-vous. Un vieux système agraire, ça n'intéresse personne.

— Tant mieux, murmure Jo. Mais si c'est une *chôra*, il y avait aussi une *astu*, une ville, du moins un village, où vivaient les Parossiens ? Enfin, les Pharossiens, puisqu'ils ont vite changé de nom pour se distinguer de leur lieu d'origine...

— Oui, les Pharossiens. Les ruines de leur *astu* se trouvent là-bas, au bout des champs. Je vais vous montrer, venez.

Ils parviennent à un endroit un peu surélevé, où se trouvent quelques ruines de la ville édifiée par les premiers colons grecs. Autour d'une place rectangulaire carrelée de larges pierres blanches et lisses se dressent encore quelques colonnes de pierre de différentes tailles.

— On reconnaît ici ce qui a pu constituer l'agora de l'*astu* de Pharos. Aux quatre coins, on peut distinguer les vestiges de quatre tours illyriennes qu'ont consolidées les Grecs pour en faire un système défensif très efficace.

— Dans votre roman, justement, vous expliquez que les Illyriens n'ont pas réussi à prendre ces tours...

— En effet. Et pourtant, c'étaient les leurs à l'origine...

— Je ne comprends pas. Les Illyriens, ce peuple de "sauvages cannibales sanguinaires, incultes et illettrés", un peuple primitif de chasseurs-cueilleurs... Et vous me dites qu'ils avaient édifié des tours que les Grecs ont trouvées suffisamment à leur goût pour les récupérer? C'est paradoxal.

Le professeur Zimamović esquisse un sourire en coin. Dans son roman, il a colporté la réputation habituellement attribuée aux Illyriens. Ayant affaire à une collègue, il se doit de nuancer ses jugements.

— Comme je vous le disais hier soir, les Illyriens n'étaient peut-être pas si barbares qu'on aime à le répéter. Stari Grad veut dire « vieille ville », mais savez-vous de quelle vieille ville il s'agit?

— De l'ancienne Paros grecque, je suppose.

— Pas du tout. Il s'agit de l'ancienne ville illyrienne sur l'emplacement de laquelle les Grecs ont édifié Pharos.

Joséphine le regarde, stupéfaite.

— Les Illyriens étaient capables de bâtir des édifices, renchérit Safet, c'est ce qu'il faut en conclure. Et solides, apparemment. Mais ils ont détruit leur ville.

— Pourquoi ça?

— Il y a plusieurs hypothèses, mais on ne sait pas au juste. Probablement parce qu'ils ne connaissaient pas l'agriculture, justement. Car pour vivre dans une *astu*, un village, il faut avoir une *chôra* à proximité. Les Illyriens ont préféré refluer vers les collines où ils vivaient dans des huttes de branchages, se vêtant de peaux de bêtes tannées et se nourrissant de gibier et d'herbes sauvages. Des écolos avant l'heure, comme vous le faisiez remarquer hier soir.

Joséphine se contente d'une moue incrédule. Rien ne l'irrite plus que les préjugés et autres idées reçues que la « grande civilisation gréco-romaine » a colportés sur les peuples dont elle ne comprenait rien, faute, d'ailleurs, de s'y intéresser. Un mépris qui a toujours cours de nos jours à l'égard de trop de pays orientaux ou africains.

— Venez voir ici.

L'entraînant vers une extrémité de l'agora, l'archéologue bosniaque lui fait remarquer le sol instable à plusieurs endroits sous les dalles de pierre blanche. Joséphine en conclut que logiquement existent dessous des cavités, témoins de la présence de vestiges plus anciens.

— Je n'ai jamais réussi à réunir l'argent nécessaire pour ouvrir un chantier ici, dit son collègue. Mais si la *stari grad*, la vieille ville illyrienne, se trouvait là, alors elle y est toujours. Et mériterait d'être exhumée.

— Encore faudrait-il s'intéresser aux Illyriens. Ce n'est pas gagné.

Elle ne manquera pas de le signaler dans son rapport. Bien qu'elle désespère de parvenir à vaincre les œillères gréco-romaines de Charles Trubert, elle tentera de faire valoir ce point. Elle a apporté son ordinateur, décidée à se mettre d'emblée à la rédaction de son exposé, là, au milieu de la plaine qu'elle doit tout d'abord mesurer et photographier.

— Merci de m'avoir montré tout cela. Je peux faire mon tour seule à présent.

Sur la dalle blanche, derrière une colonne à moitié en ruine, elle aperçoit un objet brillant. En quelques enjambées, elle se retrouve devant une imitation d'un objet antique.

— Qu'est-ce que c'est que ça ?

À son tour, Safet observe l'objet, qu'il reconnaît aussitôt.

— Ça ressemble au trépied du temple de Delphes.

— Une copie du trépied de la Pythie d'Apollon...

Le professeur Zimamović partage sa surprise. Puis se ressaisit.

— Je sais d'où ça vient! s'écrie-t-il. Ça doit être un élément de la cérémonie qu'organisent ici des professeurs avec leurs élèves.

Joséphine le fixe, abasourdie.

— Ne vous inquiétez pas, reprend Safet. Ce n'est rien. Depuis toujours, ce lieu est utilisé pour des travaux pratiques par des professeurs d'université.

— Des travaux pratiques?

— Vous savez, des élèves reproduisent des cérémonies antiques. Ça se passe habituellement autour du 15 septembre. Mais je ne les ai pas vus cette année. Ou bien je n'ai pas fait attention.

«Cette année, Zeus est mort», se dit Joséphine, le feu aux joues.

— Je n'ai jamais entendu parler de ces travaux pratiques, balbutie-t-elle en se demandant si son collègue lui cache quelque chose. C'est étrange, vous ne trouvez pas? Comment se fait-il que ni moi ni surtout vous, qui vivez ici, n'y ayons jamais été invités?

À son tour, Safet Zimamović la fixe, manifestement mal à l'aise.

— Ils auraient oublié leur trépied l'année dernière, alors? insiste-t-elle. Ça paraît peu probable.

— J'admets que c'est bizarre... Mais non, Joséphine, ce n'est pas possible. Ça n'a aucun lien avec la Pythie et la boisson hallucinogène du souterrain de Korčula. Je n'y crois pas.

Le ver est cependant dans le fruit. Le front plissé, Safet promène sans cesse son regard du trépied moderne aux murets antiques.

— Ce n'est pas possible, répète-t-il.

Une meute de nuages sombres, amoncelés à l'est, fonce à toute allure dans leur direction.

— Ça va aller, vous en êtes sûre? dit-il, hésitant. Retrouvons-nous tout à l'heure chez moi.

Jo le regarde s'éloigner à grands pas vers sa voiture. Longtemps après que le véhicule a disparu, elle reste plantée au milieu des colonnes antiques, incapable de détacher son regard du trépied en fer forgé.

Une silhouette masculine surgit alors de derrière un muret et avance lentement vers elle.

— Bonjour, Joséphine.

La voix rauque de Leonard Irons résonne dans le silence. Pareille à un lièvre devant les phares d'une voiture, Jo se sent défaillir. Son cauchemar vient de se matérialiser, mais elle n'a même pas la force de crier. Au même instant, l'orage éclate. En quelques secondes, elle est trempée jusqu'aux os.

21

Elle en aura suivi, des hommes, décidément. Terry dans le souterrain de Korčula, Stjepan dans les grottes sous-marines, Safet sur la plaine grecque, et désormais Leonard sous le déluge.

Sous le ciel bas et lourd, aucun violon d'automne. Baudelaire et Verlaine demeurent bien loin de son esprit. Striées d'éclairs, des rafales de pluie anthracite tapent à coups redoublés contre le pare-brise, bloquant les essuie-glaces. Elle ne distingue pas la route et s'en remet aux phares arrière qui apparaissent par intervalle une dizaine de mètres devant elle. S'il n'ouvrait pas la voie, elle renoncerait, s'arrêterait sur le bas-côté et attendrait que passe l'orage. Mais elle continue. Il est le guide et elle le suit. Elle ne sait pas où elle va et ne s'en inquiète pas. Rien ne l'inquiète plus. Son cerveau est branché sur un pilote automatique qu'elle n'a pas programmé. Les mains sur le volant, elle se laisse conduire plus qu'elle ne conduit.

Elle avait vingt-quatre ans. Auréolée de son doctorat en archéologie de la Sorbonne, elle a été admise à Harvard pour suivre son post-doctorat. *La dualité des divinités antiques.* Ainsi s'intitulait sa recherche. Un thème prémonitoire, mais elle ne le savait pas encore. Le jeune et prestigieux docteur Leonard Irons avait accédé à sa demande de mentorat. Dès qu'elle franchit la porte de son bureau, elle tomba sous son influence comme d'autres vivent une crise mystique. Sous son regard indéfinissable, double, d'un côté viride et de l'autre noisette pailleté d'or, elle s'était immédiatement sentie non seulement regardée, mais vue, débusquée, comme une biche forcée, qu'aucun recoin d'ombre ne peut plus dissimuler ni sauver. Un regard symbolique, selon l'étymologie de *symbolon*: «des deux côtés». Vue des deux côtés, accessible de l'intérieur autant que de l'extérieur, comme si son enveloppe de chair devenait translucide à mesure qu'elle-même, sous l'effet d'une passion amoureuse intense et instantanée, perdait sa lucidité. Toutes ses élèves se pâmaient devant le professeur Irons, et sans doute celui-ci en avait-il déjà largement profité. Pensez donc: un professeur de trente ans, charismatique, magnifique, le buste haut et les muscles ciselés par les heures d'aviron, sport qu'il pratiquait en champion plusieurs fois médaillé. Brillant aussi, intimidant d'intelligence et de culture éclectique, autant que doué d'exceptionnels talents d'orateur. Un homme rare, béni des dieux, que la vie semblait avoir élu pour qu'il trônât sans partage sur la multitude vile. À ses côtés, tous, y compris ses supérieurs hiérarchiques, semblaient en être restés au stade du primate tandis qu'il s'était élevé, spécimen unique, dans l'échelle de l'évolution.

Joséphine, à l'inverse, n'était pas encore détachée de la glaise informe de la quête de soi ni des complexes inhibiteurs qui accompagnent l'adolescence et perdurent jusqu'à ce que la féminité soit révélée. Jusque-là, elle s'était surtout consacrée à ses études ponctuées par les incessants voyages auxquels l'avaient habituée ses parents. Elle avait grandi dans la peau longtemps acnéique de la fille boulotte, myope, couverte de taches de rousseur, porteuse de broches dentaires et peu douée pour l'exercice physique. Alors que la plus belle femme du monde, alias Anne-Marie, sa Parisienne de mère, élégante, filiforme et racée, toujours impeccable et peu encline au laisser-aller, appelait sa fille unique «ma pauvre cocotte» en se demandant – elle n'avait pas besoin de le dire pour que Jo l'entende – comment elle avait pu être affublée de pareille descendance. En s'envolant pour Harvard, certes embellie et toujours bien habillée mais encore gauche et mal dégrossie, Jo quittait pour la première fois le giron maternel, et si elle aspirait déjà à laisser sa marque dans le monde, elle était encore loin d'y trouver aisément sa place. L'intrépidité, la verve, l'autorité et le brio qui plus tard la caractériseraient demeuraient à cette époque insoupçonnables.

Elle n'était pas encore «Joséphine Watson-Finn, Joséphine comme la Beauharnais, Watson comme "mon cher" et Finn comme Huckleberry». Elle se réduisait à un timide «Jo» balbutié le regard au sol. Nul, alors, n'aurait pu deviner, chez cette *nerd* à lunettes peu sociable, le papillon majestueux en pleine mue. Nul autre que Leonard Irons.

«Pourquoi ai-je accepté de diriger votre post-doctorat?» lui demanda-t-il d'emblée le jour de leur rencontre. Comme elle rougissait jusqu'à la racine de sa longue chevelure bouclée, il avait expliqué: «Votre thèse est remarquable, très originale. *La dualité des divinités antiques*, passionnant et vaste sujet, une topographie de la psyché humaine. Ishtar, déesse de l'amour *et* du carnage. Isis, sœur *et* mère de son frère, Zeus, dieu de la famille *et* de l'adultère. Athéna, déesse de la paix *et* de la guerre. Héra, symbole de l'épouse *et* pourtant fille mère. Déméter, pourvoyeuse de nutrition *et* apportant disette. Hestia, farouche gardienne du foyer autant que du célibat, et Cronos, père de tous les dieux, dévorant ses enfants pour que jamais ils ne le fassent chuter de son piédestal... Vous avez raison, les divinités antiques sont bien humaines, pensées par les humains à leur image, avant que le christianisme ne les diabolise, séparant des notions qui pourtant vont forcément de pair. Remarquable, votre analyse, et pertinente, voilà pourquoi je vous ai choisie. Mais, avait-il poursuivi en prenant cette fois sa casquette de psychiatre, de quelle dualité parlez-vous donc? De la vôtre, je ne me trompe pas? Qui donc êtes-vous, mademoiselle Joséphine Watson-Finn?» Il avait dit «mademoiselle» en français et Jo en était restée pétrifiée. De son regard double, il la voyait déjà *des deux côtés*. Il se doutait que la femme qui avait écrit cette thèse était là mais comme dessous, sous une gangue encore intouchée qui ne demandait qu'à voler en éclats. Et bien sûr, il s'y employa. Vite. Quelques mois d'amour fou et de désirs incandescents suffirent à réveiller la belle endormie.

Jo avait bien eu quelques aventures, elle avait pensé, même, avoir été amoureuse, mais en vérité son être somnolait dans un cercueil de verre. Leur histoire fut magique, enfiévrée, foudroyante comme la genèse d'une cosmogonie, le printemps du monde. Coupés, les cheveux de Jo, affinée, sa silhouette, sculpté, son corps et exaltés, pétris, remodelés, sa chair tout comme ses sens. Rompue, la dyade qui l'unissait à sa mère, sous le regard goguenard mais finalement peu intrusif de son père, qui adorait Leo autant qu'Anne-Marie le détestait. «Vous êtes Hadès, ironisait sir Lawrence, ravi, vous avez transformé Coré en Perséphone.» Ce à quoi Leo répondait, avec respect, que Perséphone était déjà Perséphone, sinon il n'y aurait jamais rien eu à révéler. Joséphine était déjà Joséphine, sinon il ne l'aurait pas choisie. «Attention, lui disait alors Lawrence en amoureux aguerri qui s'était brûlé aux tisons des sentiments autant que des jouissances, vous êtes plus attaché qu'elle. Vous le savez, j'espère?» Leo le savait. Il le revendiquait. Dans sa vie, il n'y avait jamais eu que sa mère, Elizabeth, auprès de laquelle il avait grandi en l'absence de père et presque de géniteur puisqu'elle «ne s'en souvenai[t] plus».

Après cinq ans d'une relation absolue, il emmena Jo en Inde et, devant le Taj Mahal, vêtu de rouge au milieu d'un tapis de pétales de roses, il avait mis genou à terre et demandé sa main. Ils feraient de petits érudits, espiègles, sportifs et voyageurs, comme d'autres font des petits pains. Revenus à Boston, ils irradiaient de bonheur, même si ni Elizabeth ni Anne-Marie n'avaient pris la peine de les féliciter, figées dans leur hiératisme de sombres Médée qui, à défaut de s'apprécier mutuellement, s'unissaient pour agonir leur couple de médisances. «Vous êtes la perte l'un de l'autre», disaient-elles, l'une en français, l'autre en anglais, mais Leo et Jo ne les écoutaient pas. Quelqu'un, cependant, dut les écouter. Et exaucer leurs macabres prières. Hécate, peut-être, maigre et hideuse silhouette dressée à la croisée des chemins, passé, présent, avenir.

Alors que débutaient les préparatifs du mariage, Leo maigrissait à vue d'œil. Il perdit d'abord le sommeil, puis l'appétit, puis le désir, et avec lui sa sérénité. De violents coups de burin dans l'aine le firent bientôt boiter. Il dut se soumettre à une semaine d'examens médicaux approfondis. Cancer des testicules. Le diagnostic s'abattit sur sa virilité comme le couteau sur les parties du futur eunuque. Pour espérer être sauvé in extremis, il n'eut guère le choix de se soumettre à la chirurgie castratrice. Joséphine venait d'avoir trente ans, lui trente-six. Fou de haine autant qu'il fut ivre d'amour, il sombra du côté du versant jusque-là occulté de son être, le versant jaloux, pervers et violent, destructeur et finalement autodestructeur, sa part noire.

Désespérée et impuissante, avant que de couler avec lui, Joséphine trouva la force de fuir. Elle partit enseigner au Caire et y demeura, se condamnant à une longue traversée du désert, désert de sable véritable mais surtout sécheresse aride du cœur. Plus d'une décennie à cheminer ainsi, seule, assoiffée en terre étrangère, jusqu'à l'oasis de verdure, de fraîcheur et de plaisirs retrouvés que constitua sa rencontre avec Terrence. Jamais elle ne revit Leo. Bien sûr, de loin en loin, elle suivit ses travaux et ses publications, heureuse qu'il continuât de travailler, et sans doute Leo en fit-il de même de son côté. Plus de vingt ans avaient ainsi passé. Jusqu'à ces retrouvailles, improbables, comme sorties du chapeau d'un démiurge facétieux sinon sadique, sur cette côte adriatique où jamais Joséphine n'aurait imaginé le rencontrer. Même pas dans ses rêves. Ou plutôt si, dans ses rêves, justement. Comme si, depuis son arrivée sur la Riviera croate, dans l'île noire de Marco Polo puis dans l'île lumineuse de Hvar, son inconscient avait détecté la présence de Leo auquel elle n'avait plus pensé depuis fort longtemps. Leo, soudain surgi de l'autre côté d'elle-même, comme s'ils ne s'étaient jamais séparés. Comme si, depuis bientôt vingt-cinq ans, il avait continué de vivre sur le revers d'elle-même, attendant le moment propice pour réapparaître, enfin, par un après-midi d'orage au milieu de ruines antiques. Immortel.

Ils parviennent au centre de la ville de Stari Grad. La pluie n'a pas cessé, mais l'orage a diminué de violence. Leo gare sa voiture devant un café. Joséphine se range derrière lui et le voit accourir vers elle, un parapluie à la main, pour l'aider à sortir de son véhicule. Peine perdue. Elle est déjà trempée. Des frissons désagréables parcourent son échine. À l'extérieur, le vent mauvais achève de la glacer jusqu'aux os. Lorsqu'enfin ils s'assoient dans un coin du bistro, elle tremble de tout son être. Leo s'adresse alors au barman qui bientôt revient avec plusieurs serviettes de plage qu'il tend à Joséphine. Peu à peu, sa mâchoire se décrispe et ses membres retrouvent leur mobilité. Leo ne la quitte pas des yeux. Braqué sur elle, son regard brille d'une inquiétude attendrie.

— Depuis quand parles-tu croate ? s'étonne Jo en secouant ses boucles dégoulinantes.

— Depuis quelques années maintenant. Mais pas bien. Juste quelques phrases pour me débrouiller.

En quoi a-t-il besoin de se débrouiller, au point d'apprendre une langue très éloignée de celles qu'il maîtrise déjà ? Les mêmes qu'elle en vérité, excepté l'arabe. Mais lui parle le turc, pas elle.

— Tu fais partie des organisateurs des cérémonies sur le site de Stari Grad, alors ?

— Un peu, hasarde Leo sans la quitter des yeux.

Il détaille chaque parcelle de son visage, s'attardant sur ses yeux, ses sourcils, ses rides aussi. Vingt-cinq ans ne passent pas inaperçus. Elle se sent dévorée. Soumise au jugement d'un édile impitoyable.

— Tu es très belle, murmure-t-il, faisant écho à ses interrogations.

« Toi aussi, tu es très beau », pense Jo, qui pince les lèvres de peur que le compliment ne s'en échappe. Bien sûr, l'altière crinière est un peu clairsemée, a viré au poivre et sel, bien qu'il soit difficile d'en juger alors qu'elle est mouillée. Mais les pommettes restent hautes, le sourire éclatant, rehaussé par les mêmes fossettes craquantes. Il est très bronzé, autant qu'elle, et ses mains, posées sur la table avec une infinie civilité, toujours si longues sous les taches brunes qui y dessinent une galaxie inconnue. Il se tient droit et sous sa chemise humide la musculature n'a rien perdu de sa force, d'autant qu'il ne semble pas avoir pris un seul kilo. Il aurait plutôt maigri, même, ou bien est-ce là l'effet de la barbe de quelques jours qui émacie son visage ? Leo n'a pas fait que survivre. De l'extérieur, il semble n'avoir rien perdu de sa noblesse. Même si Jo n'en attendait pas moins de lui, elle est émue. Profondément.

Leur conversation s'engage, mais comme décalée, suivant deux partitions parallèles. Lui tient à se rapprocher, optant pour un registre délibérément affectif. Elle se méfie, lit clairement son désir de l'attendrir, sinon de la séduire, alors qu'elle sait devoir garder ses distances.

— Comment ça, un peu ? reprend-elle.

— Oh... soupire Leo, comme si ce sujet n'avait aucun intérêt à ses yeux. On vient de se retrouver, et toi, tu veux parler de ces... simulacres de célébrations. Que te dire ? Je ne sais pas grand-chose. Je n'y ai participé que quelques fois, c'est un ancien collègue qui les organise. Ce sont de simples travaux pratiques, Jo.

Il redresse la nuque, redevenu sérieux. Que sait-elle exactement ? Sa conversation avec Yerina, pas plus que celle avec Stjepan, ne lui ont permis de s'en faire une idée exacte. Pour en apprendre davantage, il est obligé de tâtonner. Il l'aurait espérée bouleversée de le retrouver, mais elle demeure stoïque, manifestement sur ses gardes.

— Le professeur Zimamović m'en a parlé, répond Jo. Je ne savais pas que tu en faisais partie. Je crois me souvenir que tu détestais ce genre de parodie.

— J'ai un peu changé d'avis, tu vois. Beaucoup de choses changent en vingt-cinq ans, tu sais. Pas l'essentiel, évidemment, uniquement les contingences. Mais ce n'est pas toi qui t'abaisserais à ce genre de singerie, n'est-ce pas ? Les élèves en raffolent, pourtant. Dès lors, pourquoi les en priver ?

Elle esquisse un sourire. Le premier. Le barman apporte deux verres de *rakija* et une grande théière.

— Ce cher Safet ! s'exclame Leo après avoir attendu en vain qu'elle réponde. Comment va-t-il ? Il vit ici toute l'année maintenant, n'est-ce pas ?

— Oui. Je suis venue lui rendre visite pendant mon expertise. Tu sais que je collabore avec l'Unesco ?

— Évidemment ! Je suis tout ce que tu fais, depuis des années.

Elle baisse aussitôt les paupières vers son thé fumant, repoussant le verre d'eau-de-vie.

— Tu ne trinques pas avec moi ?

— J'ai déjà trop bu hier soir.

— Avec ton amoureux ?

Sur la vitrine du café, les gouttes d'eau ruissellent, formant un rideau de perles irisées dans la lumière du soir qui tombe. Comment connaît-il l'existence de Terry ?

— Avec mon amoureux, oui, répond-elle enfin, et avec Safet et sa femme Djenana. Ils nous ont logés quelques jours chez eux. Mais notre séjour s'achève. Nous partons bientôt.

— Quand?

— Demain, je finirai mon expertise. Alors... après-demain sans doute.

— Beaucoup de choses changent en vingt-cinq ans, mais toi, tu ne changes pas. On vient juste de se retrouver, et déjà tu repars. Tu me fuis de nouveau.

Il se penche soudain par-dessus la table, collant presque ses lèvres contre l'oreille de Joséphine. Une odeur mêlée d'algues et de forêt émane de sa peau fraîche. Enivrante. Joséphine se fige.

— Je n'ai jamais compris pourquoi tu m'as abandonné comme ça, Jo, ni pourquoi tu ne m'as plus jamais donné de nouvelles. Vingt-cinq ans. Tu te rends compte? C'est comme si j'avais été condamné une seconde fois. À mort, cette fois. Et par la femme que j'aimais le plus au monde. C'est injuste. Tu ne crois pas que la vie m'a fait assez de saloperies comme ça? C'est pas vrai? Tu regrettes?

Dans ses yeux bichromes crépitent des braises. De haine, ou bien de désespoir, mais cela ne fait guère de différence. Joséphine ne bouge pas, serrant les mâchoires. Au moins, il l'a dit. Un quart de siècle qu'il attendait de lui dire ça en face.

— Tu regrettes? répète-t-il, se heurtant de nouveau au silence de Jo.

Elle se demande s'il va oser la gifler.

— Donc, c'est comme ça? reprend-il. Quelque chose ne se passait pas comme tu le voulais, alors tu m'as tourné le dos. Ce n'est pas toi qui te serais abaissée à te coltiner pareille misère, penses-tu! Parce qu'on ne pouvait plus baiser, on devait se quitter? Est-ce là ta définition de l'amour? Et qui a dit qu'on ne baiserait plus, d'ailleurs? Ça aurait pu devenir intéressant, justement, inventif. On aurait pu trouver des moyens, Jo, tu le sais, j'aurais fait n'importe quoi. Je me serais transformé en *sex-toy*, en boules chinoises, en vibromasseur, peu importe, tout ce que tu aurais voulu. J'aurais joui de te voir avec d'autres. Si ce n'était que de ça, il fallait le dire. Et si c'était des enfants, c'était encore plus facile. On en aurait adopté, comme si c'était ce qui manquait dans le monde. Il fallait juste me laisser guérir, m'habituer. Me donner du temps. Je ne te demandais qu'une chose : du temps pour guérir. Est-ce que je ne le méritais pas, Jo ? Qu'est-ce que je n'ai pas fait pour toi ? Tu crois que moi, je t'aurais quittée si ça t'était arrivé ? Si tu avais eu un cancer de l'utérus ou du sein ? Jamais. Tu sais parfaitement que je ne t'aurais jamais abandonnée. Au contraire, j'aurais préféré mourir avec toi. Toi, tu as fait l'inverse. Tu m'as condamné une seconde fois. J'ai survécu au cancer mais pas à toi. Tu as tué notre amour dans l'œuf. Parce qu'on n'a qu'un seul amour comme celui-là, Jo, tu le sais. Tu le sais très bien. Est-ce que tu l'as dit à ton jules ?

Il marque une pause puis affiche un sourire cynique.

— Non. Bien sûr que tu ne le lui as pas dit. Tu as bien fait. Il pourrait se méfier, et ce n'est pas ce que tu veux. Aphrodite fait toujours ce qu'elle veut, pas vrai ? Comment ? Tu t'es lassée parce que je n'étais pas guéri au bout de six mois ? J'ai osé faire une dépression, devenir invivable, insupportable, c'est ça ? Ah ! Quelle ironie !

Statufiée sur sa chaise, Joséphine ne répond pas. Leo est sincère, elle ne le sait que trop. Il ne fait que répéter ce qu'il lui a écrit nombre de fois, dans d'innombrables lettres dans lesquelles il l'implorait de revenir vers lui, de leur laisser la chance d'entamer une nouvelle phase de leur amour.

Il y a eu la fois où il est venu au Caire, deux ans après leur séparation, pour la rencontrer. Elle est restée barricadée dans son appartement pendant trois semaines, sans répondre ni à ses appels ni à ses coups de sonnette. De guerre lasse, il est reparti. Elle n'en a plus jamais entendu parler. Elle voulait sauver sa peau, et c'était à ce prix. Au fond, elle aura donné raison à Anne-Marie et Elizabeth, les Médée vengeresses. Jamais, à personne, elle n'avouera qu'elle a pleuré Leo tous les jours, toutes les nuits, pendant plusieurs années. Puis que son cœur s'est asséché en même temps que ses chairs, qu'elle les pensait même morts, nécrosés, jusqu'au retour de la vie, inespéré, dans les bras de Terry.

— On aurait au moins pu rester amis, Jo. Au moins ça. Qu'est-ce qui nous en empêchait ? Qu'est-ce que je t'ai fait ? C'est moi qui ai failli mourir. Et d'ailleurs je suis mort. On m'a coupé les couilles, mais c'est toi qui m'as porté l'estocade finale. Tu m'as tout pris.

— Ne dis pas ça, Leo! s'insurge-t-elle, perdant brusquement contenance. Tu ne sais rien!

Elle s'en veut immédiatement de s'être laissé piéger. Croisant les bras, elle plante son regard devenu bleu acier dans celui de son ancien amant.

— N'essaie pas de me faire croire que tu n'as rencontré personne, Leo, je ne te croirai pas.

— Quoi? Ai-je prétendu ça? Bien sûr que j'ai rencontré des «quelqu'un». Des «n'importe qui». Cent, c'est comme zéro. Pffft! Aucune importance. Je ne me les rappelle même plus.

Des clients commencent à investir l'établissement et s'attablent pour le repas du soir.

— Tu veux dîner? Soupe de poisson?

Jo secoue vigoureusement la tête.

— Je suis attendue, dit-elle d'une voix dure.

Leo lève alors le bras, commandant une deuxième *rakija*. Jo attrape la théière pour se resservir puis la repose. Elle est vide. Le voir boire, même peu, ravive en elle de douloureux souvenirs. Ceux des six mois qu'il a passés à boire après l'intervention chirurgicale, mélangeant l'alcool fort et la marijuana aux dérivés de morphine prescrits par le médecin. Un cocktail qui aurait dû le tuer mais qui, à défaut, a fait fuir Joséphine. Bien sûr qu'elle s'en est voulu de le faire. Et que, longtemps, elle s'est punie de l'avoir fait. Sa seule consolation, au fil des nuits éplorées, a été que son départ a finalement forcé Leo à réagir, dans un ultime sursaut de survie. Mais elle regrette, oui. Bien sûr qu'elle regrette.

Le verre de *rakija* arrive. Leo le vide d'un trait.

— Tu veux que je te dise, Jo? Je suis comme toi. Je mange, je dors, je fais du sport, je voyage, je travaille, j'écris, je jouis. Parce que je jouis, à ma manière, bien sûr que oui. Je mène une vie d'animal humain parfaitement normal. J'ai soixante ans. La vie passe. Je n'ai plus rien à perdre. J'ai déjà tout perdu. Toi aussi, non?

Joséphine ne répond pas.

— Ne me dis pas que tu es heureuse.

— Je ne te le dis pas.

Roide sur sa chaise, elle sent le froid revenir à l'assaut de son corps. Comme une sorte d'écho du vide. Un vertige.

— Où vis-tu? demande-t-elle.

— À New York. Mon cabinet est toujours à Manhattan. Le mal de vivre de mes patients me console. Parfois. C'est ironique que tu sois revenue en Amérique du Nord, que tu vives si près de moi, que tu viennes si souvent à New York pour voir ton mec, un New-Yorkais lui aussi. Quel hasard!... Mais viens me voir, Jo. Entre deux baises, tu peux me rendre visite. Tu peux t'y autoriser.

C'est faux, elle le sait. Elle a déjà demandé à Andréanne de faire une recherche. Elle sait qu'il a quitté Harvard depuis longtemps et qu'il a également fermé son cabinet de Manhattan. Mais de quoi il vit désormais, et où, elle l'ignore. À Istanbul, peut-être, auprès de sa mère que jadis Joséphine appelait ironiquement Elizabeth Regina, en réponse au surnom la Pompadour dont Leo avait affublé Anne-Marie.

19 heures. Terry s'inquiète sans doute. Il lui faut écourter cet échange envahi de zones d'ombre. Mais que fait-elle dans ce café? Qu'est-ce qu'il lui a pris de suivre Leo? Estimant avoir assez perdu de temps, elle se décide à poser la question qui lui brûle les lèvres depuis qu'il s'est matérialisé dans la plaine, dressé devant elle comme le maître de l'Olympe. Non. Zeus est mort. Qui donc est-il alors? Ouranos, fils de Gaïa et dieu du ciel, père émasculé d'Aphrodite? Elle en frémit.

D'un geste aussi furtif qu'inattendu, elle saisit les doigts de Leo, serrant de toutes ses forces. Le contact produit aussitôt une décharge électrique dans son échine. D'abord surpris, Leo réagit en posant sa paume sur sa main, l'enfermant dans une douce enveloppe de chaleur. Les yeux dans les yeux, leurs bouches ne sont plus qu'à quelques centimètres, prêtes à plonger dans la plus profonde des intimités. Un baiser ne ment pas. Bien plus que l'emboîtement des zones génitales, il réveille la mémoire cellulaire, active l'échange des informations les plus secrètes, les plus inaccessibles, par-delà raison, conscience et volonté. On se goûte, on s'aspire, se respire. On s'oublie, on chute. On se révèle. Leo a déjà fermé les paupières, prêt à l'immersion, mais à l'ultime seconde, Jo retire vivement son visage puis sa main.

Leo rouvre les yeux avant de se redresser lentement, amer.

— Tu ne sais que te dérober, Jo. Tu verras, retiens ce que je te dis. Tu finiras ta vie seule, sans même un chien. D'ailleurs, tu n'aimes pas les chiens.

— J'ai un chat, articule-t-elle sans cesser de le défier du regard.

Maintenant, elle va poser la question.

— C'est toi qui fais tout ça, Leo, n'est-ce pas ?

Il ne bouge pas. Mais elle a eu le temps d'entrevoir la lueur qui a cisaillé son œil, faisant frémir au passage les ailes de son nez parfaitement droit.

— Quoi donc, mon amour ?

— Arrête ça, veux-tu ? s'énerve-t-elle, plus déstabilisée qu'elle ne voudrait le laisser paraître. C'est toi qui es derrière tout ça. J'en suis certaine.

Maintenant, il sait qu'elle sait. Et qu'elle sait qu'il sait qu'elle sait. Vingt-cinq ans auparavant, avec l'aide de sa mère, il a monté cette multinationale dont Korčula et Hvar ne constituent qu'une des succursales, chacune dédiée, à prix d'or et de sang, aux cérémonies d'oracles antiques inspirées du lieu où elles se déroulent. L'organisation se déploie désormais comme une vaste toile d'araignée sur le globe. Pourquoi, depuis un quart de siècle, a-t-il fait tout ça, pris tous ces risques, ourdi tous ces complots, impensables et innommables parce que conformes, exactement, minutieusement conformes à la part archaïque de la psyché humaine, sa part chthonienne, sa part reptilienne, incivile et immuable ?

« Qui veut faire l'ange fait la bête », constatait Pascal. Quiconque ignore sa part bestiale, avide, cupide, cannibale et mortifère, quiconque ignore qu'une limite infime, transparente comme du papier à cigarette, le sépare, à grand renfort d'éducation et de garde-fous culturels, de sa part d'ombre, quiconque se prend pour un dieu, celui-là est prêt à basculer vers sa part d'ombre, au gré de cette dualité fondamentale dont Joséphine rend compte dans sa thèse de doctorat. Une simple contingence, un surcroît de flatterie, une excroissance de libido suffisent à faire surgir le monstre de sa caverne originelle. Fou de chagrin, Leonard Irons n'avait plus rien à perdre. Dès lors, il n'avait plus de raison de ne pas utiliser à mauvais escient son savoir, son intelligence, sa subtile connaissance de la nature humaine. Puisque la vie n'avait eu aucune empathie à son égard, pour quelle raison en aurait-il eu envers ses semblables ? Sa résilience est passée par l'instrumentalisation d'autrui. Qui sait, néanmoins, si ce n'est pas à Jo qu'est dédiée cette vaste organisation occulte ? À présent, c'est fait. Il sait qu'elle sait. Et elle sait qu'il sait qu'elle sait. Mais il sait aussi qu'elle ne peut rien y faire.

— Quoi, Jo ? répète-t-il avec un sourire de pure jubilation. Qu'est-ce que j'ai fait encore ?

La colère qui enflamme de lueurs violettes le regard de la femme de sa vie lui apporte la plus grande des récompenses.

— Que faisais-tu sur le site ? s'écrie-t-elle, furieuse. Tu me prends pour une conne ?

— Oh ! Jamais ! Je sais tout de toi, ma belle, comme tu sais tout de moi. Pourquoi le refuses-tu ? C'est ainsi, nous n'y pouvons rien.

— Que faisais-tu sur la plaine ?

— Mais du tourisme ! Allons... Que vas-tu inventer encore ? J'étais là par hasard. Je suis dans le coin en vacances. J'y reviens souvent depuis que j'ai découvert cet endroit. C'est beau par ici, tu ne trouves pas ? Impressionnant ! On dit qu'Ulysse y a fait son Odyssée, Mljet serait l'île de Calypso et Vis, celle de...

— Je sais ! coupe Jo. Et je m'en fous.

— Bon, alors... Comme j'étais là, je suis venu récupérer le trépied qui avait été installé pour le 15 septembre, mais la cérémonie a été annulée.

— Pour quelle raison ?

— Je ne sais pas, Jo ! Je n'organise pas ces cérémonies. Tu t'es toujours montrée injuste envers moi. Ma mère avait raison. Tu m'as perdu. Tu ne peux t'en prendre qu'à toi-même.

Joséphine se défait des serviettes de plage dont elle s'était enveloppée, s'apprêtant à partir. 15 novembre, 15 août, 15 septembre. Il ne peut s'agir d'une trilogie hasardeuse. Un lien logique a été minutieusement établi entre ces trois dates qui correspondent aux trois rituels. Macabres rituels dont Jo ne parvient cependant pas encore à déceler le sens.

Dressée devant lui, elle se penche tout contre son oreille.

— Je ne te laisserai pas faire, Leo, tu sais ça?

— Faire quoi, ma chérie? rétorque-t-il avec le plus irrésistible des sourires. Et puis, voilà, tu m'accuses et tu t'en vas? Déjà? Soit. La seule chose qui compte pour moi, c'est que nous nous soyons revus. Et nous nous reverrons, n'est-ce pas?

Elle ne répond pas.

— Promets-moi que nous nous reverrons.

Son chandail en laine fine est toujours mouillé. Il moule ses seins qui se tendent à présent vers le visage de Leo, resté assis. Jo rougit, recule vivement puis fait volte-face, veillant bien à ne pas se retourner. Empli de tristesse, Leo la regarde lui échapper mais n'esquisse pas le moindre geste pour la retenir. Il a le sentiment que l'Olympe vient de choir sur son cœur.

La nuit est tombée. Joséphine roule lentement, la peur au ventre, sans la moindre lumière pour lui indiquer la voie. À travers l'épaisseur des nuages, un premier quartier de lune parvient sporadiquement à signaler sa présence, pas assez cependant pour éclairer l'Adriatique que l'on entend gronder sans la voir au pied de la falaise. À chaque seconde, elle risque de chuter, elle le sait. Les virages qui se succèdent empêchent d'anticiper la route qu'elle distingue à peine. Pas tant à cause de l'obscurité que des larmes qui voilent sa vision. Une mer de larmes dont le goût salé s'ajoute au dégoût et au désespoir. «Mais pourquoi? Pourquoi, pourquoi?» hurle-t-elle entre deux hoquets, frappant le volant.

Personne ne peut comprendre Leo mieux qu'elle. Il demeure son jumeau d'âme, son Pollux noir, sa part d'ombre. C'est précisément parce qu'elle le comprend, parce qu'elle saisit les arcanes qui ont pu le conduire à ces extrémités qu'elle ne lui pardonne pas. Si quelqu'un doit arrêter Leo, ce sera elle. Elle seule en est capable.

22

Le palais de Dioclétien, dans un état de conservation étonnant, se dresse au cœur de la vieille ville de Split. Trônant sur un des murs de son péristyle, le sphinx, impassible, regarde passer les millénaires, loin, si loin des rives du Nil d'où il a été rapporté au terme d'une campagne triomphale. Au IIIe siècle, l'empereur romain Dioclétien choisit de s'établir dans sa ville natale, Split, anciennement Spalato, stratégiquement située à mi-chemin entre Rome et Athènes mais également sur la voie maritime qui conduit à Carthage et Alexandrie. Derrière le lion ailé se trouvent les souterrains du palais. À sa droite, le campanile de la tour Saint-Marc et la cathédrale Dujam datant du IIIe siècle, la plus ancienne cathédrale au monde. À sa gauche, le temple de Jupiter, transformé en église catholique à la Renaissance. Et face à lui, assis sur les marches aménagées du café Louxor, dans une pose placide, Stjepan, que fixe le sphinx de ses yeux de marbre noir.

Le jeune homme connaît bien l'endroit. Les étudiants et les intellectuels de Split ont toujours aimé s'y retrouver, au cœur des vestiges antiques à l'extrémité desquels pendent, avec une tranquille nonchalance, des cordes à linge, des filets de pêche ou des casiers à homard, pour discuter devant un cappuccino, une pâtisserie crémeuse ou un *gelato* à la figue. Le marché public se trouvant également là au milieu des colonnes romaines, ils peuvent acheter du poisson, quelques fruits et légumes de saison, un bout de fromage avant de rentrer chez eux. Désormais, la douceur de vivre, qui a prévalu pendant plus de deux mille ans, semble cependant condamnée à disparaître. Il y a toujours eu beaucoup de touristes à Split, mais cela restait vivable. Ça ne l'est plus. Il n'est plus guère possible de circuler dans le palais de Dioclétien ni dans les ruelles qui serpentent entre les murailles ocre. La partie historique de Split, située en bordure de l'Adriatique, est envahie par les groupes de visiteurs qui bondent cet espace exigu dans le sillage de leurs guides respectifs, émettant une cacophonie assourdissante digne de la tour de Babel. Des centurions sont apparus, embauchés pour la saison. Comme devant le Colisée à Rome, ils prennent la pose, pilum au poing, pour quelques pièces. Écœurés et goguenards, les habitants de Split ont déserté le centre-ville, refluant vers l'autre extrémité du port.

Au café Louxor, dorénavant, les places sont inaccessibles et le cappuccino hors de prix. Le sphinx s'en fiche. Stjepan, lui, s'impatiente. C'est stupide de lui avoir donné rendez-vous ici. En plein midi. Il est vrai que sa chambre est située à proximité. Après l'expédition à Paros, la visite du domaine qui désormais lui appartient, la rencontre avec son grand-père et la dispersion des cendres d'Andros, il s'y est réfugié, comme un naufragé s'accroche à un radeau pour ne pas couler. Endeuillé en même temps que profondément déstructuré par les événements du mois de septembre, il est directement rentré à Split sans passer par Korčula, reprenant le rythme universitaire avec soulagement. Il n'a plus répondu au téléphone. Ni à Joséphine qui n'a cessé de tenter de le joindre, ni au commissaire Gatin qui insiste pour lui poser des questions supplémentaires, ni à Leonard Irons qui, revenu à Stari Grad, veut lui faire visiter la plaine où se tiendra la cérémonie des oracles, ni à ses amis, pas même à Dajana, sa blonde amoureuse qu'il a toujours voulu considérer comme une *fuck-friend* insignifiante. Ses réserves affectives, autant qu'émotives, sont épuisées. Il ne veut voir personne, parler à personne. Les décisions à prendre, les responsabilités à endosser, l'héritage à gérer, il a tout repoussé à plus tard. «Aux calendes grecques», se répète-t-il, ironique, durant ses nuits d'insomnie. Pourtant, il a toujours adoré le début d'octobre, les plages désertées, la mer chaude, l'odeur des grenades mûres, les soirées fraîches qui permettent de gravir, sans ployer sous la chaleur, le mont Marjan qui domine la ville. Mais ça, c'était avant. Avant que le terrain déjà bien instable de sa vie ne cède sous l'éboulement des révélations. Et puis, elle a appelé. Et rappelé. Sur la boîte vocale de son cellulaire, d'une petite voix sourde et cassée que Stjepan ne lui connaissait pas, elle affirmait qu'elle devait « tout lui dire. Tout. Maintenant ou jamais. » Ça l'a mis en rage. « Jamais ! », a-t-il d'abord décrété, réécoutant néanmoins le message. Puis il s'est ravisé. Les mères ne détiennent-elles pas le secret des origines ? Le meilleur comme le pire, pour le meilleur comme pour le pire ? Son père mort, elle seule peut le délivrer de la traîne de mensonges qui, il s'en doute, lui a tenu lieu de poche amniotique.

Elle apparaît entre deux colonnes du péristyle et s'avance vers lui. La lumière aveuglante de ce milieu de journée empêche Stjepan de distinguer immédiatement ses traits. Il lui semble pourtant que sa silhouette a diminué de moitié. Son corps frêle et voûté disparaît dans le pantalon en soie indienne et la chemise assortie. Lorsqu'elle s'assied à ses côtés, il constate l'ampleur de la métamorphose. En trois semaines, elle semble avoir vieilli de vingt ans. Sur son visage, ses mains, son cou, émaciés, court un entrelacs de veines bleues proéminentes. Ses grosses lunettes de soleil semblent retenues par les pommettes pointues. Pire que tout peut-être, sa longue chevelure de jais, qui a toujours fait sa fierté, a laissé place à une coupe ultracourte zébrée par la repousse de cheveux blancs. Les plis autour de sa bouche se sont creusés, pourtant elle ne sourit pas. Les mains à plat sur ses genoux osseux, elle semble attendre un verdict. Celui d'un dieu. Ou celui de son fils.

Stjepan est bouleversé. Il croise les bras, en silence, envahi par une pitié inattendue.

— Partons d'ici, dit-il en sautillant nerveusement sur ses jambes. C'est insupportable.

Yerina le suit, parfaitement docile, le menton droit, regardant devant elle. Elle a l'air d'un automate parmi la foule joyeuse qui se promène le long des quais. Une demi-heure de marche les conduit vers la pinède au centre de laquelle se dresse l'amphithéâtre de Dioclétien, vide jusqu'à l'été prochain. S'asseyant sur les gradins,

Stjepan, assoiffé, tire une bouteille d'eau de son sac à dos et la tend à sa mère. Elle ne réagit pas, comme si elle ne voyait pas l'objet. Sans préambule, elle se lance dans le récit qu'elle est venue lui offrir. Tout, c'est ce qu'elle est venue dire. Le meilleur et le pire. Le pire surtout.

Andros est mort à cause d'elle. Au fond, c'est comme si elle l'avait tué de ses mains. Ksenia aussi est morte à cause d'elle, mais cela, elle n'en a cure. Il fallait qu'elle mette un terme à la folie de son amant secret.

À présent, conformément à la décision du tribunal des Treize en l'église Saint-Pierre, elle prépare la Pythie pour la cérémonie prévue la nuit du 8 octobre. Jour après jour, elle nourrit la médium centenaire, aveugle et clairvoyante. Elle la lave et la masse. Dans le secret de la geôle située sous la maison de Marco Polo, ses gestes sont empreints de la sérénité solennelle du condamné qui prépare sa propre fin. Sous la pleine lune du 8 octobre, elle sera Héra. Une dernière fois, elle tiendra son rôle de grande prêtresse. Il est peu probable que Cronos la laisse vivre plus longtemps. Un profond soulagement l'envahit à cette pensée. Alors, pour la première fois, et sans doute la dernière, elle veut avoir un geste pour Stjepan, cet enfant qui, dès sa naissance sans doute, a signé sa perte. C'est ainsi. C'est dans ce sens-là que coule le fleuve de la vie. Elle veut tout lui dire. Rompre la chaîne. En un ultime geste maternel, protecteur autant que salvateur. C'est son premier geste maternel envers lui. Et ce sera le dernier.

Le visage tourné vers l'Adriatique qui tend ses bleus sous le soleil de ce début d'automne, elle parle, posément, parce que c'est maintenant ou jamais. Elle avoue tout, détaille le fonctionnement de la succursale dalmate de la Gaïa Inc. sise à Korčula depuis vingt-cinq ans. Nomme le rôle d'Andros et le sien au sein de l'affaire. Explique l'agence de gestation pour autrui, les mères porteuses. La cérémonie des oracles. Mais surtout, surtout, elle raconte ce qui finalement lui importe le plus. Comment elle a rencontré Andros, beau, fort et majestueux comme Zeus lui-même, comment ils sont tombés amoureux alors qu'elle comptait parmi les toutes premières mères porteuses consentantes. Elle avait alors seize ans. Elle pensait porter cet enfant, une fille, la donner à l'adoption, encaisser l'argent, s'en servir pour financer ses études et se lancer dans une vie qu'elle imaginait belle, simple et lumineuse. «Les dieux en ont décidé autrement, il faut croire», murmure-t-elle. Et puis, enfin, elle a confessé: «Quand j'ai su que j'étais enceinte de toi, j'ai voulu me faire avorter, j'avoue. Ce n'est pas à cause de toi mais plutôt que j'ai longtemps hésité à m'engager dans la relation avec ton père. C'était une passion fulgurante, un vertige, le genre de relation où tu as l'impression de couler. Une partie de moi refusait cette liaison, l'autre partie ne demandait qu'à couler. J'ai essayé de fuir, de refaire ma vie ailleurs, et puis... C'est ça. Si je n'avais pas eu ma vie normale auprès de Maro, je n'aurais jamais pu vivre cette folle histoire avec ton père. C'est ça la vérité.»

Yerina parle encore longtemps, d'une voix sourde et tranchante. Stjepan ne quitte pas ses lèvres. Il écoute. Chaque mot prononcé par sa mère l'atteint comme un coup de poignard à la hauteur du nombril.

23

Il y a deux catégories de filles. Celles qui appellent leur mère et celles qui appellent leur père. Pas besoin d'être un fin limier pour savoir de quel côté se range Joséphine Watson-Finn.

Ce n'est pas tout à fait vrai d'ailleurs. Après avoir parlé avec son père, elle a bien téléphoné à sa mère, pour apprendre que celle-ci se trouvait en Bretagne, sur la presqu'île de Quiberon, pour sa cure annuelle de thalassothérapie. « Nous ne nous verrons pas cette fois, a regretté Anne-Marie, mais c'est de ta faute aussi, avec ta manie de changer tes plans. Il n'était pas prévu que tu passes à Paris cet automne... » Une vie réglée comme du papier à musique, très peu pour Jo, mais elle a préféré s'abstenir de répondre, assurant qu'elle reviendrait à Paris pour Noël, comme chaque année. Jouant décidément de malchance, elle n'a pas non plus réussi à joindre Pauline, qu'elle appelle affectueusement « sa Paulette ». La secrétaire de son amie d'enfance lui a appris que celle-ci s'était envolée pour le Sénégal. « Zut et zut ! », a pesté Jo, qui sait pourtant que Pauline aime voyager à l'automne, loin des foules autant que des lieux de vacances convenus. « Elle a dû dénicher un genre de case à toit de chaume dans un village équitable », a-t-elle conclu, ce que la secrétaire n'a pas démenti. De toute manière, c'est son père qu'elle veut voir. Mais elle n'en aurait pas été moins heureuse d'embrasser sa mère et de pouvoir se vider le cœur auprès de Pauline. « Je l'ai revu ! Leo ! Réponds, Paulette, je suis chamboulée ! »

Après que son texto est resté deux jours sans réponse, elle en est sûre, son amie est bel et bien allée se fourrer dans un bled perdu et sans connexion. La Casamance peut-être? «Il n'y a qu'elle pour aller dans des endroits pareils», a-t-elle pensé, se souvenant que lorsqu'elle lui a annoncé que Terry et elle partaient pour l'île de Korčula, Pauline a osé demander où se trouvait «ce trou».

Sir Lawrence, lui, ne lui fait pas défaut. À quatre-vingt-six ans, le célèbre anthropologue, membre émérite de la Royal Academy of Human Sciences où il a longtemps enseigné, ne quitte plus guère son domaine proche de Newbury, dans le Berkshire – Berks, comme aiment à dire certains nouveaux riches qui, à l'instar des parents de Kate Middleton, s'y sont installés, sans doute pour se rapprocher du château de Windsor. Sir Lawrence n'a pas «investi dans le Berks», car, tout comme la reine, il est un héritier, bien qu'évidemment d'une lignée moins prestigieuse et bien moins ancienne que celle des Windsor. Quoiqu'un manoir du XVIIe siècle ne soit pas si mal. La construction, en granit anthracite, comprenant une dizaine de pièces est entourée de bouleaux eux aussi centenaires, en plus des écuries et d'une coquette maison dans laquelle vit Mrs Stepleton, la gouvernante, fille de l'ancienne gouvernante, elle-même fille de la précédente.

La campagne défile à vive allure. Jo roule à bord du véhicule tout-terrain loué à l'aéroport d'Heathrow. Comme souvent lorsqu'elle revient sur les terres paternelles, elle regrette de n'avoir pas de descendance à laquelle léguer tout cela. Les Watson-Finn se sont transmis le domaine de Newbury depuis quatre siècles, mais après elle, qu'en sera-t-il? «Ça n'a pas d'importance», lui a déjà dit son père, sans doute par souci de ne pas ajouter à son désarroi de nullipare. Il pense sincèrement qu'une université, un musée, une société savante, une organisation non gouvernementale, voire la nation elle-même, feraient des héritiers plus qu'honorables, au moins aussi dignes qu'un enfant légitime, ou légitimé, qui risquerait de ne pas respecter ce qu'il reçoit. Joséphine est d'accord. Elle n'a pas été élevée dans l'idée de l'héritage d'un nom ou d'une possession en tant que tels. Dès le plus jeune âge, il lui a été inculqué que la transmission du savoir, dans un but de pérennisation de l'humanité, constituait le plus fondamental des legs. Il lui importe beaucoup plus de faire partie de la famille et de la terre des hommes que d'être une Watson-Finn vivant en autarcie sur ses terres ancestrales. La pièce la plus importante du manoir est d'ailleurs la bibliothèque. S'y alignent les ouvrages anciens, ceux que son père a reçus, ceux qu'il a acquis, mais aussi ceux qu'il a écrits, sans oublier ses films, ses esquisses, ses carnets de notes, ses dossiers d'enseignant et son impressionnante correspondance. Tout cela, à juste titre, est fort convoité. Jo sait déjà qu'elle en fera don. À un ou plusieurs établissements prestigieux, à moins qu'elle ne crée justement une fondation à la mémoire de son père. Un immense travail de tri et d'archivage l'attend donc. Elle le sait mais retarde toujours le moment de s'y mettre, redoutant de précipiter ainsi la fin de son père adoré.

Au détour d'un virage elle se retrouve soudain face à une autre voiture. Le chauffeur braque et l'évite de justesse, à grand renfort de Klaxons furibonds. Joséphine frémit. Aurait-elle encore oublié de rouler à gauche ? En effet. Et dire que Terry le lui a rappelé ce matin même, avant qu'elle ne parte pour l'aéroport de Split.

Terry... Elle lui a encore menti. L'avant-veille au soir, lorsqu'elle est rentrée de Stari Grad trempée et les yeux bouffis de larmes, il a de nouveau laissé éclater sa colère, sous les regards gênés de Djenana et Safet. La coupe est pleine. Il n'en peut plus de l'attendre, de s'inquiéter pour elle, de la voir se mettre constamment en danger. De jouer les gentils fiancés alors qu'il devrait se trouver auprès de ses élèves et de sa fille. Tête baissée, Joséphine l'a écouté vider son sac. Il a raison. Il faut en finir, et une seule personne peut l'aider à le faire, à démêler la toile d'araignée que Leo a mise en place. Elle en tient plusieurs fils sans toutefois parvenir à les nouer entre eux. Lorsqu'elle a annoncé qu'elle avait reçu de mauvaises nouvelles de son père, Terry a attribué ses larmes à la santé vacillante de sir Lawrence. « Je vais aller à Newbury, a-t-elle dit, je ne veux pas retraverser l'océan sans le faire. J'en profiterai pour rendre mon rapport à Charles à Paris. C'est l'affaire de trois ou quatre jours. Dans moins d'une semaine, nous serons rentrés. » Durant la nuit, elle aurait voulu se rapprocher de lui, l'aimer à perdre haleine, oublier le regard de Leo gravé dans sa chair. Mais Terry s'est réfugié à une extrémité du lit, les bras croisés, inaccessible et bougon. Hier, il a cueilli des olives toute la journée sans lui adresser la parole, tandis que Jo est retournée sur la plaine pour prendre des photos et finaliser son rapport. Ce matin, avant qu'elle ne parte pour l'aéroport de Split, il s'est contenté de déposer un baiser furtif sur son front, avant de dire, laconique : « On roule à gauche en Angleterre, tu t'en souviens ? » Terry ignore tout de Leo. S'il devait apprendre qu'elle a revu son ex et qu'en pensée elle le trompe avec lui, que ferait-il ?... Elle sait très bien ce qu'il ferait, et cette seule idée creuse un vide immense dans son ventre.

14 heures. Elle se gare devant le manoir en faisant crisser les pneus sur le gravier. Le jardinier est affairé à brûler les monticules de feuilles mortes qu'un vent froid, empesé d'un crachin tout britannique, s'obstine à disperser alentour. Premier jour d'octobre en Angleterre, loin, très loin de la cueillette des olives sous le ciel tiède et lumineux des îles adriatiques.

Dans la cuisine, Mrs Stepleton lui ouvre les bras avant d'imprimer sur ses deux joues le rose thé de son rouge à lèvres, parfaitement assorti à la couleur de son *twin-set* de fin cachemire. Longiligne et raide dans sa jupe vert bouteille et ses mocassins à boucles, elle demeure immuable, veillant avec une intransigeance bienveillante au bon fonctionnement du domaine et au bien-être du maître des lieux.

— Il va bien ? demande Jo en attrapant deux scones aux zestes d'orange, tout juste sortis du four. Il affirme toujours que oui, mais vous, dites-moi la vérité.

— Eh bien, hésite la gouvernante, c'est une force de la nature, comme tu le sais. Il fait de longues promenades chaque jour, mais bien entendu, s'il ne passait pas ses nuits sur Internet en vidant des bouteilles de pur malt...

— S'il ne le faisait pas, l'interrompt Jo en brandissant un sac scellé du *duty-free*, il mourrait plus vite, croyez-moi !

Mrs Stepleton hoche la tête avec un demi-sourire. Déchirant le sac, Jo lui tend un flacon de parfum puis en retire deux bouteilles du scotch préféré de son père.

— On va fêter mon retour, dit-elle avec un clin d'œil.

— Il n'a pas mangé, prévient Mrs Stepleton. Il s'est levé plus tôt pour t'accueillir, mais il n'a encore rien avalé.

— Apportez quelques sandwichs quand vous en aurez le temps, Iris, s'il vous plaît.

Elle pirouette sur ses talons plats et s'élance, grimpant quatre à quatre les marches qui conduisent à l'étage.

— *Holy smokes!* s'écrie sir Lawrence qui l'attend, affalé en robe de chambre sur son imposant lit à baldaquin, au milieu de journaux. Tu es bronzée comme un Sarrazin!

Jo se jette contre lui, la tête sur son épaule. La boule d'émotion et de colère qui s'est tissée dans son ventre remonte d'un coup dans sa gorge.

— Alors, qu'est-ce qui se passe? demande Lawrence en relevant son visage vers le sien.

Leurs yeux sont identiques. Même forme, même couleur, même regard pénétrant. Jo ne peut cacher sa détresse. Elle n'y tient pas d'ailleurs.

— C'est Leo, *dad*. Je l'ai revu...

Elle ne sait plus par où commencer.

Lawrence passe son doigt sur sa joue, un geste ordinairement réservé aux jeunes enfants. Que Joséphine ait cinquante-quatre ans n'y change rien.

— Raconte-moi tout.

Bien sûr qu'elle va le faire. C'est pour ça qu'elle est venue. À lui, elle peut enfin se confier, tout dire, sans dissimuler aucun détail ni omettre aucune des conclusions auxquelles elle est parvenue.

Elle s'installe à côté de lui sur les coussins et commence son récit. Korčula, Korkyra, l'île noire de Marco Polo. La maison des Diepolo. La maison de Maro et Yerina. Les révélations de Ksenia puis sa noyade. Les geôles dans le souterrain, les chaînes et les fouets, les croix des Templiers. La Pythie qui chante des incantations à Apollon, le tonneau d'or rempli de venin de *poskok* et de sang de fœtus humains. L'église Saint-Pierre, les statues des treize apôtres grandeur nature et les mères porteuses. La cathédrale Saint-Marc et la *moreška* guerrière. Andros le *pizdoun*, les enlèvements, les viols rituels des vierges, les naissances sous X par césarienne dans la maison enclavée de l'île de Mljet. Stjepan, fils de Yerina et Andros, comme Arès fut celui de Zeus et Héra. L'agression sous-marine et la chute mortelle d'Andros. Les liens entre la famille Diepolo, leur succursale de Constantinople, la mission confiée par le pape à Marco Polo auprès de Kubilaï Khan et l'occulte Conseil des dix qu'il créa à Venise. Le professeur Safet Zimamović, sa femme, sa maison près de la plaine de Stari Grad, son roman historique. L'île de Hvar et les vestiges des civilisations qui s'y sont succédées depuis deux mille quatre cents ans, depuis Pharos, la ville grecque originelle. La plaine classée au patrimoine de l'Unesco, les rituels sanguinaires des Illyriens et les vestiges de leur ancienne ville toujours enfouis sous ceux de la ville grecque. Les cérémonies des oracles, « simples travaux pratiques » qui n'ont pas eu lieu cette année. Sa certitude, à la fois logique et intuitive, que Leonard Irons est derrière tout cela.

Sa certitude, également, qu'il sait qu'elle sait et qu'il se délecte de son impuissance. Le magnétisme vertigineux qui l'attire encore à lui, un ravissement dont seul Leo semble détenir le secret. Elle avoue son attachement obscur à Leo, malgré sa fuite, malgré les années écoulées, malgré le fait qu'elle pensait avoir cicatrisé. Mais elle n'a pas eu d'enfant, elle non plus. Est-ce l'effet d'une fidélité, plus ou moins consciente, envers Leo, par-delà leur séparation physique ? Les enfants, justement, le sang des bébés... Elle dit aussi le dégoût, l'horreur que ses dernières découvertes provoquent, et son sentiment de culpabilité, révoltante parce qu'indéniable.

— Le pire, conclut-elle tandis que son père l'écoute sans l'interrompre, c'est qu'à part toi, je ne peux en parler avec personne, et surtout pas avec Terry. D'ailleurs, Terry... J'ai bien peur que ce séjour en Dalmatie ne brise notre couple.

Sir Lawrence se lève et va se poster devant la haute porte-fenêtre qui donne sur le balcon avant du manoir. Regarder la frondaison de bouleaux centenaires l'a toujours aidé à réfléchir. Sur son pyjama de soie bleu nuit, il a passé sa vieille robe de chambre en cachemire écossais un peu élimée au col et aux poignets offerte il y a dix ans par sa fille, et dont il refuse de se défaire. Mrs Stepleton doit attendre qu'il soit endormi pour la laver et la sécher en catimini, sachant d'avance qu'elle se fera houspiller dès qu'il flairera les relents de lavande artificielle qui auront remplacé ceux du tabac de pipe et du cuir de Russie.

— C'est génial, marmonne-t-il enfin.

Allongée sur le lit, Joséphine fait des ronds de fumée qu'elle regarde monter au plafond. Elle fronce le nez en signe de doute. Le génie, pense-t-elle, n'est jamais loin de l'escroquerie. On n'a jamais vu un benêt faire carrière dans la criminalité. Elle se lève pour leur servir un verre et entreprend de débarrasser le bureau de son désordre habituel. Ayant trouvé un paquet de bristols jaunes, sur chacun d'eux elle écrit les noms des lieux, des personnes et des événements avant de les disposer en mosaïque.

Lorsque, vers 17 heures, Iris Stepleton apporte un plateau chargé de sandwichs, de fruits et d'un pichet de jus, elle trouve le père et la fille penchés au-dessus du bureau, concentrés tels des généraux préparant une bataille.

— À quelle heure souperez-vous ? demande la gouvernante.

— Vous avez des considérations bassement terrestres, ma chère, rétorque Lawrence. Nous sommes en pleine Olympe.

Mrs Stepleton hausse les épaules et pose le plateau sur un guéridon avant de tourner les talons, un brin vexée.

— Alors, dit Lawrence à sa fille, Marco Polo avait institué un conseil de dix membres selon celui qu'il a vu fonctionner chez Kubilaï Khan. Or, sous sa maison natale, existe aujourd'hui un autre conseil, de treize membres cette fois, calqué sur le conseil des apôtres du Christ et sur le conseil des dieux de l'Olympe. J'en conclus logiquement que tout cela est minutieusement relié. La personne qui a imaginé cette structure amalgame plusieurs références historiques et symboliques. S'il y avait un Andros-Zeus et une Yerina-Héra, et qu'ils ont un fils, Stjepan-Arès, les autres membres de cette confrérie se cachent eux aussi non seulement derrière des cagoules mais derrière des divinités grecques, ça me paraît clair. Il y a forcément parmi eux un Hermès, un Hadès, un Dionysos... Que sais-je ? Ils sont douze comme les dieux de l'Olympe mais aussi douze comme les apôtres. Le treizième étant celui qui détruit la complétude du douze.

Regardant les bristols sur le bureau, Jo l'écoute religieusement en buvant son scotch à petites gorgées.

— De plus, poursuit-il, les membres de cette mystérieuse confrérie portent des tabliers rituels, ce qui semble être une référence directe aux Templiers qui accompagnèrent Marco Polo, son père et son oncle dans leur mission évangélisatrice auprès de Kubilaï Khan. Les dates concordent parfaitement. Seul quelqu'un comme Leo, doté de connaissances vastes autant qu'éclectiques mais sans œillères obtuses, pourrait organiser aussi minutieusement une telle structure, tout en respectant scrupuleusement la vérité historique, la structure mythologique et le symbolisme ésotérique des rituels. Il y a ajouté les croyances religieuses qui se sont succédées en ce lieu au fil des millénaires. En Dalmatie, les croyances païennes des Grecs puis des Romains ont succédé à celles des Illyriens, le christianisme a ensuite remplacé les croyances païennes. On parle originellement du christianisme de l'empire byzantin, bien sûr, mais très vite, on passe au catholicisme romain dont l'influence est déterminante sur la Croatie depuis le VIIᵉ siècle. Outre l'évolution historique des croyances en Dalmatie, l'initiateur de cette structure suit strictement l'organigramme des divinités grecques et les relations qu'elles entretiennent. Eh bien, oui, que veux-tu que je te dise ? C'est franchement brillant.

Joséphine est d'accord avec son père. S'il manquait un aspect, si les trois dimensions, historique, mythologique et symbolique, n'étaient pas fusionnées, l'organisation ne tiendrait pas. Leo est brillant, évidemment, génial même. Pour elle, il ne fait aucun doute qu'il est le maître d'œuvre de cet échafaudage aussi subtil qu'érudit. Et aussi érudit que criminel. Leo a franchi le seuil de la criminalité, et cela, Jo ne peut l'admettre.

— Tu sais, poursuit Lawrence, les monothéismes sont issus du paganisme, les fêtes chrétiennes par exemple ont repris les anciennes fêtes païennes, aux mêmes dates et avec le même symbolisme. De plus, les monothéismes sont issus les uns des autres, le christianisme du judaïsme et l'islam du christianisme...

— *Thanks, dad !* Tu te fiches de moi, là ? Je suis censée ne pas le savoir, peut-être ?

— Non, non, je ne fais que réfléchir tout haut. On a ici un héritage cumulé des rituels païens auquel s'ajoute le catholique. Comme c'est intéressant ! Ah ! Si mon cher Joseph était encore parmi nous, il jubilerait.

— Ouais... raille Jo avec une grimace. Campbell aurait sans doute adoré cette histoire pour écrire un nouveau scénario d'Indiana Jones, mais là, c'est la... c'est la triste réalité.

— Hélas ! soupire Sir Lawrence. Il faudrait savoir si cette obscure confrérie qui se réunit dans cette église préromane fonctionne vraiment sur le modèle du Conseil des dix de Kubilaï Khan.

— Comment veux-tu qu'on le sache ?

— Il faudrait faire des recherches sur ce Conseil mongol dont j'avoue ne rien connaître. Ça reste une énigme pour l'instant.

Sur le bureau, Joséphine réagence les bristols. Elle place les noms des divinités grecques sur les noms des apôtres.

Lawrence pointe successivement des divinités.

— Alors, commençons par le début, dit-il. Gaïa, fille de Chaos. Tout procède du Chaos créateur.

— Oui, mais Gaïa, la Terre, est parthénogénétique[24], comme toutes les déesses originelles. Elle procrée par autofécondation et donne naissance à Ouranos, le Ciel. La Terre et le Ciel donnent naissance au monde, les Titans, les Titanides, etc. Ce qui nous intéresse ici, c'est Cronos, fils de Gaïa et Ouranos, qui, avec son épouse Rhéa, donne naissance à ceux qui deviendront les Olympiens, les douze dieux qui vivent autour de Zeus sur l'Olympe.

— Exact. Cronos émascule son père Ouranos pour prendre sa place. Le sexe d'Ouranos tombe dans la mer et donne naissance à Aphrodite. Aphrodite est donc la fille directe du Ciel et de la Terre, d'où sa pantocratie. Elle ne dépend de personne et n'a pas de compte à rendre, surtout pas aux Olympiens, et encore moins au principal d'entre eux, Zeus. Zeus couche avec tout le monde, Aphrodite aussi, mais elle refuse de coucher avec lui et, par là, lui témoigne son indifférence, ce qui évidemment l'exaspère.

— D'autant qu'elle fait pire : elle se marie avec le fils illégitime d'Héra, Héphaïstos – et hop! un pied de nez à Héra –, et elle couche avec Arès, seul fils légitime de Zeus et Héra – autre pied de nez au couple suprême de l'Olympe. En fait, Aphrodite n'a d'égale que Gaïa. Personne d'autre n'est à sa mesure.

---

24. Déesse vierge qui s'autoféconde pour donner naissance à un fils avec lequel elle crée le monde.

— *Yes!* jubile Lawrence qui adore se remémorer cette cosmogonie qui tapisse l'inconscient collectif occidental. Mais Cronos, ne voulant pas être supplanté par ses enfants, en particulier ses fils, les avale à leur naissance. Jusqu'au jour où Rhéa, lasse de voir ses enfants disparaître, au moment de la naissance de Zeus, cache celui-ci et donne une pierre à Cronos à la place de l'enfant. Zeus va alors tuer son père, comme Cronos l'avait fait avec Ouranos, lui ouvrir le ventre – c'est la première césarienne de l'histoire –, et délivrer ses frères et sœurs précédemment avalés. Zeus redonne textuellement la vie à ses frères et sœurs, d'où son nom de «père des dieux», puis il les installe avec lui sur l'Olympe. Il épouse sa sœur Héra.

— C'est une famille recomposée, ajoute Joséphine, note bien. C'est drôle! Zeus arrive avec Athéna. Et Héra arrive avec Héphaïstos. Ensemble, ils n'ont qu'un fils légitime, Arès, qu'ils détestent tous les deux. Pourquoi? Pourquoi dans la mythologie la légitimité du couple et celle des enfants sont-elles si mal loties?

— Parce qu'elle est destinée à témoigner de la psyché humaine, de sa structure anthropologique, alors que la légitimité est affaire d'organisation sociétale.

— C'est ce que je me tue à expliquer à Terrence, dit Joséphine dans un sourire. Mais bon, revenons à nos dieux. Zeus le chaud lapin, auréolé de la gloire d'avoir tué son père et sauvé ses frères et sœurs, a une multitude de maîtresses. Il prend toutes sortes d'apparences – cygne, taureau, pluie... Il trompe sa femme en cachette: il «visite», comme il est dit dans les textes, les nymphes qui le font bander, bref... Il a une ribambelle d'enfants illégitimes, qu'il adore, faisant tout pour que la jalousie d'Héra, bafouée et vengeresse, ne leur soit pas fatale.

— Son préféré, c'est Dionysos, polyglotte, voyageur et clairvoyant, celui qui, justement, a inventé le chamanisme en utilisant le vin et la danse, et ce, pour changer d'état de conscience avec ses Bacchantes, qui sont en fait des prêtresses devineresses, comme lui.

— Voilà! rit Joséphine en tapant des mains. Une petite bacchanale et on prédit l'avenir!... N'empêche que... Héra a beau être jalouse, Zeus a ses nymphes et ses bâtards, et tout va pour le mieux dans le meilleur des mondes de l'Olympe.

Son père pointe un bristol du doigt.

— Maintenant, reprenons. Dans l'organisation que Leo aurait donc mise en place, qui est qui ? Essayons de voir comment ça fonctionne.

— Qui est Gaïa, ça... C'est facile. C'est sa mère, Elizabeth Irons que j'ai toujours appelée Elizabeth Regina, tu te souviens ?

— Hum, hum, fait Lawrence, amusé. Et Leo appelait ta mère la Pompadour ! Comment ai-je pu l'oublier ?

— Elizabeth est une parthénogénétique, en quelque sorte. Elle a eu Leo « toute seule » dans le sens où elle a toujours dit qu'elle ne savait pas qui était son géniteur. Et, même si je ne sais pas encore comment fonctionne cette confrérie, je suis sûre qu'ils l'ont fondée ensemble. Donc Leo est Ouranos au sein de cette organisation.

— Non, dit aussitôt Lawrence. Pas Ouranos. Ce n'est pas possible.

— Mais comment ? C'est bien ce qui découle de la cosmogonie grecque.

— Oui, mais dans le cas de Leo, ce n'est pas possible.

Comme sa fille le regarde, interdite, il ajoute :

— Tu ne vois pas ? Réfléchis...

— Mais je réfléchis, *dad*, et je ne comprends pas.

— Gaïa a deux fils : Ouranos qu'elle a créé seule, et Cronos qu'elle a créé avec Ouranos.

— Oui...

— Ouranos a été émasculé par Cronos. Leo a été émasculé, lui aussi, par la maladie. Je suis navré de te le rappeler. À mon sens, il ne peut pas avoir voulu être Ouranos dans la confrérie. Il ne peut pas se trouver à la place de celui qui a été coupé, ce serait insupportable pour lui. Au contraire, il a sans doute pris le rôle de celui qui a coupé. Il est donc Cronos à mon avis.

Joséphine écarquille les yeux, horrifiée. La main sur la bouche, elle retient le cri qui monte de ses entrailles. Puis, agrippant son verre de scotch, elle le vide d'un trait.

— *Are you out of your mind ?* s'écrit Lawrence. C'est ton deuxième verre, petite. Mange donc un sandwich au moins, sinon on ne va pas aller bien loin... Je sais que ça remue de grandes douleurs en toi, mais pas autant qu'en Leo, tu peux en être certaine. Devenir Cronos, pour lui, est une sorte de réparation symbolique. Cela lui permet de devenir le fils de Gaïa qui coupe et non plus celui qui a été castré. Il récupère ainsi le pouvoir là où il avait perdu sa puissance.

Jo baisse la tête. Une tonne de briques vient de lui tomber dessus. Elle n'aurait jamais osé pousser sa réflexion jusque-là, mais elle doit bien admettre que Lawrence a raison. Elle savait que lui seul pourrait l'aider à démêler les fils, eh bien... le résultat est probant.

— S'il est Cronos, continue sir Watson-Finn, il a un fils, Zeus. Qui lui-même est marié à Héra.

Sur trois autres bristols, il écrit: *Leo-Cronos/Andros-Zeus/ Yerina-Héra*, et les place sur ceux des divinités de l'Olympe, eux-mêmes posés sur les noms des apôtres.

— Yerina et Andros, murmure Jo, un mariage morganatique...

— Mais mariage quand même! renchérit son père. À l'instar du mariage de Madame de Maintenon et de Louis XIV. Ils étaient mariés, le document conservé à Chartres en atteste, nous le savons.

— En effet. Mariage secret ou concubinage, peu importe, en tout cas, ils ont un fils, Arès.

Elle prend un autre bristol et y écrit *Stjepan-Arès*.

— Exactement. Cronos dirige donc avec sa mère Gaïa une sorte d'Olympe occulte avec douze membres, le même nombre que les Olympiens, selon les cultes païens du temps des Grecs, mais aussi que les apôtres, suivant la tradition catholique à laquelle se rattachent Marco Polo et les Templiers. La boucle est bouclée.

— Cette Olympe occulte ourdit des cérémonies de prédiction... prétendûment des « travaux pratiques » pour étudiants en histoire. Comme si j'allais croire un truc pareil... En vérité, que font-ils? Voilà ce qui me préoccupe. Tu as raison... Ça tient bien debout. Mais récemment, tout s'est détraqué... Andros-Zeus tombe amoureux d'une nymphe... dit-elle en écrivant *Ksenia-Naïade* sur un nouveau bristol qu'elle pose à côté de celui d'Andros-Zeus. Il a un enfant avec elle, tout est conforme jusque-là à la cosmogonie grecque. Puis, patatras, Héra intervient et, contre toute logique mythologique, elle gagne. Zeus et sa nymphe, et leur enfant, meurent.

— Ben... fait Lawrence en tirant sur sa pipe, on est chez les humains, donc ça se détraque forcément. Et ça entraîne le chaos. Le Chaos originel auquel tout revient sans cesse, en un cycle infini chaos-création-destruction, chaos-création-destruction, etc.

— On est en pleine phase de destruction.

— Parce qu'un petit grain de sable s'est immiscé dans leur organisation. Aphrodite, dit-il, en posant son index sur le bras de sa fille.

— *Gosh, dad! Stop it!*

Joséphine est furieuse. Surtout parce qu'elle sait que son père a raison. Elle a toujours symboliquement été Aphrodite, celle qu'Elizabeth-Gaïa haïssait comme sa principale rivale, la seule à avoir pu lui enlever son fils. Un hasard malheureux a voulu que Leo-Cronos revienne auprès de sa mère. Il y a de quoi avoir rendu Leo fou, amer et funeste, Joséphine le comprend. Elle ne peut l'approuver mais ne peut pas non plus prétendre ne pas le comprendre. En outre, Elizabeth-Gaïa est richissime, elle s'est certainement fait un plaisir de mettre sa fortune au service de ce que Lawrence appelle, sans doute à juste titre, la réparation symbolique de son fils chéri.

— C'est pour ça que je suis tellement inquiète pour Stjepan, dit-elle enfin. Zeus mort, Cronos va forcément vouloir qu'Arès succède à son père dans l'organisation. Non? Je me trompe?

Lawrence ne répond pas. A-t-il besoin de le faire? Il fixe sa fille en silence, le regard plein de compassion.

— Les mythes ne devraient jamais sortir des livres d'histoire, dit Joséphine.

— Hein? Mais voyons! Ils sont en nous et...

— Je sais. Je voudrais juste que ce ne soit pas le cas.

Elle se laisse tomber dans un fauteuil et allume une autre cigarette.

— Et pourquoi le 15 septembre, alors? À ton avis?

Sir Lawrence se tourne vers sa fille.

— Joséphine, tu ne comprends pas ou tu refuses de comprendre? Tu m'as appris toi-même que Marco Polo est né un 15 septembre, non?

— Et merde! hurle Jo, saisie de rage. Que je suis bête! Tout est bâti autour de Marco Polo, alors?

— Dans sa maison natale, dans son souterrain secret, dans son église, selon le conseil occulte qu'il a mis en place à Venise d'après le modèle de celui de Kubilaï Khan. On a un mariage morganatique, un conseil d'apôtres-dieux, des rites de fécondation, des «bâtards» sans nom, une Pythie, une plaine grecque... Quel est le point commun entre tout ça?

— La religion. Ou plutôt le besoin de croire...

— Non. Enfin, oui, mais pas que.

— Mais quoi alors?

— Saint-Marc.

Joséphine se sent vaciller. Depuis le début, son inconscient a compris, mais sa raison se refuse encore à l'admettre. Elle résiste.

— Saint-Marc? s'énerve-t-elle. Depuis que les Vénitiens ont rapatrié les restes de saint Marc, ils en ont fait leur figure protectrice, adoptant son emblème, le Lion. La Dalmatie ayant fait partie de la République de Venise, on y voit la démultiplication des Marc, Marko, Marco, Maro. La cathédrale Saint-Marc est une preuve supplémentaire de cette vénération. C'est clair. Mais pourquoi le 15 août précisément, et pas le 16 ou le 17. Août est le mois du Lion, l'archétype astrologique; c'est le mois de la naissance du Soleil.

— La naissance de la lumière, rappelle Lawrence. Tu m'as donné ces phrases: «σε αυτά τα δεκαπέντε Νοέμβριος ο φωτισμός σπέρνεται», prononcée, elle, lors du rituel d'engrossement en novembre, «σε αυτά τα δεκαπέντε Αύγουστος ο φωτισμός ενσωματώνεται», déclamée au moment de la naissance de chaque enfant. Tu as raison quand tu y lis une formule incantatoire complète. Une formule de vie, de mort et de renaissance perpétuelle. Le 15 novembre, la lumière est semée sous le signe du Scorpion ou de l'Aigle, symbole de saint Jean l'Évangéliste. Neuf mois plus tard, le 15 août, la lumière apparaît sous le signe du Lion, symbole de saint Marc. Le Lion est l'incarnation du Scorpion. Ainsi, le cycle est complet. Dès lors la cérémonie peut prendre place, le 15 septembre, date de naissance de Marco Polo. Mais, pour moi, le 15 septembre n'est pas choisi uniquement en hommage au grand explorateur.

Il perçoit clairement la limite que sa fille se refuse à franchir. Alors il le fait à sa place. En bon père, il lui donne ce qu'elle est venue chercher auprès de lui.

— La confrérie mise en place par Leo-Cronos est destinée à organiser des prophéties calquées sur la cérémonie des oracles d'Apollon, à Delphes. Il a donc trouvé, nous ne savons pas encore comment, une Pythie grecque, séquestrée toute l'année, nourrie chaque jour par Andros, dans l'attente de la cérémonie annuelle des oracles, laquelle a lieu sur la plaine grecque de Stari Grad, sur l'île de Hvar, le jour de l'anniversaire de Marco Polo. Tu es d'accord ?

— Andros est mort, alors la cérémonie n'a pas eu lieu cette année.

— Oui. Mais il n'empêche que le tonneau existe, lui, avec son contenu sanglant.

— Je suis d'accord, soupire-t-elle, désolée.

Chaque mot prononcé par son père résonne dans son cœur. Peu à peu, les activités de cette organisation macabre apparaissent, réduites à des mots sur des bristols jaunes. Joséphine n'oublie pas que derrière existent des femmes, des hommes. Des bébés.

— La Pythie est droguée, continue Lawrence. Comme on le faisait à Delphes ou ailleurs lors des cérémonies des oracles. Elle ingurgite une boisson qui modifie son état de conscience. Médium, elle prédit l'avenir au nom d'Apollon.

Il remarque l'air déconfit de sa fille.

— Prends un sandwich, gronde-t-il. Tu m'as tout l'air de changer d'état de conscience, toi aussi, avec tout l'alcool que tu as bu.

— Ça va, *dad*, répond Jo en s'ébrouant. Continue, je t'écoute.

Il est vrai que son esprit est embrouillé, mais il lui semble que sans cela, elle ne supporterait pas de faire face à cet énoncé. Sir Lawrence s'étire avant de poursuivre. Lui aussi a trop bu. Il tend le bras et enfourne un deuxième sandwich au rosbif et aux cornichons.

— En revanche, reprend-il, dans le cas qui nous concerne, le venin de *poskok* est mélangé à... ?

— ... du sang de fœtus humain. Le poison la rend clairvoyante, et le sang la vivifie en lui apportant un surcroît d'énergie. La combinaison des deux produit un effet aussi exaltant que revigorant. C'est une sacrée trouvaille. Mais pour cela, bien sûr, il faut un sang très pur, le plus nourrissant qui soit, un sang extrait de fœtus encore vivants.

Il l'a dit. Il a prononcé les mots que Joséphine se refusait non seulement à dire mais à penser.

— Ces fœtus sont donc vivants, à ton avis? Les enfants sont vivants, je veux dire, avant qu'on leur prenne leur sang? Mais on pourrait prendre le sang de leur cordon ombilical sans les assassiner. C'est une possibilité, non?

— Ne nous berçons pas d'illusions, ma fille. Je pense que ces enfants naissent par césarienne, comme te l'a dit Yerina, précisément pour qu'on puisse leur prendre leur sang. Pas seulement celui du cordon ombilical, vois-tu? C'est bien ce qu'ont prouvé les analyses du laboratoire de l'Université de Sarajevo, n'est-ce pas?

— Les bébés naissent pour qu'aussitôt... on les vide de leur sang?

Il semble à Joséphine défaillir. La nuque rejetée sur le dossier du fauteuil, les yeux au plafond, les bras ballants sur les accoudoirs, elle peine à déglutir.

— La pureté du sang est assurée par la virginité des mères avant leur engrossement... marmonne-t-elle, accablée.

— Eh oui... et également par leur fécondation rituelle par des «dieux». À leurs yeux, ces douze-là et le treizième, leur maître, ne se voient pas comme des bourreaux, ni des violeurs, ni des assassins mais comme des «ensemenceurs divins», égaux de Zeus qui prenait toutes sortes d'apparences pour féconder des nymphes en cachette d'Héra.

Il éclate d'un rire cynique.

— Arrête de rire, *dad*, c'est ignoble! Ce sont des crimes. Les plus odieux qui soient!

Lawrence dodeline de la tête en continuant à mâcher.

— Oui, bien entendu! C'est toujours la même chose néanmoins. Toujours la même quête de la pureté originelle, de la souche pure. Ce sont les fondements de l'eugénisme, une quête forcément mortifère, comment pourrait-il en être autrement? Depuis l'origine, cette quête-là a conduit l'humanité aux pires exactions. Alors qu'elle...

— ... n'est que migrations et métissages, tranche Joséphine, je sais ça, merci, je le répète à longueur de temps, et pas qu'à mes élèves !

— En plus, renchérit sir Lawrence, le sang, évidemment, rattache ces pratiques à l'histoire antique de Hvar, ancienne Pharos grecque sur le territoire des Illyriens, cannibales et adorateurs de dieux auxquels ils sacrifiaient leurs victimes après leur avoir arraché le cœur et avoir bu leur sang. En bref, cette sorte d'Olympe occulte reproduit des cérémonies de prédiction conformes à la double origine grecque et illyrienne du lieu où elles se tiennent. Avec une Pythie en bonne et due forme. Et sous l'égide de Marco Polo. À mon avis, ça doit valoir extraordinairement cher.

Évidemment. Ces treize-là et leurs sectateurs ne se donnent pas la peine de faire tout cela uniquement pour l'amour de l'histoire et des exercices pratiques.

— Quand tu caresses les humains dans le sens de l'immortalité, tu obtiens tout d'eux, dit Lawrence, cette fois avec dureté. Tu leur fais croire que tu as percé le secret des oracles d'Apollon, que tu es l'équivalent d'un dieu, et ils sont prêts à tout. Surtout pour connaître leur avenir, en somme pour devenir des dieux eux-mêmes, capables de prédire et de prévoir leur vie et leur mort, sinon, peut-être, pour prétendre l'éviter... Beaucoup sont prêts à payer très cher pour ça.

— Leo ne s'est jamais intéressé à l'argent...

— Oh ! Lui... peut-être pas. Lui, il est poussé par un besoin de réparation symbolique, je te l'ai expliqué. Ses raisons intimes et secrètes diffèrent de celles des autres membres de son organisation et de ses clients, car clients il y a, j'en suis sûr. Aujourd'hui, les humains ne sacrifient qu'à un seul dieu, tu le sais bien : celui de l'argent. Leo se contente de les pousser dans leurs travers. Mais ça ne veut pas dire que lui-même cherche forcément de l'argent dans cette... comment dire ?, cette activité... À mon avis, j'en reviens à ce que je te disais, Leo donne un tout autre sens à ces dates, 15 novembre, 15 août, 15 septembre.

Il se lève pour allumer sa pipe et se servir un autre verre de scotch. Ses cheveux blancs sont peignés vers l'arrière, dégageant son front haut et étonnamment lisse. Par la fenêtre de la chambre, le soir installe ses ombres qui dansent sous l'effet des rafales du mauvais vent d'automne. Joséphine, mécaniquement, se dirige vers le plateau de victuailles et prend un sandwich qu'elle mâchonne distraitement, le regard dans le vide.

— Quelles sont les motivations de Leo, alors?

Lawrence, assis derrière elle, ne répond pas tout de suite, prenant le temps de souffler des bouffées de tabac odorant. Joséphine adore cet effluve boisé et sucré qui la ramène instantanément à son enfance.

— Es-tu prête à l'entendre, ma fille?

Jo tient son sandwich à la main mais arrête de mâcher. Elle ne le tient pas, elle le serre si fort que le jambon et le concombre sortent de chaque côté. En vérité, agrippée à son sandwich comme à une bouée de sauvetage, elle l'écrabouille. Elle sait. Cela fait un mois qu'elle sait mais se refuse à laisser émerger l'atroce intuition à sa conscience.

— À mon avis, dit son père, si le breuvage est fabriqué le 15 août, il ne peut macérer dans le tonneau d'or pendant plus d'un mois, sinon il se gâte. Du 15 août au 15 septembre, il fermente. Un mois plus tard, le jour de la cérémonie des oracles, il est à point, prêt à produire l'effet escompté.

— Il s'agit bien d'un rituel d'apparition de la lumière, dit alors Joséphine. Apollon est le dieu de la connaissance, de la lumière de l'esprit. Tout coïncide.

— Apollon est comme la figure païenne de saint Marc.

— Ah oui, tiens... c'est vrai.

Toujours derrière elle, Lawrence hésite à lâcher le morceau. Il doit pourtant aller au bout de sa pensée. Il doit donner à sa fille la réponse qu'elle est venue chercher auprès de lui. Si elle pouvait le voir, Jo constaterait combien le regard de son père est embué de tristesse.

— Joséphine, ma petite fille...

Il se tait puis reprend.

— Tu as raison. Je pense aussi que c'est un rituel d'apparition de la lumière. Mais les enfants sont tués le 15 août.

— Oui, chuchote Joséphine, d'une petite voix, une toute petite voix, déjà prête à fondre en larmes.

— Le 15 août, c'est saint Marc, c'est le Lion, c'est la naissance du soleil... Oui, mais... le 15 août, c'est peut-être juste... le 15 août.

Elle ne dit rien. Cette fois, les larmes ruissellent sur ses joues sans qu'elle puisse les retenir. Un torrent de larmes silencieuses et lourdes dont chacune, en tombant, noie un peu plus son cœur. La raison profonde, intime, qui a poussé Leo a organisé cette sorte d'Olympe, est cachée sous les couches compactes de son savoir historique, mythologique, ésotérique et psychologique. Il a réuni toutes ses connaissances pour que cette confrérie secrète fonctionne. Mais sa motivation profonde reste tout autre.

Depuis le début, elle se persuade que le lien pourtant clair entre les dates des événements et sa propre vie représente une simple coïncidence. Mais l'évidence est désormais incontournable. Le 15 août, c'est sa date de naissance. Le 15 novembre, celle de Leo. Chaque année, Leo tue les enfants qu'ils auraient pu faire ensemble. Rituellement organisés, ces meurtres symboliques n'en sont pas moins réels.

Jadis, lorsqu'ils envisageaient pour eux-mêmes et leur progéniture un avenir baigné par la lumière de l'amour et de la connaissance, ils se rêvaient comme des Prométhée qui parviendraient à donner le feu sacré à l'humanité. La vie ou les dieux, qui sait ?, en ont décidé autrement. Joséphine a fui mais sans jamais véritablement s'en remettre. Quant à Leo, de Prométhée il est devenu Lucifer, le porteur de la lumière précipité dans les ténèbres. Tous les 15 août, la lumière semée le 15 novembre apparaît, et aussitôt il l'annihile. Année après année, Leo célèbre la naissance de Joséphine avant de la mettre à mort. Faisant payer à tous le prix fort de ce sacrifice rituel.

— Quel hommage, murmure sir Lawrence, ma pauvre enfant...

Mais Jo ne l'entend plus.

24

Elle a dormi tout habillée, en boule sous la courtepointe rose et bleu de son enfance. Elle ne se souvient pas d'être allée se coucher. Elle a plutôt glissé dans un état d'inconscience comateuse. Ce matin, les rayons drus du soleil d'automne, résistant encore avec courage aux assauts répétés de l'obscurité et de la froidure, se sont infiltrés sous ses paupières gonflées par les larmes de la veille. Que de larmes, décidément, au cours du dernier mois. Vingt-cinq ans de larmes libérées à rebours, comme un oued dans une vallée desséchée.

Après une douche chaude et un café tassé, Jo revêt les vêtements de cavalière demeurés dans son armoire. Pégase, son cheval, vit toujours dans les écuries paternelles. Lawrence ne monte plus depuis longtemps. Il a vendu plusieurs chevaux mais pas Pégase ni Persée, son fils. Il a engagé un palefrenier qui chaque jour les soigne et les fait courir, mais, bien que Jo ne vienne que quelques fois par an, Pégase n'oublie pas sa maîtresse. Retrouvant leurs marques communes, ils s'élancent, unis l'un à l'autre dans la brume matinale, parmi les fougères et les bruyères. L'odeur de terre, d'humus revigore Joséphine, allégeant quelque peu son cœur et son esprit.

Des traînées de brume s'effilochent entre les branches des bouleaux. Le parc apparaît par intermittence entre les pans de blancheur cotonneuse. Ainsi s'égrènent les souvenirs, lambeaux

de vie qui apparaissent et disparaissent, anachroniques et dispa-
rates, entre les crevasses d'oubli. Tandis que Pégase galope, heureux de libérer sa puissance, Joséphine, couchée contre l'encolure
noire et lustrée, voit défiler devant ses yeux des extraits de son
histoire avec Leo. Des moments inoubliables, arrachés à l'englou-
tissement du temps, et qui résisteront même à la répugnance que
ses activités secrètes lui inspirent désormais, presque malgré elle.

Son cellulaire se met à vibrer dans la poche de sa veste. Lan-
cée à toute allure, Joséphine ne souhaite pas répondre. Puis,
pensant qu'il s'agit de Terry, elle se ravise. Prenant les rênes à une
seule main, elle attrape le téléphone. C'est Stjepan. Troublée, Jo
aperçoit devant elle une branche de bouleau dénudée vers laquelle
fonce Pégase. Trop tard. La cinglant au passage, la branche rêche
la déstabilise et elle tombe au sol, sonnée. Empoisonnement,
noyade et à présent chute de cheval. Jamais elle n'a autant pleuré
ni été blessée. Se relevant péniblement, elle s'assure qu'elle ne s'est
rien cassé. Un lit de mousse épaisse a amorti sa culbute. Sa joue, en
revanche, lui brûle. Jo y porte doucement la main et découvre du
sang au bout de son gant. Le noir Pégase, qui avait poursuivi son
galop, revient vers elle, mais elle ne remonte pas en selle. Elle doit
parler à Stjepan. Enfin.

Le ton du jeune homme lui semble presque craintif. Ses fautes
d'anglais à répétition témoignent d'un trouble indéniable. Peu à
peu, il parle avec plus de fluidité, mais l'émotion fait trembler sa
voix. Tout dire, lui aussi en a vitalement besoin, sachant qu'il ne
peut se confier qu'à une seule personne. D'autant qu'il lui faut, en
plus des faits, confier la peur qui le tenaille.

Étape par étape, il lui raconte tout ce qu'il a vécu depuis la
mort de son père, livrant les ultimes fils manquants sans lesquels
Joséphine ne pouvait se représenter le tableau complet de la
confrérie, son organisation et le fonctionnement de ses activités de
prédiction. Il relate son voyage à Paros et sa rencontre avec
Leonard Irons, son grand-père apparu dans le ciel grec comme un
généreux Neptune sorti des eaux. Son arrière-grand-mère,
Elizabeth, qui l'attend à Istanbul. Le domaine construit par Andros
et sa fascination mortifère pour Yerina. L'ampleur de l'héritage
qui, il l'avoue, est très tentant.

Il dit combien les confidences de Yerina l'ont terrassé, tout en lui ouvrant définitivement les yeux. Il livre les détails et confirme le pire : les meurtres des bébés à leur naissance. Leurs dépouilles sont conservées dans des sortes de canopes avant d'être immergées dans l'Adriatique, au large de Mljet. Mais ce n'est pas tout : Stjepan explique ce qu'elle ne pourrait savoir autrement : la Pythie est l'ancienne nourrice d'Andros à Paros. Cette pauvre femme est en fait celle à laquelle il devait sa survie.

— Comment as-tu trouvé ton... grand-père, c'est ça ? murmure-t-elle.

Elle n'en revient pas. Leo a adopté Andros. Ainsi, Leo s'est offert une lignée. Avec sa mère. Gaïa et Cronos ont adopté Zeus. La nouvelle cosmogonie selon Leonard Irons. Joséphine éclaterait de rire si elle n'était consternée.

— Leonard est impressionnant, répond Stjepan. Je pense que c'est le terme exact.

« C'est le terme exact », pense Jo, sans rebondir.

— Il est des héritages que l'on doit liquider. J'ai pris ma décision. Je vais tout vendre, l'huilerie, la maison de mon père à Korčula et son domaine à Paros. Je dois rompre la malédiction, me sortir de cette horreur, pour toujours ! Et je vais le dire à mon grand-père, comptez sur moi, d'ailleurs je refuse de le reconnaître comme tel. Il n'a pas cessé de me dire que j'avais le choix, que c'était à moi et que je pouvais en disposer. Eh bien, c'est fait. Je n'ai pas choisi tout ça, mais puisque la décision me revient, j'opte pour la rupture. Je ne veux pas de cette vie-là. Il m'a proposé de prendre le temps d'y réfléchir, mais c'est tout réfléchi. Je lui ai déjà dit et je vais lui répéter : je ne veux plus rien savoir d'eux. Je dois le revoir demain, et je le lui répéterai en face.

— Et... votre mère va bien ? demande Jo, en tressaillant.

Si Yerina est passée aux aveux, c'est qu'elle n'espère plus survivre aux événements qu'elle a contribué à précipiter. En dépit du dégoût que lui inspire cette femme, le geste maternel la touche. Avoir tout dit à son fils prouve qu'elle veut malgré tout le sauver.

— Ma mère, vous savez... soupire Stjepan au téléphone. Elle est tel un squelette ambulant, mais elle semble bizarrement sereine.

« Ou résignée », pense Jo qui marche de long en large, inquiétant Pégase qui trépigne à ses côtés. Soudain, un renard pointe son museau entre deux fourrés puis détale. D'un grand coup de botte, Jo éparpille un tas de feuilles mortes, faisant brusquement reculer son cheval qui hennit en frappant des sabots arrière.

— Vous êtes dans une écurie ? demande Stjepan.

— Je suis avec mon cheval. Mon père me l'a offert pour mes quarante ans. Je me trouve chez lui, d'ailleurs, dans le Berkshire, à soixante kilomètres au sud de Londres.

— Ah bon ? Vous êtes partie ?

La voix de Stjepan traduit clairement son angoisse.

— Je suis venue voir mon père, dit Jo, avant de rentrer à Montréal. Mais Terry est toujours à Hvar, et moi-même j'y retourne après-demain.

— C'est que je ne vous ai pas dit l'essentiel.

« Quoi encore ? » se demande Jo qui sent son dos se contracter, tandis que les élancements sur sa joue s'intensifient.

— La cérémonie se tiendra dans la nuit du 8 octobre, sous la pleine lune. Elle n'a pas pu se dérouler le 15 septembre, mais elle n'a pas été annulée.

— *Fuckin' shit!* s'écrie Joséphine. Sommes-nous le 4 octobre ?

— Oui, confirme Stjepan. La cérémonie se tiendra dans quatre jours.

— Mais pourquoi le 8 octobre ?

— C'est la pleine lune.

Jo lève instantanément les yeux au ciel, gris et lourd, qui pèse sur elle comme le couvercle d'une Cocotte-Minute.

— De toute façon, ne t'en fais pas, je ne te le laisserai pas seul, dit-elle alors, passant au tutoiement, comprenant que Stjepan, au fond, l'a surtout appelée au secours. Je vais venir. Je serai là.

— Merci, murmure le jeune homme.

— Tu as peur ?

— Oui, j'ai peur.

Il l'a enfin dit. Joséphine en est profondément bouleversée.

La colère et l'excitation remplacent désormais l'abattement absolu qui a suivi sa conversation avec son père. Que Leo soit désespéré de l'humanité, elle le conçoit. Elle aussi se décourage de plus en plus de l'ignorance et du matérialisme du monde, au point d'envisager souvent de prendre une retraite anticipée. La majorité des humains n'ont cure de l'histoire ni, ce qui est pire encore, des religions, sauf pour les réinterpréter ou les détourner à leur profit. Ils veulent croire plutôt que savoir. Ils veulent qu'on les décharge de la difficulté de trouver du sens par eux-mêmes, de chercher leurs réponses, d'aborder la réalité sans qu'elle ne soit liquéfiée, édulcorée, réduite à quelques évidences insensées.

Que Leo, dès lors, du plus profond de son désespoir, organise ces cérémonies, prenant les participants au piège de leurs propres turpitudes, en vérité elle s'en fiche. Elle ne lèverait pas le petit doigt pour l'en empêcher, d'autant qu'elle n'a vraiment rien d'une justicière et que la morale bien-pensante lui fait froid dans le dos. Elle n'est pas immorale mais plutôt amorale. Mais ici il s'agit de tout autre chose. C'est en fonction d'elle que son ancien amoureux, professeur et initiateur, a si génialement organisé l'impensable. Des naissances et des meurtres à répétition, comme une suite ininterrompue du jour et de la nuit, du soleil et de la lune, de l'hiver et de l'été. «Je ne te laisserai pas faire», a-t-elle dit à Leo, même si elle ne savait pas, alors, ce qu'elle se promettait d'empêcher. À présent qu'elle a compris que trop d'enfants sont en jeu, elle ne peut passer outre. Évidemment, une autre façon de mettre fin aux activités criminelles de la confrérie des Treize – quatorze avec la mère de Leo, si tant est qu'Elizabeth Regina y joue un rôle – serait de retourner auprès de lui. C'est exactement ce qu'il attend. «Il va attendre longtemps», peste Jo.

Elle remonte à cheval et trotte jusqu'à l'écurie. Contrairement à ce qu'elle fait toujours, elle ne prend pas le temps de brosser Pégase, l'abandonnant aux bons soins du palefrenier. Au pas de course, elle se rend dans sa chambre. Pas une minute à perdre. Elle doit immédiatement organiser son retour à Hvar. Mais pas sans Charles.

Il est midi au Royaume-Uni, donc 13 heures en France. Charles Trubert se trouve certainement dans son bureau de la place Fontenoy. Au bout d'une seule sonnerie, il répond en effet au téléphone.

— Allô, Charlie!

— Bonjour, mon ange. Mais où es-tu? Terry me dit que tu serais partie en Angleterre? Je n'y comprends rien...

— Je suis venue voir mon père. Il t'embrasse, d'ailleurs.

Ce n'est pas du tout le genre de sir Lawrence, mais ça ne fait rien. Elle a hâte de lui dire l'essentiel.

— Charles, je viens demain à Paris. Je vais te remettre mon rapport, mais tu dois venir avec moi à Hvar.

— Que se passe-t-il ? Un problème avec le site ?

— Le site est parfait. Les parcelles sont intactes, exactement comme au IVe siècle avant notre ère. C'est saisissant.

— Je sais, dit Charles, non sans une pointe de fierté. Les cérémonies de 2016 seront grandioses. Alors, où est le problème ?

Jo a préparé un argument béton pour l'obliger à l'accompagner sur le site. Avoir un responsable de l'Unesco à ses côtés l'aidera à solliciter l'intervention de la police le moment venu.

— Ces cérémonies n'auront jamais lieu si tu ne viens pas mettre un terme à ce qui se passe sur le site. J'ai découvert qu'une sorte de secte s'en sert pour organiser des rituels d'oracles grecs et illyriens. Ton site est au cœur d'un commerce aussi occulte que lucratif.

Elle a bien résumé les choses. La réaction de Charles le lui confirme.

— Sacrilège ! crie-t-il dans le combiné. Ce n'est pas possible !

— Allons, Charles, dit Jo, tempérant son effroi. Des trafics en tous genres ont lieu sur les sites classés au patrimoine de l'humanité, tu sais ça.

— Hélas ! Ce sont les Croates qui font ça ?

— Pas du tout, dit Joséphine. Les gens du cru n'ont rien à voir là-dedans. Au contraire. Eux ont entretenu le site et permis qu'il soit dans un tel état de conservation depuis deux mille quatre cents ans. Il s'agit plutôt d'un groupe d'étrangers.

— D'où ?

— Je ne sais pas encore, avoue Jo.

Qui sont les membres de la confrérie ? Leo, Andros et Yerina mis à part, elle l'ignore. Sans doute la cérémonie le lui apprendra-t-elle. Stjepan lui a dit de se munir d'un chiton blanc assorti d'une capuche, la tenue féminine la plus courante dans la Grèce antique, si elle veut y participer. Jo sait parfaitement où trouver une telle tenue à Paris.

— J'ai une course à faire le matin, mais je te propose de venir vers midi à ton bureau. Je te remettrai mon rapport, puis nous filerons ensemble à l'aéroport.

— À quelle heure ?

— Je sais qu'il y a un vol vers 16 heures. Je vais acheter les billets maintenant, le mien jusqu'à Paris, puis les nôtres jusqu'à Split. Nous prendrons ensuite le bateau pour Stari Grad. Je suis sûre que le professeur Zimamović sera ravi de te recevoir.

— Je devais le contacter, d'ailleurs, dit Charles, j'ai une mission à lui confier, s'il le veut. Mais... Jo, comment est-ce possible ? répète-t-il. Tu ne m'as rien dit.

— Je te le dis maintenant, Charlie. Je viens d'en avoir confirmation.

— L'Unesco remboursera les billets.

— Évidemment, Charlie, pas de souci avec ça. À demain. Tu fais ta valise, promis ?

— Est-ce que j'ai le choix, franchement ?

La réponse est non, elle y a bien veillé. Elle vérifie les horaires des vols lorsqu'on frappe à sa porte. Son père vient aux nouvelles. Lorsqu'elle le voit, elle lui saute au cou, vibrante comme une collégienne à la veille de son premier bal.

— Mais qu'est-ce que tu t'es fait ? s'inquiète-t-il en indiquant sa joue.

— Une branche de bouleau, au galop.

— Tu ne feras donc jamais attention ! Et puis, quoi ? ajoute-t-il en avisant son sac de voyage ouvert sur le lit. Tu pars déjà ?

— *Dad*, je reviens à Noël... Mais là, je dois partir. J'ai appris des choses incroyables.

— Encore plus incroyables ?

— *Look*... lui dit-elle, prenant ses mains dans les siennes. Il fait beau. J'aimerais te proposer une journée magnifique, juste nous deux... On va déjeuner au village chez Joe's, et je t'explique les derniers dénouements. Puis, une longue balade le long du Kennet[25]. Et ce soir, souper et bridge devant la cheminée. Avec scotch, *daddy*, bien évidemment.

---

25. Rivière qui traverse le village de Newbury.

Elle se réjouit d'offrir cette belle journée à son père et de la vivre avec lui. Pourtant, elle préférerait se rouler en boule au fond de sa couche d'enfant, retourner au temps où rien, lui semblait-il alors, n'annonçait la passion qui dévasterait la femme qu'elle deviendrait.

À quoi donc rêvait l'enfant qu'elle était ? Pas au prince charmant en tout cas. Rien dans sa vie ni dans sa psychologie ne la prédestinait à croire que quelqu'un d'autre qu'elle-même prendrait sa vie en mains, en même temps que son corps, pour les métamorphoser. Les garçons ne la faisaient pas rêver. Les filles non plus d'ailleurs. D'aussi loin qu'elle se souvienne, Joséphine a voulu voir le monde et rencontrer les humains. Les humains en général, pas un représentant de l'espèce en particulier. Elle privilégiait la plage au détriment du grain de sable. Jusqu'au moment où un grain de sable un peu plus gros que les autres a grippé sa vision panoramique. Partir, fuir, courir, vite et loin, sans cesse, a été une tentative de contrer la menace d'immobilisme. Elle a échoué. Découvrir vingt-cinq ans après, si brutalement, ce que Leo a fait à cause d'elle, à cause d'eux ou pour eux, apporte la preuve douloureuse de la faillite de sa vision du monde. Elle a voyagé, vécu, ici, là, ailleurs, partout. Découvert des horizons, des gens, sans compter. Tourbillonné, répandu sa parole aux quatre vents, d'est en ouest, du nord au sud. Une sorte de toupie à paroles, une nomade un peu vaine, toujours sur le départ, qui n'a réussi que ce qu'elle n'a pas manqué. Et si elle n'avait fait que du sur-place ? Elle se sent à présent brutalement rattrapée par le collet et ramenée à son point de départ.

Sir Lawrence observe la lueur de tristesse qui engrisaille le regard de sa fille. Il a mal dormi. Après les révélations de la veille, c'est peu dire qu'il s'inquiète pour elle.

— Et Terry ? demande-t-il doucement.

— Oh... soupire Jo. Il est fâché contre moi, je te l'ai dit, je pense qu'il me trouve un peu chiante... et compliquée.

Son père esquisse un sourire en tapotant son épaule.

— Jo, ma toute belle, écoute-moi. Ne lâche pas ce garçon. Il est solide, et il t'adore.

— Terry ne sait rien de Leo, je ne lui en ai jamais parlé.

— Et tu as bien fait, approuve Lawrence, appuyant ses paroles d'un geste ferme de sa main osseuse.

— Leo aussi m'adorait...

— *Leo is so disgusted with himself... and with humanity, his despair makes him dangerous*[26]. Il t'a certes toujours adorée, mais je dirais plutôt qu'il t'a toujours voué une sorte de... dévotion hallucinatoire. C'est bien ce qui le rend menaçant. Terry, lui, t'aime telle que tu es. Ce n'est pas pareil, c'est même exactement l'inverse. Tu as besoin de lui. Tu serais bien présomptueuse de feindre le contraire. Parce que, tu sais... je ne serai pas toujours là pour te protéger.

Joséphine redresse vivement le menton et plonge son regard dans celui, jumeau, de son père. Dans un élan, elle se blottit contre son torse et le serre de toutes ses forces.

---

26. « Leo est si dégoûté de lui-même... et de l'humanité, son désespoir le rend dangereux. »

25

Cette nuit la lune est pleine comme une pastèque et comme jadis ma fiancée enceinte...

Tout l'après-midi, Safet, de sa voix grave, a chantonné cette vieille complainte du musicien bosniaque Goran Bregović, jusqu'à énerver sa femme. «Cesse ça! s'est écriée Djenana. On chantait cette chanson avant la guerre, tu ne te souviens pas?»

Quand Joséphine s'est enquise du sens des paroles, son collègue a rougi jusqu'au sommet de son crâne dégarni. Il a traduit les mots, confus de constater que son inconscient lui avait joué un tour. Pour être de circonstance, le couplet n'en était pas moins malvenu. Un silence lourd est alors retombé sur la maison, chacun vaquant nerveusement à ses activités en attendant l'heure de rejoindre la plaine pour assister à la cérémonie des oracles.

À 23 heures, après une légère collation d'olives juteuses et d'abricots séchés, Jo, Terry, Charles et Safet se sont glissés dans le jardin, ayant pris soin d'éteindre toutes les lumières derrière eux. Djenana a renoncé à les suivre, préférant les attendre sur la terrasse.

Les trois hommes ont pris soin de se vêtir de noir pour se fondre dans l'obscurité. Le cœur battant, la gorge sèche, essayant de réussir la prouesse de ne faire rouler aucun caillou sous leurs semelles, ils avancent en file indienne, Terry et Safet ouvrant la marche et Charles la fermant, constituant une sorte de garde rapprochée autour de Joséphine. Lors de son passage à Paris, elle s'est empressée, suivant les instructions de Stjepan, de se procurer un chiton grec traditionnel, longue tunique blanche en lin, drapée sur la poitrine et retenue par une cordelette de chanvre, qu'elle a agrémentée d'une cagoule ample. Les hommes se massent autour d'elle, espérant ainsi atténuer la tache immaculée de sa robe. Deux kilomètres séparent la maison de la plaine, et ils ne doivent pas risquer d'être vus pendant qu'ils les franchiront, traversant les vignes et l'oliveraie dans laquelle Terry a secondé Djenana durant la semaine écoulée. Ils avancent à bonne allure, la nuque légèrement ployée, en retenant leur souffle. Au-dessus de leurs têtes, la lune monumentale joue au trampoline entre les nuages d'un ciel de traîne.

Ils ont rendez-vous avec le commissaire Gatin. Joséphine a fini par se rendre à l'évidence. Parvenus à cette étape de l'enquête, s'ils prétendent faire arrêter les membres de la confrérie tout en s'assurant d'une certaine protection pour eux-mêmes, ils ne peuvent plus se passer de la collaboration de la police locale. La veille, Terry, ravi, a vu arriver le commissaire dans la maison des Zimamović. En anglais, Jo, Charles, Safet et lui ont tout expliqué au policier. Évidemment, Jo a gardé pour elle ce qu'elle n'a confié qu'à son père : l'identité et l'implication exacte de Leo ainsi que les liens entre Stjepan et lui. S'il doit les découvrir, le commissaire le fera seul. Ce dernier avait commencé à établir certains liens, notamment après avoir fait boucler le périmètre autour de la maison de Marco Polo à Korčula, devenu une scène de crime soumise à investigation. « Tant pis pour le tourisme, a-t-il dit. Je me doutais déjà qu'il se passait des choses pas catholiques dans cette église Saint-Pierre constamment fermée mais pas une telle horreur. Candidement, je pensais plutôt à une cache de trafiquants de drogue qui infestent l'Adriatique. J'ai voulu inspecter les lieux, mais les mandats de perquisition m'ont été refusés par mes supérieurs, c'est bizarre, n'est-ce pas ? Mais ce que vous m'apprenez là dépasse l'entendement. » Atterré, il a énoncé son plan d'intervention : « Je vais prévenir mes collègues de Split et de Dubrovnik, ça évitera d'éventuelles complicités et de toute façon, il va nous falloir de gros renforts. Nous ne pouvons pas intervenir avant que la cérémonie n'ait eu lieu. Les escouades spéciales pourront ainsi se tenir prêtes à intervenir à grande échelle. » Gatin a ensuite fixé un lieu de rendez-vous : un muret de pierres facilement repérable situé aux abords du site.

C'est là que Joséphine, Terrence, Safet et Charles le rejoignent. Le commissaire les salue d'un signe de tête. Lui aussi est habillé de noir et il porte un gilet pare-balles. Dans l'obscurité, on distingue la crosse de son revolver qui brille par intermittence à sa ceinture. D'un geste, il enjoint tout le monde de s'accroupir derrière les pierres qui quadrillent le lieu, à proximité de l'agora dallée sur laquelle se tiendra la cérémonie. Depuis cet abri, les hommes – Terry, Safet, Charles et Gatin – seront aux premières loges, verront tout sans être vus.

De l'autre côté du muret leur parviennent les bruits feutrés des derniers préparatifs. Environ deux cents personnes arrivent petit à petit pour la cérémonie qui va débuter sous peu, vers minuit. Elles se saluent chaleureusement bien qu'à mi-voix. Certains sourient en frappant dans leurs mains, excités. D'autres se donnent l'accolade et s'embrassent avec effusion. Si ce n'était l'ambiance lourde, on les prendrait pour une joyeuse famille venue là costumée pour un pique-nique nocturne. Car Stjepan avait raison, tous sont habillés dans le même style que Joséphine : les femmes sont vêtues de chitons blancs ou beiges à capuche, tandis que les hommes arborent de courts exomides dont un pan est fixé à l'épaule gauche. Le choix de ces vêtements populaires, portés par la plèbe à Athènes, Rhodes ou Sparte, témoigne de l'esprit d'humilité ainsi que du désir d'égalité, qui selon la confrérie doit prévaloir chez quiconque espère qu'Apollon prendra son cas en considération. Mettre sa singularité, et encore plus son ego, de l'avant serait malvenu. Les participants se distinguent déjà par leur richesse, grâce à laquelle ils bénéficieront de prédictions personnalisées.

Qui sont-ils et d'où viennent-ils ? Selon ce que Yerina a avoué à Stjepan, la communauté des frères et de leurs clients s'est constituée au fil des années, incluant au fur à mesure des collègues de Leo, professeurs ou ex-professeurs de diverses universités à travers le monde, leurs étudiants, leur famille, leurs amis et les amis et connaissances de ceux-ci mais aussi les patients du psychiatre, qui à leur tour ont entraîné leur entourage. Ils constituent désormais un groupe bigarré qui s'est tissé sur le modèle classique et immémorial des sociétés secrètes ; ils se sont mutuellement élus puis agglomérés les uns aux autres. Afin d'assurer leur protection, ces sectateurs sont aussi prêts à mourir qu'à tuer. Car tuer, c'est d'abord défendre.

Pauline a fini par rappeler Joséphine depuis son village équitable au Sénégal. Après que Joséphine lui a tout expliqué, déformation professionnelle oblige, son amie avocate a traduit les événements en autant de chefs d'accusation : « Séquestration, traite d'êtres humains, violences volontaires, actes de torture et de barbarie, meurtres avec préméditation, sur mineurs en plus, a-t-elle énuméré. Et j'en passe et des meilleurs... » La bande réjouie qui attend le début de la cérémonie avec allégresse en a-t-elle conscience ? Sans doute s'en dédouane-t-elle. Dès lors que le mal sert ses intérêts, il est excusable, voire nécessaire. Il est vrai qu'à 55 000 dollars la prophétie, ces gens paient, honorablement bien que sans honneur, cet étrange accommodement.

D'un instant à l'autre, la liturgie débutera. Le trépied moderne en fer forgé, que Jo et Safet ont découvert lors de leur inspection et que Leo a prétendu vouloir récupérer, est bien dressé entre les colonnes de l'ancien temple. La Pythie y prendra place. Avec enthousiasme, les participants s'assoient en tailleur autour de la dalle cérémonielle, massés les uns contre les autres pour favoriser leur cohésion. Tous veulent se tenir le plus près possible de leur prêtresse et des maîtres responsables de ce rassemblement ésotérique. Ils veulent tout voir et tout entendre. Une ambition partagée par Joséphine et ses complices, bien que mus par des motivations diamétralement opposées.

Compte tenu du nombre de questionneurs, le rituel durera sans doute toute la nuit, sous la pleine lune qui en effet rappelle une énorme pastèque ou une femme enceinte. Une pleine lune dépourvue de douceur. En cette nuit du 8 au 9 octobre, l'astre miroir semble menaçant dans le ciel brumeux. Les froids rayons infrarouges qui composent la bichromie blanche et noire de la lumière lunaire ont la propriété d'éclairer uniquement la surface des choses, empêchant le regard de percevoir volume et profondeur, en même temps que de faire disparaître les couleurs. L'effet déstabilisant, sinon inquiétant, communément attribué au satellite de la Terre vient de cette lumière singulière et de son effet médusant qui révèle la face cachée de la nature comme des êtres.

Terrence vient se coller contre Jo.

— Il est encore temps de renoncer, souffle-t-il à son oreille.

Elle secoue vigoureusement la tête avant de remonter sa capuche. Elle s'apprête à rejoindre les autres. Son cœur, pourtant, cogne dans son ventre, si crispé qu'elle en a du mal à respirer.

Lorsqu'elle est rentrée de Paris en compagnie de Charles, trois jours auparavant, elle a réuni tout le monde pour décrire la situation. Charles, avec lequel elle avait déjà parlé durant le voyage, est resté coi, consterné. Safet n'a cessé de balancer la tête de droite à gauche. «Dire que ces événements se déroulent sous mes yeux depuis des années et que je n'ai rien vu... Quel idiot je fais!» Il ne pouvait rien remarquer, lui a assuré Joséphine, qui comprend néanmoins son sentiment de culpabilité. Djenana a éclaté en sanglots devant l'horreur qui, décidément, s'obstine à la suivre à la trace, de Sarajevo à Hvar. Quant à Terrence, eh bien... lui n'a pas bougé. Malgré son érudition littéraire, lui échappaient les mots adéquats pour exprimer sa pensée. Il en veut toujours à Jo de les avoir égarés dans ce marigot pestilentiel. Et il est furieux de constater qu'une fois de plus elle s'est blessée, la récente cicatrice sur sa joue ayant viré au vert jaunâtre. C'est alors que Safet a annoncé qu'il fallait mettre le commissaire Gatin dans le coup. Ce n'était pas une éventualité ni une suggestion. Il avait dit cela presque comme un ordre. Terry et Charles l'ont d'emblée appuyé, et Joséphine n'a pu que lui obéir. Elle est néanmoins parvenue à les convaincre de participer à ce qu'elle appelle «la singerie», avec le policier qui pourrait par lui-même constater les agissements de l'ensemble des protagonistes réunis sur la plaine. Tous les protagonistes: les treize membres de la confrérie, les officiants et la Pythie, avec le tonneau d'or dont le contenu trahit leurs actes criminels, mais également les clients, ces sectateurs rassemblés cette nuit-là en un lieu unique où il serait facile de les arrêter en un seul coup de filet. Terry a vu rouge. «*Get over it!* a-t-il crié. Pourquoi veux-tu

y participer ? Ceci n'est pas une comédie, ce n'est pas du théâtre !
C'est un drame atrocement humain !» Jo n'a pas répondu, se
contentant d'expliquer qu'elle revêtirait la tenue requise pour se
mêler aux quémandeurs de prédictions. Bouche bée, son fiancé,
contre toute attente, a éclaté d'un rire aussi puissant que sa colère.
Une fois de plus, elle l'a épaté. La nuit suivante, dans l'obscurité de
leur chambre, ils se sont longuement réconciliés.

Pas un seul moment, Joséphine n'a parlé de Leo, à aucun
d'eux, et surtout pas à son fiancé. Jamais elle n'a mentionné le nom
du professeur Leonard Irons, alias Judas, alias Cronos, fondateur
et Vénérable Grand Maître de cette espèce d'Olympe, secrète autant que macabre, qui ourdit ses exactions dans le sillage de Marco
Polo. Leo, grand-père de Stjepan. Elle s'est promis, cependant, que,
lorsque Leo sera arrêté avec sa bande, elle révélera tout, elle éclairera pour Terry les coulisses insoupçonnées de leur relation. Comment son fiancé réagira-t-il ? Elle n'en sait rien, mais elle n'en peut
plus de faire ainsi le grand écart entre son passé et son présent. À
son âge, le grand écart est mauvais pour les articulations autant
que pour les muscles, particulièrement pour le myocarde.

Terrence, derrière le muret aux côtés de son amoureuse, serre
sa main dans la sienne, désireux de lui communiquer sa force et son
soutien. Jo se tourne vers lui et l'embrasse à pleine bouche, pendue
à son cou sous les regards étonnés de Safet Zimamović, du commissaire Gatin et de Charles Trubert. Elle serre ensuite les avant-bras
de ce dernier d'un air entendu, avant de se redresser pour sortir de
sa cachette. Tête baissée, seuls son nez et son menton dépassant de
la capuche, elle quitte le couvert du mur. Profitant de la confusion
qui règne tandis que les suppliants – ainsi appelait-on en Grèce
ceux qui venaient à Delphes en quête d'une prophétie – s'assoient
en tailleur autour de l'agora cérémonielle, elle pose mécaniquement un pied devant l'autre puis s'accroupit sur ses talons au cinquième et dernier rang, un peu de côté par rapport à l'autel. Malgré
sa brillance, la lune ne parvient pas à imposer sa plénitude au travers des voiles de nuages. L'obscurité domine.

Un silence obséquieux fige la plaine. Il est minuit, la cérémonie commence. Sur le sentier qui remonte depuis la mer située en
contrebas, le cortège tant attendu s'annonce.

La Pythie arrive en tête, portée, sur un baldaquin rebrodé d'or, par quatre jeunes gens nus au visage masqué. Enduite d'huile, leur musculature parfaite scintille sous les rayons lunaires. Leur perfection physique n'aurait pas démenti les goûts homophiles des anciens Hellènes. Troublée, Jo ne peut s'empêcher de chercher Stjepan parmi eux, mais tous sont moins grands et plus trapus que son jeune protégé dalmate. Il a d'ailleurs dit qu'il annoncerait à Leo son refus à la fois de participer à la cérémonie et d'accepter l'héritage dans son ensemble.

Un murmure fébrile agite l'assemblée. Des sons de cymbales accompagnent l'arrivée de l'oracle d'Apollon, que trois des porteurs posent avec précaution sur son trépied moderne. Devant la pythonisse, le quatrième place au sol l'omphalos, la pierre sacrée qui représente le Nombril du monde, sur lequel les suppliants devront déposer l'offrande destinée à la clairvoyante créature ou, en l'occurrence, à ceux qui l'exploitent. À Delphes, les cadeaux les plus somptueux étaient échangés contre la délivrance des oracles et il ne s'agit pas de déroger à cette tradition. Chaque participant tient à la main un sac en papier qui renferme l'offrande, de préférence en petites coupures. Jo s'inquiète. Elle avait préparé un paquet elle aussi, rempli de papier toilette soigneusement plié, mais elle a commis l'erreur de l'oublier. Où ça, d'ailleurs ? Dans la maison, ou bien derrière le muret ? Émoussée par sa peur grandissante, sa mémoire lui fait soudain défaut. Trop tard de toute manière. La Pythie est fin installée, entre deux vasques desquelles s'élèvent bientôt les flammes du feu sacré qui, avec la potion hallucinogène qu'elle boira et les feuilles de laurier qu'on lui fera mastiquer ou brûler comme de l'encens, doit provoquer le basculement de sa conscience vers un état de transe extralucide.

Les yeux à moitié dissimulés par la cagoule, Jo peut enfin l'observer. Ce qu'elle découvre lui glace le sang.

Dans ses écrits, Aristote a raconté qu'on ne voyait jamais la sibylle d'Apollon, qui dans son temple se tenait derrière un rideau pour échapper aux regards des suppliants. Il relate aussi que cette femme avait toujours plus de cinquante ans – âge vénérable pour l'époque – et qu'elle était choisie pour sa chasteté et son savoir sans être obligatoirement vierge. Elle quittait sa famille pour vivre dans l'enclos sacré qui lui était dévolu. Une semaine avant de prononcer ses oracles, elles étaient enfermée dans une grotte afin de se purifier et de communier avec son dieu. Celui-ci avait avalé le python glissé dans son berceau par Héra pour le tuer, tel qu'elle ambitionnait de le faire avec chaque bâtard de son époux olympien. En ingurgitant cet animal qui, selon les anciennes civilisations, connaît les secrets des ténèbres du monde et de ceux qui le peuplent, il avait assimilé l'art de la divination.

La créature qui se tient sur son trépied semble pour sa part avoir deux fois cinquante ans. Elle a dépassé la notion même de temps. La claustration à longueur d'année dans le souterrain a provoqué la cécité dont témoignent ses iris complètement décolorés et ouverts dans la nuit, comme la mort regardant en face les vivants ayant momentanément échappé à son absolutisme. Nourrie une seule fois par jour et exclusivement, selon les révélations de Yerina à Stjepan, de miel, d'ail et de citron, elle arbore les stigmates de la torture à laquelle elle est soumise depuis deux décennies. L'expression «la peau sur les os» s'applique littéralement à son squelette éviandé recouvert d'un épiderme blafard, semblable à du parchemin. «Peau de chagrin», ne peut s'empêcher de penser Joséphine. «Elle est extraordinaire, notre Pythie, n'est-ce pas?» s'exalte une voisine. Jo frémit d'effroi.

Les bras de la femme hors d'âge, pareils à des branches desséchées, dépassent des manches de sa tunique de soie couleur d'or. Ses cheveux blancs – sont-ce plutôt des crins? – ont été nattés autour de son crâne, sur lequel est posé un diadème de feuilles de laurier. Cette pauvre créature, dont on hésiterait à dire qu'elle est vraiment humaine, ne survivrait probablement pas à la plus brève exposition aux rayons du soleil. Celui-ci pèse un kilo par centimètre carré de peau. Dès lors, lorsqu'on se dit «écrasé de soleil», on l'est littéralement. La Pythie, elle, au fil de sa captivité, a été écrasée par tant de supplices qu'il semble à Joséphine qu'un seul rai de la lumière, pourtant légère, de la lune suffirait à concasser ses os. À Delphes jadis, des chèvres étaient sacrifiées à Apollon. Sur cette plaine de Stari Grad, on sacrifie une vieille femme martyrisée, des vierges et leurs bébés nés sous la contrainte. Ayant appris de la bouche de Stjepan que la Pythie n'est autre que la nourrice qui a sauvé et élevé Andros, Joséphine sent une immense pitié enserrer son cœur. Si elle ne dénonce pas ce qui se passe ici, celle qui est davantage la captive de Leo que la prêtresse d'Apollon retournera dans le souterrain de Korčula, emmurée jusqu'à l'automne suivant. Et ce ne sont pas les colliers de pierres précieuses qui cette nuit recouvrent son torse voûté qui soulageraient sa terrifiante indigence.

Derrière la Pythie accompagné d'un corbeau s'avance une frêle silhouette féminine, flottant dans une large tunique pourpre brodée de motifs d'or, une couronne de feuilles de vigne sur la tête. Jo reconnaît Yerina. Ses cheveux sont rasés, ses yeux fiévreux, ourlés d'un épais trait de khôl, ses lèvres, noircies, ses bras, surchargés de bracelets ou plutôt d'entraves métalliques. Elle se poste à la gauche de l'oracle et pose une main sur le tonneau d'or que Jo reconnaît aussitôt et l'autre sur un haut panier d'osier.

Le vacarme des cymbales cesse. Dans le silence apparaît alors la confrérie. Debout en rang, ses membres se placent à la droite de la Pythie. Ils sont douze, vêtus d'une tunique noire et cagoulés de rouge, la taille ceinte d'un tablier à damier blanc et noir estampillé d'une tour. Le treizième d'entre eux, le Vénérable Grand Maître, celui que tous attendent au moins autant que la Pythie, fait alors son entrée dans un silence recueilli. La confrérie des Treize est maintenant au complet. Dans l'Antiquité, les officiants de la Pythie étaient appelés prophètes ou apôtres. Treize dieux et treize apôtres. Sir Lawrence avait raison en dessinant un parallèle entre traditions païenne et chrétienne.

Le Vénérable Grand Maître s'apprête à prendre la parole. Il attend que le dernier, et non le moindre, des officiants ait rejoint sa place. L'homme d'âge moyen à la courte barbe blonde tient un stylet de fer à la main. Il s'assied en tailleur à la diagonale du trépied, à côté d'une pile de tablettes d'argile. Il est le scribe, ou le traducteur des prophéties. Il les inscrira avant de les donner aux suppliants qui auront déposé leur offrande. À Delphes, ce rôle était tenu par des poètes, capables de saisir les aphorismes de la devineresse d'Apollon.

Le Grand Maître s'avance et demande le silence.

— Frères divins, débute-t-il avec gravité, les bras au ciel.

Jo manque d'éclater de rire et se pince aussitôt le nez. C'est Leo qui parle ainsi, enivré de pouvoir, et elle ne sait plus si elle doit se moquer ou se désoler.

— Que Séléné, de sa sagesse, et Artémis, jumelle d'Apollon, inspirent notre sublime pythonisse et murmurent à son oreille. Ainsi nous voici réunis pour que nous soit révélé ce qui est écrit sur la terre comme au ciel.

— Oui, oui ! crie la foule survoltée.

« Méfiez-vous de la psychologie des masses, mettait en garde le professeur Irons. Les foules sont capables de tout. » Jo s'en souvient très bien.

— Connais-toi toi-même et tu connaîtras l'univers et les dieux, tonne la voix de Leo. Telle est la Connaissance définie par le grand Apollon. En son nom, sa messagère ici présente offrira ses oracles en réponse à vos questions. Mais n'oubliez pas ! Si vous ne les entendez pas avec votre cœur, si vous ne les interprétez pas correctement, pour vous seuls et selon votre réalité personnelle, ces oracles vous demeureront impénétrables.

A-t-elle bien entendu ? « Connais-toi toi-même et tu connaîtras l'univers et les dieux. » Leo vient de citer le *Gnothi seauton* qui était gravé sur le frontispice du temple d'Apollon à Delphes. À ceci près qu'il vient d'en détourner la signification philosophique. Nombre de penseurs, Socrate, Platon, Héraclite ainsi que Hegel ont considéré la célèbre phrase comme le mot-clé de l'humanisme, lequel assigne à l'homme le devoir de prendre conscience de sa finitude sans tenter de rivaliser avec l'infinitude du principe divin. Lorsqu'il enseignait à Harvard, le professeur Irons consacrait pas moins d'un demi-semestre à une discussion critique du *Gnothi seauton*, mettant ses élèves en garde contre les détournements opérés au fil des siècles à des fins ésotériques ou matérialistes. Voici que, devant ses adeptes, ceux-ci ignorant certainement les véritables textes, il en livre une version odieusement galvaudée.

Joséphine saisit parfaitement son objectif. Les participants poseront leur question en anglais ou en français. Le scribe les traduira en grec ancien à la Pythie qui répondra par un aphorisme, une métaphore, également en grec ancien, que le scribe gravera tels quels sur une tablette d'argile. Si les clients ne parlent pas le grec ancien, ils devront dans un premier temps faire traduire la prédiction puis, dans tous les cas, décoder celle-ci pour en interpréter le sens et l'adapter à leur éalité. En clair, le Vénérable Grand Maître Leo-Judas-Cronos vient de leur dire que si, pour une raison ou une autre, ils ne comprennent pas la réponse ou ne l'interprètent pas adéquatement, ils en seront seuls responsables. Et pourvu qu'ils soient plus chanceux la fois suivante, à la faveur d'une nouvelle offrande, déposée en petites coupures dans un sac en papier !

Jo aimerait pouvoir voir la réaction de son collègue Safet Zimamović devant ce spectacle. Les Anciens ne s'en prenaient qu'à eux-mêmes lorsqu'il leur arrivait de ne pas saisir le sens des aphorismes énigmatiques de la sibylle, ou lorsque, pire encore, les interprétant mal, ils attiraient sur eux les malheurs qu'ils avaient cherché à éviter en consultant l'oracle. Il n'était pas question pour eux, qui vivaient dans la crainte de déplaire aux dieux, d'en vouloir à Apollon ni de s'insurger contre lui ou contre son oracle. Mais qu'en était-il désormais ? Les deux cents personnes qui entourent Joséphine sont de fait des clients plus que des suppliants. Que font-ils si les oracles de la Pythie de la confrérie s'avèrent impénétrables, voire carrément erronés ? 55 000 dollars, est-ce une somme suffisante pour s'acheter l'avenir, ou à défaut, pour oser demander un remboursement ? Comment Leo et ses « frères » gèrent-ils les réclamations et le service après-vente ? *Cash only, no refund.* Tel semble être l'adage de la confrérie des Treize, loin, très loin de l'appel à la conscience humaniste du *Gnothi seauton.*

La cérémonie des oracles débute sous la pleine lune, qui de haute lutte est parvenue à reconquérir le firmament désormais purgé de nuages. Le premier questionneur s'avance, un grand sourire aux lèvres. Il s'incline devant le Grand Maître Leo-Cronos et embrasse la grosse bague que celui porte au doigt. Il se penche pour déposer son offrande sur l'omphalos puis, les mains jointes, s'avance pour poser sa question à l'oreille du scribe qui presque aussitôt la répète à haute voix en grec ancien : vivra-t-il longtemps ?

Au même moment, Yerina-Héra, de la main droite, plonge un gobelet dans le tonneau d'or, puis se poste devant la Pythie pour lui faire boire la potion hallucinogène. Les pupilles blanches de la centenaire aveugle roulent dans leurs orbites creuses tandis que ses pommettes saillantes tressaillent. Le corbeau sur son épaule pousse son croassement sinistre. Tous les regards sont braqués sur ses lèvres craquelées qui marmonnent quelques sons inaudibles avant de laisser échapper une phrase complète.

Tout est vanité
La montagne est appuyée au nord
Au sud volent les aigles
Le feu dévore les broussailles.

Le scribe, muni du stylet, grave les mots sur une tablette qu'il tend à l'homme qui se prosterne en signe de remerciement autant que de vénération. Puis il va s'asseoir de l'autre côté de l'agora. S'il connaît le grec, il doit déjà comprendre l'adage. Dans le cas contraire, il doit tenter de faire taire son impatience. En consultant sa montre, Jo constate que l'opération a duré environ deux minutes. Elle calcule que la cérémonie durera environ quatre cents minutes. Plus de six heures. Soit jusqu'au retour du soleil.

Une femme se lève. Timidement, elle s'approche de la pierre sacrée, exécute une révérence devant Leo, embrasse la bague puis dépose l'argent, se penche enfin vers le scribe qui répète le même rituel, énonçant la question en grec. Dois-je avoir cet enfant qui n'est pas de mon mari ? Telle est la question. La bague qu'arbore Leo intrigue Joséphine. Une grosse bague composée d'un cabochon bleu foncé serti d'or. Est-ce du lapis-lazuli ? « Une bague de pharaon, il ne manquait plus que ça ! », se dit-elle.

Pendant que la Pythie ingurgite la potion servie par Yerina, Jo observe Leo. Assis dans un fauteuil ouvragé, il se tourne vers le frère à sa droite et écoute ce que ce dernier lui chuchote à l'oreille. Soudain la devineresse se met à remuer sur son trépied et énonce sa réponse poétique, assez analogue, au fond, à celles que délivre le *Yi Jing*, l'un des cinq classiques de la tradition chinoise, qui lui aussi parle par images codées.

La Pythie dit :

Personne ne peut échapper à la force du destin
L'oiseau dans le ciel
La fleur dans la prairie
Le lac calme noie les nuages sombres...

Le scribe grave les mots à mesure. Cette fois, la femme n'attend pas qu'il lui tende la tablette d'argile pour pousser un cri de joie sans mélange. Elle semble comprendre le grec ancien et l'interprétation qu'elle fait de la métaphore la satisfait. Guillerette, elle se prosterne devant la Pythie avant de s'asseoir de l'autre côté de la dalle, serrant sa tablette contre son cœur.

Le troisième client s'interroge sur la vente de son entreprise familiale ; le cinquième espère la guérison d'une maladie chronique ; le dixième voudrait divorcer sans y laisser sa fortune ; le douzième a rencontré quelqu'un et se demande s'il s'agit enfin de l'amour de sa vie ; le quinzième cherche un conseil pour réorienter sa vie après le décès de son épouse. Tous repartent avec leur avenir sous le bras, le visage illuminé, comme si la mer Rouge venait de s'ouvrir devant eux. La lune brille au-dessus de leurs têtes, dans un silence empli de respect. Trois heures s'écoulent comme une seule au gré des oracles. Tous et toutes semblent tranquilles, sauf Joséphine qui, la peur au ventre, essaie de penser à ce qu'elle va faire lorsque son tour arrivera. Elle ne peut pas risquer de se présenter devant Leo mais peine à trouver un subterfuge pour éviter la confrontation.

Le fonctionnement l'intrigue. Les oracles débutent tous par des phrases qu'il lui semble reconnaître. Toujours les mêmes, en alternance, selon les sujets abordés.

Ces sept phrases sont :
Tout coule...
Profite du temps...
Tout est vanité...
Casse l'action avec des pauses...
Rien avec excès...
Personne ne peut échapper à la force du destin...
Connais-toi toi même...

Si Safet se trouvait auprès d'elle, il l'aiderait à reconnaître la provenance de ces maximes. Elle comprend le procédé qui se déroule sous ses yeux : la première phrase de la réponse de la Pythie est toujours une maxime parmi sept, selon le sujet abordé par le questionneur. À cette maxime, la devineresse ajoute des phrases personnalisées spécifiques au client. D'un coup, elle se souvient. « Suis-je bête ? » sursaute-t-elle. Il s'agit des *Sept voies de la sagesse*, dont le « connais-toi toi-même », le *Gnothi seauton*, fait partie. Chacune de ces sept maximes, gravées sur le temple d'Apollon à Delphes, correspondait à une divinité planétaire et se rapportait aux aspects récurrents de la vie humaine : amour, santé, argent, travail, guerre ou famille... Joséphine en conclut que la Pythie a dû apprendre ces voies de la sagesse et qu'elle les répète en les aménageant selon la question posée. Tout à la fois génériques et aphoristiques, elles s'adaptent en effet à tous en toutes circonstances. « Elle est drôlement forte, cette femme, quand même », pense-t-elle avec une admiration non feinte. La Pythie ingurgite du poison de *poskok*, gorgée par gorgée, depuis trois heures. Comment fait-elle pour tenir, elle qui n'a que la peau sur les os ? « Mon père avait raison, conclut Joséphine. Si le venin n'était mélangé à du sang pur et revigorant, du sang de bébé tel que l'était Apollon au moment de l'ingestion du serpent, elle mourrait rapidement. »

Il lui semble néanmoins que la Pythie marque des signes de fatigue. Elle est encore plus pâle qu'à son arrivée sur les lieux. Des gouttes de sueur dégoulinent sur son visage buriné. Yerina éponge son front avant de lui donner un grand verre d'eau dans lequel elle a pressé un citron. Tous ont remarqué que la devineresse ne va pas bien. Il faut marquer une pause dans la cérémonie. Les treize frères se massent autour de la sibylle, tandis que des murmures stupéfaits parcourent l'assemblée. Certains s'agitent, inquiets de voir l'oracle faire défection avant que leur tour ne soit arrivé. Comment cette pauvre femme tiendra-t-elle toute la nuit, intoxiquée et dans l'état de transe qui lui est imposé ?

— Frères divins, annonce alors Leo, les bras levés, à l'assemblée. Il est 3 h 14. Le moment est venu.

Cherche-t-il à faire diversion ? Joséphine, interloquée, imite la foule qui a bondi comme un seul homme et lance des exclamations excitées, le visage levé vers le ciel.

— Ça y est! hurle une femme.

La lune se met à pâlir progressivement. Elle perd rapidement de sa brillance au contact d'une zone d'ombre qui se forme à l'une de ses extrémités et commence à grignoter sa rondeur lumineuse. Devant pareil spectacle, les anciens Chinois croyaient qu'un lapin, vivant dans le satellite de la terre, le dévorait, et que la lune toujours parvenait à se libérer de ce rongeur pour briller à nouveau. Les Incas, pour leur part, la voyant rapetisser, décochaient des flèches enflammées pour la raviver. De nos jours, les hommes, pris par une soudaine fièvre païenne, n'hésitent pas à se déplacer jusqu'à l'autre bout de la planète pour assister au phénomène, munis de télescopes et d'appareils photo, sortes d'yeux de Cyclope contemporains. Joséphine, quant à elle, ne se sent pas traversée par la magie de l'éclipse qui, quelques heures durant, provoque fascination ou panique en faisant ressurgir dans l'inconscient individuel et collectif l'effroi des ténèbres originelles, le black-out total d'avant et d'après la vie. Elle obscurcit à présent la plaine de Stari Grad, interrompant momentanément la cérémonie.

Joséphine est furieuse contre elle-même. Que n'a-t-elle consulté un calendrier pour savoir qu'une éclipse se produirait précisément cette nuit? Car, elle en est sûre, la confrérie a organisé la cérémonie en concordance avec le phénomène. Stjepan lui a dit «le 8 octobre, c'est la pleine lune» sans mentionner l'éclipse. Le savait-il seulement? Et où se trouve-t-il donc? Jo ne l'a pas encore vu.

Leo connaît très bien les peurs provoquées par la disparition des luminaires ainsi que les croyances et les rituels mis en place pour les contrer, la croyance sumérienne notamment, selon laquelle la pleine lune éclipsée décuplerait la clairvoyance des devins. C'est évidemment cela qui l'aura conduit à choisir cette date. Mais s'agit-il d'une éclipse totale ou partielle? «Quelle imbécile je fais!», maugrée Jo. Pendant un court instant, elle hésite à rebrousser chemin vers le muret derrière lequel Terry, Safet et Charles doivent eux aussi être au comble de l'inquiétude.

Alors que l'éclipse progresse, dévorant lentement le disque lunaire, Leo reprend la parole.

— Mes chers frères et sœurs, scande-t-il, l'index brandi vers le ciel, lisons le présage au-dessus de nos têtes.

— *Dreadful!* lâche Joséphine, exaspérée.

Elle a parlé trop fort sans doute, car ses voisins se retournent vivement vers elle, le regard mauvais.

Au même moment, deux des éphèbes se présentent. À pleins bras, ils poussent brutalement une silhouette sommairement vêtue, bâillonnée et ligotée, vers le devant de l'autel. Stjepan. Joséphine manque de s'évanouir en le reconnaissant.

— Voici un jeune homme, s'écrie alors Leo, que j'aimais énormément mais qui, hélas, m'a trahi. Nous a trahis. Il a tué son père, notre bien-aimé Zeus qui par sa faute a rejoint le royaume d'Hadès, et à présent il veut me tuer, moi, et ainsi détruire notre confrérie. Il veut mettre un terme à nos cérémonies ! Nous ne pouvons pas le laisser faire, n'est-ce pas ?

Une immense clameur d'approbation lui répond.

— À mort, le traître, à mort ! scande l'assemblée.

Joséphine cherche des yeux Yerina. Celle-ci ne réagit pas, les yeux perdus dans le vide. Elle va les laisser tuer son fils... Mais a-t-elle le choix ?

Un des frères cagoulés de rouge se détache du groupe et se poste à côté de Stjepan. Tout à coup, il dégaine une dague dont le métal étincelle sous les rayons affaiblis de la lune.

— Nous avons choisi de nous placer sous l'augure de notre douce Séléné, poursuit le Vénérable Grand Maître. Séléné porte conseil. Cette nuit a lieu une éclipse totale, exceptionnelle, la plus puissante de toutes. Imaginez ! Six heures d'obscurité bienheureuse, porteuse de renaissance et de régénération ! Une bénédiction qui nous a été spécialement envoyée.

« Six heures ? réagit Joséphine, abasourdie. Impressionnante éclipse totale en effet. » Elle sent aussitôt la terreur l'étreindre. C'est qu'elle a peur du noir. Elle combat cette phobie depuis toujours mais ne peut y échapper. La perspective de passer tant d'heures dans les ténèbres, coincée parmi des ennemis ivres de sang la panique. Furtivement, elle se tourne vers le muret dans l'espoir d'apercevoir Terrence, Safet, Charles ou même le commissaire Gatin. Mais elle ne voit personne. Ils sont bien cachés.

— Nous devons éliminer ce traître, s'écrie Leo en pointant Stjepan. Nous devons l'empêcher d'éclipser notre grande famille et ramener la lumière dans nos cœurs et nos âmes.

Sa voix monte au fur et à mesure qu'il égrène ses paroles dans la nuit.

— L'éclipse, mes frères et sœurs, assure notre clairvoyance ainsi que celle de notre chère Pythie !

— Que l'éclipse soit avec nous ! hurlent les clients, yeux écarquillés, poing brandi.

Leurs vociférations primitives, archaïques pourraient réveiller les morts. À défaut, elles assourdissent Joséphine dont les oreilles se mettent à siffler.

Trois heures auparavant, ces gens évoquaient une famille en pique-nique. Ils se sont mués en une horde assoiffée de sang frais.

D'un coup de pied à l'arrière des genoux, un des éphèbes oblige Stjepan à s'agenouiller. Le frère sacrificateur passe derrière lui et bloque son dos de la jambe, le forçant à cambrer les reins. Tirant brutalement ses cheveux en arrière, le bourreau pose le tranchant de sa dague sur sa gorge.

Joséphine, à bout, fait un pas de côté, prête à se jeter vers l'autel. Mais la Pythie la devance. Ses yeux, blancs comme ceux d'un fantôme, s'écarquillent tandis qu'elle glisse de son trépied, pivote sur ses jambes instables puis s'effondre à deux pas de Stjepan, en convulsions. Elle grimace, puis, en flots continus, se met à régurgiter la potion qui au fil des heures l'a progressivement empoisonnée. Des filets de sang coulent de chaque côté de sa bouche édentée dont seules deux dents noires et pourries dépassent, tandis que ses longs ongles en spirale de coquillage, s'enfoncent dans sa propre gorge qu'elle tient à deux mains. Secouée de spasmes, elle roule sur elle-même puis lâche un gémissement strident qui glace le sang de l'assistance. Ce cri, semblable au sonar des cétacés, comme surgi de la nuit des temps, Joséphine le reconnaît. Elle l'a entendu dans le souterrain de la maison de Marco Polo lors de son expédition nocturne avec Terry.

La Pythie, recroquevillée sur la dalle blanche, hurle littéralement à la lune. Le son se mue en mots d'abord incompréhensibles puis parfaitement distincts, des mots libérés par la transe.

— Andros ! Andros ! Andros ! invoque-t-elle en battant l'air de ses bras osseux. C'est ton fils, Andros, sauve-le !

Yerina réagit aussitôt, se précipitant sur la pythonisse pour la faire taire à coups de pied, ce que le corbeau, en fidèle assistant, n'apprécie guère. L'oiseau noir fonce sur les yeux de Yerina, bec dardé. Cette dernière repousse l'attaque du volatile mais se trouve contrainte de reculer. Joséphine retient son souffle. La Pythie braque alors ses yeux blancs sur un point qu'elle est seule à percevoir. Sa voix fuse, mais ce n'est plus sa voix. Sur une tonalité caverneuse et vengeresse, une logorrhée incontrôlable se déverse de sa bouche ensanglantée :

— Infortunés, tonne-t-elle, que faites-vous ici ? Fuyez au bout du monde, fuyez vos maisons, l'enceinte circulaire de la ville et ses hautes crêtes. Tout coule, tout est vanité, personne ne peut échapper à la force du destin. Plus rien ne subsiste, ni la tête, ni le corps, rien de ses extrémités, pieds ou mains, rien du milieu non plus, tout est désolé, l'incendie fait rage, et le féroce Arès prend sa revanche. Les remparts ne périront pas seuls, ils ruineront tout. À la flamme furieuse Arès livrera vos temples, où vos images d'immortels se dressent aujourd'hui couvertes de sueur, tremblantes d'effroi, et du haut des toits ruisselle un sang noir, présage du désastre fatal. Quittez mon sanctuaire, élevez votre courage plus haut que vos malheurs. Qui n'entend pas mes paroles entendra la foudre.

À présent, les trois quarts du cercle lunaire ont disparu. Dans l'obscurité grandissante, un silence de plomb s'installe. Même Leo semble incapable de réagir, pétrifié devant la Pythie qui vient d'échapper à son contrôle et roule sur le côté, tandis que le corbeau sautille alentour. Joséphine connaît cette harangue, mais son cerveau à l'arrêt ne lui permet plus de réfléchir pour en retrouver la référence. Incapable de résister au flageolement de ses jambes, elle s'effondre lourdement au sol.

— Elle nous a maudits, c'est ça ? murmure une suppliante à ses côtés, avant de fondre en larmes.

C'est alors que se produit l'inespéré. Terry sort de derrière le muret dans le fracas des pierres millénaires qui roulent sous ses pas. Il s'élance vers Joséphine, aussitôt suivi par Safet Zimamović et le commissaire Gatin qui profitent de l'étonnement général pour courir vers l'autel. Un croissant de lune résiste encore à la progression de la nuit qui ne va pas tarder à recouvrir la plaine de son épais manteau opaque.

Terrence prend sa fiancée sous les aisselles et l'oblige à se relever. Un brouhaha de protestations s'élève alors de toutes parts. L'apparition de ces intrus, tout de noir vêtus, fait basculer l'assemblée de la stupeur dans une colère sauvage.

Safet parvient devant l'autel et se jette sur Stjepan pour le délivrer. Leo l'attrape au vol. Serrant sa taille à pleins bras, il le tire brutalement vers l'arrière.

— Vas-y! hurle-t-il à l'adresse du frère sacrificateur. Tranche la gorge de ce maudit Arès, maintenant!

Joséphine, appuyée à son amant, sent la révolte la submerger et raviver ses forces.

— Je ne vous laisserai pas faire! hurle-t-elle, en se dégageant de l'étreinte protectrice de Terry pour s'élancer à son tour vers l'autel.

Leo, la reconnaissant, n'en croit pas ses yeux. Il se rue vers elle à grandes enjambées.

Terry le voit et fonce droit sur lui, l'agrippe par la cagoule et le projette de toutes ses forces contre le sacrificateur qui s'apprêtait à égorger Stjepan. Le bourreau tombe sur le flanc et lâche son arme.

La lune alors se met de la partie. Elle disparaît complètement derrière l'ombre de la terre, plongeant la plaine et ses occupants dans une noirceur aussi totale que redoutable, que le regard humain ne suffit plus à percer.

Yerina a quitté son siège pour fondre sur Joséphine dont elle enserre aussitôt le cou à deux mains, avec la ferme intention de l'étrangler. Jo suffoque. À quelques pas d'elle, Leo est parvenu à se redresser. Hors de lui, il se rue vers Terry et lui assène des coups de poing dans le ventre et dans les côtes. Terry s'effondre à genoux. Leo, derrière lui, en profite pour détacher son tablier et en passe la cordelette autour de son cou. Terry sent l'air se raréfier dans ses poumons. Il ne parvient pas à se dégager. La haine a décuplé la force de son agresseur. Leo sait très bien qui est Terry. Un homme trop jeune qui l'a indûment remplacé auprès de la femme de sa vie, et qui, en plus, a tué son fils, Andros. La lune complice a répondu à son souhait le plus cher en lui donnant l'occasion de l'éliminer. Enivré par un impérieux sentiment de puissance, il tire sur la cordelette avec le plaisir anticipé de sentir les cervicales de Terry se rompre sous ses doigts.

Au même instant, Joséphine, plus grande, plus lourde et plus forte que Yerina, a réussi à se défaire de son emprise en lui portant un coup à l'arcade sourcilière, qui s'ouvre. Le sang gicle sur ses joues, maculant au passage la capuche et le chiton blanc de Joséphine. Avec un hurlement de douleur, Yerina lâche sa proie et tombe au sol.

Joséphine se redresse aussitôt pour se jeter sur Leo. À califourchon sur son dos, elle agrippe ses cheveux au travers de la cagoule et tire de toutes ses forces. Pris par surprise, Leo est obligé de lâcher le cou de Terry. À quatre pattes sur la pierre froide, celui-ci parvient à inhaler assez d'air pour se dégager et gagner en vacillant le bord de la dalle. Safet, quant à lui, multiplie les coups de poing au visage du frère sacrificateur qui bientôt ne bouge plus puis entreprend de libérer Stjepan de ses entraves.

Sur le sanctuaire plongé dans un noir de four règne la confusion la plus totale. Les participants se battent entre eux, ne sachant plus distinguer, parmi la foule qui grouille dans l'obscurité comme une colonie de fourmis égarées, les ennemis des complices. Ils sont prêts à tout pour sauver leur peau. Quant aux membres de la confrérie, privés de leur Grand Maître, ils laissent aller les ressentiments que, depuis longtemps sans doute, ils nourrissent les uns envers les autres, cherchant désormais à s'éliminer mutuellement. Au milieu des hommes cagoulés, le commissaire Gatin se bat lui aussi à coups redoublés, assailli de tous côtés.

Profitant du désordre, Terry rampe jusqu'à sa fiancée et, reprenant son souffle, la serre dans ses bras alors que Leo fonce de nouveau sur eux. Elle se sent prête au face à face qu'elle espère depuis qu'elle a eu connaissance des activités de son ancien compagnon. Toute culpabilité a désormais disparu en elle.

Terry, voyant le commissaire Gatin en difficulté, s'éloigne de Joséphine pour l'aider. Il ne peut pas entendre le dialogue qui se noue entre Leo et sa fiancée.

— Pourquoi tu te mêles de ça? crie-t-il à Joséphine. Ça te regarde?

Jo le défie du regard sans répondre.

— Ces gens n'en valent pas la peine, tu vois bien.

Cette fois, elle réagit. Violemment. La rage la précipite tout contre Leo.

— Tu veux rire? lui hurle-t-elle au visage. T'as pas organisé cette petite fête pour moi, peut-être?

On pourrait les croire prêts à s'entretuer. Leo éclate d'un rire mauvais.

— Trop tard, ma belle Aphrodite, marmonne-t-il entre ses dents.

— Tu es fou! *Gnothi seauton*, hein, Vénérable Grand Maître Cronos?

— C'est génial, non?

— Et qu'est-ce que c'est que cette bague?

Leo serre le poing sous les yeux de son ex-fiancée comme s'il allait la frapper au nez avec son bijou.

— Ça, ça vient du Khan Kalili[27]. C'est tout ce que j'ai pu ramener d'Égypte alors que j'étais venu te chercher.

Déstabilisée par ses paroles, Joséphine recule de deux pas.

— Sinistre Judas, dit-elle enfin, mâchoire serrée. Tu t'es trahi!

— Et alors? ricane Leo.

— Tu as trahi le respect que tant de personnes avaient pour toi dans le monde. Tu n'es qu'un criminel.

Ivre de rage, elle le pousse aux épaules de toutes ses forces.

— *Tout coule. Tout est vanité. Personne ne peut échapper à la force du destin. Rien avec excès...* Foutaises, Leo!

— C'est ça que veulent les gens. Ils se foutent du savoir, ils veulent des réponses!

— Des réponses? À 55 000 dollars en petites coupures? C'est toi qui souffles les réponses à cette pauvre Pythie?

— Tu n'y es pas du tout. C'est une vraie voyante.

— C'est ça, oui! Et moi, je suis la reine de Saba! C'est juste minable!

---

27. Grand souk du Caire.

Ses paroles ont porté. Leo recule d'un pas, les bras ballants, vexé, surtout par l'expression de mépris et de répugnance qu'il lit sur son visage. À défaut de récupérer son ancienne compagne, il aurait aimé l'impressionner. Ce n'est visiblement pas le cas. Une immense colère monte en lui.

Brusquement, sans que rien ne l'ait laissé prévoir, il s'arc-boute, tête en avant, dans la posture du bélier qui va attaquer. Avant que Joséphine n'ait pu réagir, son crâne l'atteint en plein ventre, coupant net sa respiration. Elle tombe à la renverse. À l'instant où son coccyx s'écrase contre la pierre, une décharge électrique envahit son cerveau. Incapable de bouger, elle gît au sol, à demi-inconsciente, bras écartés, pareille à un hanneton chu sur sa carapace. Au-dessus d'elle, dans le vacarme de la rixe généralisée, un mince bracelet de lumière blanche entoure le cercle qui assombrit la lune. Il faudra quelque temps encore pour que l'astre miroir du soleil se dégage de l'éclipse et amorce sa renaissance cyclique. Ainsi va la vie parmi les hommes.

Le commissaire Gatin apparaît soudain au-dessus de Joséphine, toujours étendue au sol.

— Ça va ? lui demande-t-il en prenant sa main dans la sienne.

Où est Leo ? Elle ne le voit plus.

— J'ai vu le Grand Maître vous faire tomber, dit Safet qui s'approche, puis il s'est enfui à toutes jambes. Je n'ai pas réussi à le rattraper.

Le professeur Zimamović ignore que, sous la silhouette cagou-lée, se cache un éminent collègue américain dont il admire les travaux.

— Vers où est-il allé ? demande le commissaire.

— Il courait vers l'entrée du site, répond Safet.

— Il n'ira pas loin, dit le commissaire. Avant d'entrer dans la bataille, j'ai donné l'ordre du bouclage complet de la zone. Mes hommes vont l'intercepter.

— Les voilà, s'écrie Joséphine, rassurée de voir les policiers entrer dans la bataille et neutraliser la foule.

— Mes collègues de Split et de Dubrovnik se sont mis en route aussi, en hélicoptère.

— Mais où est Terry ? s'inquiète alors Joséphine.

À cet instant, celui-ci les rejoint. Il s'agenouille auprès de sa fiancée.

— Charles est parti à la maison, annonce-t-il. Il doit prévenir l'Unesco. Il ne peut pas téléphoner d'ici, il n'y a pas de signal.

— L'Unesco? s'étonne le commissaire. En pleine nuit?

— Oui, acquiesce Joséphine, c'est suffisamment grave pour qu'ils soient prévenus au plus vite.

Joséphine imagine Charles Trubert, son Charlie si délicat, dévasté par la découverte des exactions qui se déroulent sur «son» site, obligé de courir, comme il ne l'a sans doute plus fait depuis les cours de gymnastique du lycée, parmi les vignes, dans la nuit, au mépris de la sauvegarde du costume de lin noir qu'il a tenu à enfiler malgré les moqueries de Jo pour assister à la cérémonie des oracles. Voilà qui va le rapprocher un peu de ses chers Grecs qui, en 384 avant Jésus-Christ, sur le site de la ville de Pharos et de la plaine agricole qu'ils venaient d'édifier, ont dû faire preuve d'une bravoure héroïque, sinon désespérée, pour ne pas se faire tuer par les autochtones illyriens. Sans l'aide de Denys le Jeune, de Syracuse, venu de l'île adjacente de Vis pour les seconder dans leur bataille, les Grecs de Pharos seraient tous morts. Et Charles, deux mille quatre cents ans après, ne pourrait organiser aucune célébration.

Les policiers sont parvenus à neutraliser un grand nombre de clients qu'ils ont fait asseoir sur la dalle de cérémonie, pieds et poings menottés, hors d'état de nuire. À quelques mètres d'eux, Stjepan, lui, a réussi à se libérer des cordes qui l'entravaient. Il livre bataille à plusieurs membres de la confrérie des Treize, évitant leurs assauts. Terry voit Yerina se diriger vers son fils. Un des frères s'est saisi de la dague qui devait égorger Stjepan et tente de le poignarder. Yerina se jette devant son fils. La lame l'atteint en pleine poitrine. Plus de deux décennies auparavant, cet homme, en compagnie de ses onze diaboliques acolytes, l'a violée, souillée, humiliée, sacrifiant sa jeunesse, ses espoirs, tout ce qu'elle aurait pu choisir de devenir. Il vient d'achever sa sale besogne. Sans un son, le corps de celle qui fut l'amour d'Andros, la fière et redoutable Héra, la mère indigne de trois fils, s'affaisse au sol dans sa belle robe de cérémonie.

— Maman! hurle aussitôt Stjepan, se jetant à genoux pour tenter de la ranimer. Maman, maman!

Il ne parvient plus à s'arrêter de hurler, le corps secoué de spasmes.

Après son père, sa mère s'apprête à quitter ce monde profane. Zeus et Héra vont se rejoindre dans l'Olympe céleste où ils s'imaginaient vivre depuis longtemps déjà. Et sans doute la belle Ksenia y siège-t-elle désormais.

Le bourreau profite du fait que Stjepan pleure sur sa mère pour se précipiter dans son dos. Il veut finir le travail. Tuer Arès. Comme le lui a ordonné le Grand Maître.

— Stjepan! hurle Terrence, qui a vu la scène. Derrière toi!

Le jeune homme n'a que le temps de rouler sur le côté, tandis que la lame effilée s'abat une seconde fois dans les chairs maternelles. Yerina pousse un cri de douleur qui annonce son agonie.

— Maman! crie de nouveau Stjepan en revenant vers elle. Maman.

De toute sa vie, il n'aura autant répété ce mot. Il assène un grand coup de pied dans le menton du bourreau, envoyant celui-ci contre un muret. Yerina entrouvre les paupières entre deux soubresauts de douleur. Un sang noir suinte de ses entrailles et macule rapidement sa robe. Stjepan la prend dans ses bras, pleurant à chaudes larmes. Elle regarde fixement son fils aîné, celui qu'elle n'a su, ou pas pu, aimer, emportée par l'obscurité qui n'a cessé de dévorer sa vie depuis l'adolescence, tout comme elle a, cette nuit, dévoré la lune. Du bout des doigts, Stjepan caresse la joue maternelle. Alors, dans un ultime effort, Yerina lui rend sa caresse en tapotant tendrement sa nuque. Elle ne lui a jamais dit «je t'aime» non plus. Et ne le dit pas. N'a plus la force de le faire. Mais Stjepan l'a entendue. L'emprise de l'amertume quitte enfin son cœur tandis que Yerina, dans une sorte de rictus de soulagement, ferme définitivement les yeux. Stjepan se pelotonne contre le corps ensanglanté de sa mère, terrassé. Le commissaire se dirige vers le bourreau et le menaçant de son revolver, le neutralise.

C'est alors que retentit le cri de la Pythie. Un cri indescriptible, comme échappé du royaume des morts pour rappeler aux humains la vanité de leurs ambitions terrestres en même temps que leur condition périssable. Un cri qui aurait traversé l'Achéron ou crevé la toile de Munch, et effraierait Charon lui-même. Le hurlement d'une lycanthrope en détresse.

Autour de l'autel et dans la plaine qui le jouxte, tous se figent devant le spectacle. Le panier en osier qui se trouvait sur la gauche de Yerina contenait en vérité des serpents, un nœud compact de vipères noires aux têtes triangulaires et luisantes. Des *poskok*.

Crocs dardés, glissant dans un feulement quasi inaudible, l'armée de bêtes chthoniennes se répand alentour à une vitesse affolante. Les longs corps noirs se tordent de convulsions identiques à celles de la Pythie en pleine transe. Ils avancent, vengeurs, vers les frères et leurs clients, comme mus par la volonté de punir l'ignoble utilisation de leur venin. En chutant du panier où ils étaient enfermés, les serpents ont renversé au passage les torches qui éclairaient la Pythie. Deux fléaux s'abattent simultanément sur le sanctuaire : les serpents et le feu. Les broussailles sèches, environnées de lauriers et d'arbustes, s'embrasent comme des allumettes. Les Anciens y auraient vu un rituel destiné à vaincre l'éclipse et raviver la lumière de la lune.

— Mon Dieu ! s'affole Safet, tout va brûler.

— Allez-y ! hurle Terry. Prévenez les pompiers.

Safet se met à courir en direction de sa maison.

La mort, au même instant, atteint la Pythie. La pauvre médium tente en vain d'échapper aux *poskok* qui se sont précipités sous sa robe, attaquant sans merci son pauvre corps sans chair. Abasourdis, Joséphine et Terrence assistent à sa fin, impuissants à l'aider. La femme sans âge se tord de douleur en secouant la tête de gauche à droite par saccades. Son corps se crispe et elle pousse un râle terrifiant qui monte aussitôt vers le ciel. Stjepan alors, abandonnant le corps inerte de sa mère, s'approche de celle qui, jusqu'au bout, au mépris de sa vie, est restée fidèle à Andros. Un *poskok* sort sa tête de la manche de la robe d'or de la Pythie. Stjepan, n'écoutant que son désespoir, le saisit fermement sous la tête et le jette de toutes ses forces dans les flammes menaçantes. Le serpent se consume dans un crépitement infernal sous le regard hypnotisé de Joséphine. Sous l'œil fixe de Stjepan, la Pythie rend l'âme, terrassée par les morsures de reptiles. Morte d'une surdose.

Les frères et les suppliants voient les serpents se diriger vers eux. Tour à tour incarnations de la sagesse, tentateurs perfides du jardin d'Éden, ils représentent à présent les soldats du Jugement dernier. Simultanément, les flammes se ruent sur eux. S'ensuit un chaos indescriptible. Une clameur d'effroi envahit la plaine tandis que les serpents, affolés eux aussi par les flammes, accélèrent leur avancée. Les participants n'ont pas assez de jambes pour fuir en tous sens. Ils n'ont plus guère besoin de devineresse extralucide pour savoir que leur avenir s'annonce aussi sombre que la lune, dont l'éclipse, contrairement à ce qu'avait annoncé le Vénérable Grand Maître, a joué en leur défaveur. Quant aux menottés, ils se font mordre et agonisent dans les flammes. Les sacs en papier, avec les dizaines de milliers de dollars en petites coupures qu'ils contenaient, partent en fumée.

— Je n'y crois pas, murmure soudain Joséphine devant ce spectacle de désolation. La Pythie l'a dit...

— Quoi donc ? demande Terry qui la tient aux épaules avec l'ambition de l'aider à quitter au plus vite la plaine avant qu'ils ne soient à leur tour mordus ou brûlés.

— Elle a annoncé le désastre. Tout à l'heure, pendant la cérémonie ! Elle l'a prédit.

Sa mémoire lui restitue soudain l'origine de l'oracle que la sibylle a émis d'une voix si étrange, venue de très loin. Il s'agit de la prophétie rapportée intacte par Hérodote : celle que la prêtresse d'Apollon a prononcée à Delphes en 480 avant Jésus-Christ, annonçant aux généraux athéniens une nouvelle défaite face aux Perses. Les Athéniens ont compris qu'on leur annonçait la victoire, et c'est l'inverse qu'il fallait saisir.

Aidée de Terry, elle parvient à atteindre Stjepan avant que les *poskok* ne sautent sur lui. Mais comment la Pythie connaissait-elle cette prophétie historique ? Étrange créature que celle-là, très certainement douée d'intuition, d'érudition et peut-être de dons plus spéciaux encore... Et si Leo avait dit vrai ? Qui sait si la vieille nourrice aveugle d'Andros n'était pas vraiment voyante ? Joséphine regarde le vieux corps supplicié que la mort a pris en pitié, l'emportant loin de sa geôle et des souffrances qui lui ont été imposées. La vieille femme a été sacrifiée, comme les jeunes vierges et leur bébé, au désir d'immortalité d'une poignée de cyniques uniquement soucieux de leur confort personnel.

— Allez, allez, on part! crie Terry, tirant Jo d'un bras tout en tenant un Stjepan éploré de l'autre.

Ce dernier ne veut pas abandonner la dépouille de sa mère au feu et aux reptiles. Terry l'aide alors à la transporter vers la maison des Zimamović.

— Je vous rejoindrai plus tard, promet le commissaire d'une voix précipitée.

Lui et ses hommes sont débordés.

— Je dois rester ici pour attendre mes collègues de Split et Dubrovnik, achever les arrestations et rassembler les fuyards interceptés par les barrages. J'ai appris qu'il y avait des taupes dans nos services de Korčula et de Hvar. Des traîtres grassement payés pour effacer les plaintes éventuelles. Partez maintenant, vite!

Ils marchent à perdre haleine à travers vignes et oliveraie pour rejoindre la maison. Joséphine ouvre la marche en boitillant, suivie par Terrence et Stjepan qui portent le cadavre ensanglanté de Yerina. Au-dessus de leurs têtes se fait soudain entendre le souffle puissant des pales des hélicoptères de la police croate qui arrivent sur la plaine, soulevant des tourbillons de poussière. Derrière eux, Joséphine aperçoit l'imposante forme d'un premier Canadair, bientôt suivi d'autres, qui viennent étouffer les flammes avant qu'elles ne s'emparent des alentours.

Il est 5 heures. Presque deux heures de bataille auront suffi à détruire la succursale dalmate de la Gaïa Inc. qu'Andros et Yerina ont fait fonctionner, et bien fonctionner, pendant vingt-cinq ans.

L'aube point à l'horizon. L'éclipse n'est pas finie, mais le soleil se lève, et sur terre, l'astre lumière gagne toujours. Grâce à lui, indifférente aux turpitudes des simples mortels, la lune lentement retrouve sa luminescence. Ronde et calme, comme une pastèque ou une femme enceinte.

Épilogue

17 octobre 2014, île de Korčula

Le cimetière du village de Korčula est situé sur la colline. De là-haut, la vue est intimidante, s'étendant au gré du kaléidoscope des bleus incomparables de l'Adriatique jusqu'à la presqu'île de Pelješac, l'île de Mljet et même au-delà, jusqu'aux murailles de la majestueuse Dubrovnik. Dans ce cimetière, face à ce panorama exceptionnel, Yerina reposera en paix. Enfin.

Debout aux côtés de Maro et de ses deux demi-frères, Stjepan, tête baissée, écoute le prêtre avant de faire un signe de croix catholique. Il peut enfin pleurer sa mère en public. Tous savent à présent. Mais malgré le terrible choc, Maro a tenu à ce que les trois fils puissent enterrer le corps meurtri de Yerina, lui restituant dans la mort la dignité qu'elle avait perdue de son vivant.

— Elle était croyante, vous savez, a-t-il cru bon de plaider auprès de Joséphine.

— Ça ne m'étonne pas du tout, a-t-elle répondu.

Devant la tombe de celle qui fut Héra, elle se presse contre Terrence. Charles, en costume Burberry, richelieus vernis et lunettes d'écaille, se tient à leurs côtés, droit comme un i, mains dans le dos. «Charlie, enlève ce parapluie de ton derrière», le taquine souvent Joséphine, mais elle doit bien admettre que son ami et chef de mission tient honorablement son rang de haut fonctionnaire culturel international. Il n'était pas question de ne pas assister à cet enterrement. En l'absence de Safet et Djenana demeurés dans leur maison de Stari Grad, eux ont voulu témoigner de leur solidarité avec Stjepan mais aussi avec Maro auquel ils ont toujours porté de l'estime.

— Ma mère n'a pas réussi à vivre pleinement la vie qu'elle voulait, a dit Stjepan avant le début de la cérémonie, et Jo est d'accord avec lui. À seize ans, Yerina a mis le doigt, ou plutôt le ventre, dans un engrenage dont elle n'a jamais réussi à se libérer.

— Arrange tes affaires et finis tes études en cours, a dit Jo à Stjepan, et après viens me voir. Je t'attends à Montréal. C'est vrai. Je suis très sérieuse.

— Je le suis également, lui a assuré le jeune homme. Je viendrai.

Après la cérémonie, ils se sont tous embrassés avant de se séparer. Jo aurait aimé se recueillir sur la tombe de Ksenia, mais cela l'aurait obligée à se rendre à Zagreb et surtout à tout avouer à ses parents. Elle préfère en définitive que le silence fasse son œuvre. Mais jamais elle n'oubliera la nymphe si belle, si intelligente, si audacieuse qui, au péril de sa vie, l'a mise sur la trace de cette organisation mondiale, et donc, sur celle de Leo.

Main dans la main, Jo et Terry descendent lentement les marches, Charles sur leurs talons. Après une dernière nuit à Korčula, ils prendront le bateau pour Dubrovnik puis leurs avions respectifs, Charles pour Paris, Jo et Terry pour New York.

— Merci, mon amour...

— De quoi?

— D'être resté avec une aventurière ménopausée au lieu de rentrer tranquillement auprès de ta fille et de tes élèves.

— Eh bien... Sans cette aventurière ménopausée, comme tu dis, je pourrais presque m'ennuyer, qui sait...

Joséphine lui adresse un beau sourire attendri.

— Qu'est-ce que je ferais sans toi, Terry-ble bête de sexe?

Charles, derrière eux, émet un gloussement discret.

— Joséphine Watson-Finn, fait Terrence, cabotin. Arrêtez de me faire du gringue, voulez-vous?

— Ce n'est pas du gringue...

— Vous feriez des tas de choses intéressantes, j'en suis certain.

— Certes, minaude Jo, faisant mine de réfléchir. Je ferais des tas de choses intéressantes, mais pas celle que je ne veux faire qu'avec toi...

Terrence se penche sur elle et l'embrasse avec passion. Charles, par souci de discrétion, continue de descendre les marches puis s'arrête en contrebas pour les attendre.

— C'est magnifique ici, pas vrai, mon Charlie? dit Jo en le rejoignant.

— C'est... unique! répond Charles. Et je te promets de me pencher sur le dossier Marco Polo. Peut-être que cette maison est authentique, après tout...

— Oh, Charlie! s'esclaffe Jo. Tu fais des progrès, on dirait! Il s'agit bien de la maison natale de Marco Polo. Et elle est désormais purifiée des horreurs dont elle était le théâtre.

Son père lui a téléphoné ce matin pour s'enquérir des derniers développements, des arrestations des membres de la confrérie secrète, de l'incendie qui heureusement a été rapidement étouffé mais aussi de la disparition de Leo, évaporé dans la nature. Leo dont Jo n'a toujours rien dit. À personne. Leo, c'est son secret. Il était son secret et il le restera. En définitive, il n'y a vraiment qu'avec son père qu'elle puisse en parler.

Au téléphone, sir Lawrence a eu une petite phrase. Le genre de petite phrase qu'il affectionne tout particulièrement.

— Tu m'as bien dit que Ksenia t'a parlé d'une *succursale* dalmate?

— Absolument, a répondu Joséphine. Et Stjepan me l'a confirmé.

— C'est donc qu'il y a d'autres succursales. Alors, j'ai fait des recherches sur le fameux Conseil des dix de Kubilaï Khan et j'en ai conclu ceci: Oulan-Bator.

— Quoi, Oulan-Bator? La capitale de la Mongolie?

— Si l'antenne dalmate a été la première constituée autour de Marco Polo, alors il faut suivre les traces de Marco Polo pour trouver la deuxième. Je suis sûr que la deuxième succursale se trouve à Oulan-Bator. Ou du moins dans la région.

Joséphine en était déjà arrivée à la même conclusion. Mais elle ne sait pas encore comment remonter cette piste. «Bon, Leo, tu veux jouer au chat et à la souris ? s'est-elle dit. Eh bien, d'accord. C'est moi le chat. » Elle a remercié son père, a promis de revenir à Noël et a raccroché, le cœur gros. La traque ne fait que commencer. Maintenant, elle le sait.

Le regard perdu dans la beauté alentour, elle serre un peu plus fort la main de son amoureux. La mer étale s'est obscurcie sous le ciel d'octobre. Poséidon a repris ses diamants, jusqu'à l'été prochain.

— En définitive, susurre Terry à l'oreille de sa bien-aimée, nous aurons passé des vacances... comment dire ?, grandioses.

Joséphine esquisse un demi-sourire. La lune, dans son dernier quartier, monte lentement dans le ciel limpide.

— Inoubliables, murmure-t-elle.

Île de Hvar, septembre 2013 – Montréal, décembre 2014

De la même auteure

ROMANS ET RÉCITS

Les Larmes de Lumir, Paris, Mots d'Homme, 1986.
Lettre à mes fils qui ne verront jamais la Yougoslavie, Cherbourg,
   Isoète, 1997 ; Montréal, Leméac, 2000.
Les Grandes Aventurières, Montréal, Stanké/Radio-Canada, 1999.
Tourmente, Montréal, Leméac, 2000.
L'Homme de ma vie, Montréal, Québec Amérique, 2003.
Neretva, Montréal, Québec Amérique, 2005 ; Cherbourg, Isoète,
   2007.
Ailleurs si j'y suis, Montréal, Leméac, 2007.
Fleur de cerisier : Vol 459, Montréal, VLB, 2014.

BIOGRAPHIE

Jacques Languirand : Le cinquième chemin, Montréal, Éditions de
   l'Homme, 2014.

POÉSIE

Au joli mois de mai : Sortie de quarantaine, Montréal, VLB, 2001.

JEUNESSE

La Treizième Lune : Le monde secret des lutins, avec Raphaël
   Weyland, Bouxwiller, Bastberg, 1996.

Maître du jeu, Montréal, Québec Amérique, 2004.

Les Voisins Pourquoi, avec Louis Weyland, Montréal, Québec Amérique, 2006.

Les Jeux olympiques de la ruelle, avec Louis Weyland, Montréal, Québec Amérique, 2008.

Un été d'amour et de cendres, Montréal, Leméac, 2012 (Prix du Gouverneur général 2012).

Neuf bonnes nouvelles d'ici et une bonne nouvelle d'ailleurs, Montréal, Éditions de la Bagnole, 2014 (recueil collectif de nouvelles).

Série *C'est quoi l'rapport,* avec Marie-Josée Mercier, Montréal, Éditions de l'Homme :

Oublie-le, Marjo!, tome 1, mars 2013.

De quoi j'ai l'air?, tome 2, mars 2013 (Prix IMAGE/in 2014, Coup de cœur du jury Jeunesse).

Je fais ce que je veux!, tome 3, octobre 2013.

#jeveuxquecaARRETE, tome 4, février 2014.

BEAUX-LIVRES

De ma nuit naît ton jour, avec le peintre Bernard Gast, Montréal, Éditions Roselin, 2001.

Un Québec, quatre éléments, avec Pierre Samson, photographies d'Yves Marcoux, Montréal, Éditions de l'Homme, 2013.

ESSAIS

Étoile-moi : Signe par signe, comment les séduire, Paris, Calmann-Lévy, 1987.

Sous le signe des étoiles : Les relations astrologiques mère-enfants, Paris, Balland, 1989.

Mille et mille lunes : Tout ce que vous avez voulu savoir sur la lune vous est ici raconté, Paris, Mercure de France, 1991.

Le Zodiaque ou le cheminement vers soi-même, Saint-Jean-de-Braye, Dangles, 1994 (série de douze titres).